CW00422270

Fremder Essig
süß wie Wein

Griechisches Sprichwort

Adina Koch

Keine Liebe der Welt

Roman

Umschlagmotiv: Steffi Koch/ohuzdtrs.jimdo.com
Fotos: Adina Koch

Verlag & Druck: tredition GmbH, Halenreie 40-44,
22359 Hamburg

ISBN
Paperback: 978-3-347-05162-1
e-Book: 978-3-347-05164-5

Prolog

Der alte Mann sitzt wie jeden Tag auf der Holzbank am Hafen. Ihre Farbe ist an manchen Stellen durch die salzige Meeresluft verblasst, an anderen fast gänzlich abgeblättert. An den groben Stoff seines Hosenbeins schmiegt sich eine dicke, rotbraune Katze, die nur ein Auge hat. Den Daumen seiner linken Hand hakt er in den Hosenträger. Obwohl er sitzt, stützt er sich schwer auf einen derberen Holzstab. Unter seiner Schiebermütze zeichnen sich glitzernde Schweißperlen ab. Auch wenn es noch früh im Jahr ist, ist es bereits warm und der Himmel makellos blau. Gleich schlägt die Glocke im Uhrenturm, es ist früher Nachmittag. Seine tiefblauen Augen, die gerade das gegenüberliegende Festland fixiert hatten, gleiten über das sanft wogende Wasser und erfassen die einlaufende Fähre. Ihr Signal erklingt durchdringend. Kurz darauf legt sie an, spuckt aufgeregt plappernde Menschen aus aller Welt auf die kleine griechische Insel. Alles ist wie immer. Wie seit Jahrzehnten. Menschen kommen und gehen. Tag für Tag, Jahr für Jahr. Heute bleibt sein Blick an einer jungen Frau hängen, die auf der Reling steht. Sie ist allein. Ihr Koffer hat eine auffällige Farbe und ist so groß, dass sie ins Schwanken gerät, als sie das schmale wackelige Brett betritt, das als Gangway dient. Sie ist sehr jung. Der alte Mann seufzt, denn ihm erscheinen viele Menschen sehr jung. Lebt er doch schon ewig. Und hat er doch schon so viel gesehen. Seine Gedanken kehren in den Augenblick

zurück, und er schaut sie sich genauer an. Sie hat recht kurzes braunes Haar, das sich wie ein Rahmen um ihr hübsches Gesicht legt. Ihre weichen Rundungen, die sich unter ihrem Kleid zu verstecken versuchen, zaubern ihm ein Lächeln ins faltige Antlitz. Sie erinnert ihn an seine große Liebe. Genau hier hat er sie vor langer Zeit getroffen, als er seinerseits zum ersten Mal einen Fuß auf die Insel gesetzt hatte. Vor viel zu langer Zeit. Sie hatte ihn augenblicklich verzaubert und ihn nie wieder losgelassen... Ein Ruck durchfährt den alten Mann. Denn die junge Frau gerät auf der schmalen Gangway erneut ins Straucheln. Er ist viel zu weit entfernt und inzwischen viel zu schwach, um dem Mädchen, wie er sie in seinen Gedanken zärtlich nennt, zur Hilfe zu eilen. Ein anderer übernimmt diese Aufgabe. Der alte Mann beobachtet, wie der Fährkapitän mit einer Hand nach ihrem Ellenbogen greift, ihn zu fassen bekommt. Mit der anderen Hand ebenfalls den Koffer packt. Nach ein paar Schritten haben beide festen Boden unter den Füßen. Sie lächelt ihn unsicher an und sagt etwas, das der alte Mann nicht hören kann. Aber er ist sich sicher, dass sie in einer fremden Sprache miteinander sprechen. Kurz darauf wird der Blick des Mädchens wieder sicherer, sie zieht sich ihre viel zu warme Jacke aus und nimmt ihren Koffer in die Hand, schlägt den Weg in seine Richtung ein. Als sie an ihm vorbeigeht, schenkt er ihr ein Lächeln aus seinen müden, wissenden Augen, das sie schüchtern erwidert.

JANUAR

*„Das Leben ist eine Komödie
für den Denkenden und eine
Tragödie für die, welche fühlen."*

Hippokrates von Kos (460 - 370 v. Chr.)

Sephi

I

Regen peitscht ohne Unterlass gegen das dreckige Fenster der Straßenbahn. Der Himmel ist mausgrau, genau wie die Stadt. Genau wie meine trüben Gedanken. Sie springen unaufhörlich zurück an jenen Abend vor drei Tagen. Es fühlt sich an wie ein trauriger Film in Endlosschleife in meinem Kopf: „Ich kann nicht über Nacht bleiben, das habe ich dir doch gesagt, Sephi! Und außerdem fallen mir keine Ausreden mehr ein, die ich ihr erzählen könnte!" Seine Worte sind wie spitze Nadeln, die mich tief treffen. Es ist das erste Mal, dass er so mit mir spricht. Unbeherrscht, laut. Etwas in seiner Stimme ist kalt, so kalt wie der Januarregen. Groß wie er ist, füllt er meinen kleinen Flur fast komplett aus. Er steht gebückt und bindet sich die Schuhe. Es ist kaum fünf Minuten her, dass wir zusammen im Bett lagen. Ich fühle noch immer seinen warmen Atem auf meiner Haut, seine Erektion tief in mir. Ungeduldig stieß er immer wieder in mich. So als könne er es kaum abwarten, endlich damit fertig zu werden. Genauso wie er es zuvor kaum abwarten konnte, mich in mein Schlafzimmer zu ziehen. Dass ich extra für ihn das schwarze, fließende Kleid angezogen hatte, bemerkte er nicht einmal. Dabei hatte er es mir gekauft. Damals, als ich, naiv wie ich war, dachte, dass schon bald alles gut werden würde. Dass Liebe immer stärker ist.

Während die Bahn an immer düsterer wirkenden Straßenzügen vorbeirauscht, wird mir klar, dass es erst ein halbes Jahr her ist, als sich mein Leben wie auf den höchsten Höhen des Olymps anfühlte, voller Nektar und Ambrosia. Die Fernsicht war atemberaubend, auch wenn die dunkle Front schon in der Ferne aufzog. Ich konnte sie mehr erahnen, als tatsächlich sehen. So weit entfernt. So unwirklich. Ich ließ mich von seinen Versprechen, von seiner Leidenschaft blenden, die heiß wie die Sonne war - und von meinem unerschütterlichen Glauben an die Kraft der wahren Liebe. „Aber…", ich komme nicht dazu, etwas zu antworten, denn er streift sich bereits die Jacke über. Die Tür fällt dumpf hinter ihm ins Schloss. Das Wort prallt von dem schweren Holz ab, schlägt direkt vor mir im Boden wieder ein wie eine Granate: Aber. Keine Umarmung. Kein Kuss. Kein Hinweis auf ein Wiedersehen. Ich breche in meinem kleinen Flur zusammen, krümme mich, weine. „Ich habe dir mein Herz auf einem Silbertablett serviert, trotz allem", schreie ich ihm meine Verzweiflung hinterher. Auch das kann er nicht mehr hören. Das Tablett fällt mit einem lauten Poltern auf den harten Boden, darauf mein Herz. Zerquetscht von den Sohlen seiner Schuhe.

Die bloße Erinnerung lässt mir, mitten unter den Menschen in der Bahn, heiße Tränen in die Augen schießen. Ich wende mich ab, schäme mich, für den Moment, für meine Taten, für meinen unerschütterlichen Glauben an die Liebe. Krampfhaft schaue ich aus dem Fenster. Quer über den Straßen hängt noch immer die Weihnachtsdekoration, windschief inzwischen. Ihre Lichter blinken in verschiedenen Tönen, doch sie verschwimmen in den Regentropfen und hinter meinen Tränen zu einem undefinierbaren Fleck. Ich schmecke Salz auf meinen Lippen, fühle mich noch immer beschmutzt und um meine Gefühle betrogen.

Aus den Augenwinkeln erkenne ich, dass die alte Dame, die mir gegenübersitzt, mich mitleidig anschaut. Alle anderen sind zu sehr mit sich selbst beschäftigt, um etwas zu bemerken. Die meisten starren auf die Displays ihres Handys. Musikvideos, Spiele, Nachrichten - alles flimmert, alles lenkt ab. Ich bin froh darum. Ich selbst halte auch ein Handy in meiner Hand. Sein Display ist tiefschwarz. Nur in der oberen linken Ecke blinkt ein helles Licht. Grell und ohne Unterlass macht es mich auf Neuigkeiten aufmerksam. Es will mir sagen, dass ich eine Nachricht erhalten habe, wahrscheinlich gleich mehrere. Es flackert immer wütender, scheint zu rufen: „Willst du nicht endlich nachschauen! Es ist bestimmt wichtig. Es ist von ihm!" Nein. Ich möchte nicht nachschauen. Blinde Wut steigt in mir auf, ein Gefühl, das mir bisher im Leben noch niemals begegnet ist. Das aber seit dieser Nacht wächst, mir Halt gibt. Auch wenn noch immer Tränen der Scham fließen.

Die Straßenbahn stoppt völlig unerwartet, der Fahrer legt eine Vollbremsung hin, die sich gewaschen hat. Er lässt das Signal so laut ertönen, dass es mir in den Ohren klingelt. Menschen schwanken, abgestellte Taschen geraten ins Rutschen. Ein Kind fällt fast, ein großer Hund bellt nervös. In meinem Schoß fühlt es sich plötzlich feucht an. Erschrockene Augen hinter einer kleinen Brille mit runden Gläsern richten sich auf mich. Ein junger Typ mit Ziegenbärtchen hält einen zerquetschten Becher To Go in der Hand. Der dazugehörige Deckel rollt irgendwo über den schmutzigen Boden. Dafür läuft sein Inhalt über meinen Schritt. Nicht mehr heiß, dafür klebrig. Ich kann genau riechen, was zuvor in dem Becher war: Kaffee, einer von der günstigen Sorte, Vollmilch, Haselnusssirup und geschlagene Sahne. Die Kalorien einer Hauptmahlzeit breiten sich weiter über meinen Schoß aus, werden auf meiner Hose zu einem Fettfleck, den ich niemals mehr herauswaschen kann.

Meine Hose ist neu. Mein Glaube an Karma hingegen nicht. Also verkneife ich mir einen bitterbösen Kommentar, der gegen meine sonst so friedliche Natur, bereits auf meiner Zunge liegt. Meine fiese innere Stimme ist hingegen weniger zurückhaltend. „Du hast es verdient!", zischt sie. Der Satz schlängelt sich durch meine Gedanken, in mein Herz. Mein Gesicht wird heiß, ich schwitze – und das liegt nicht nur an der Temperatur in dem überfüllten Waggon. Mein Pullover kratzt unangenehm auf meiner Haut. Die alte Dame kramt nun in ihrer klitzekleinen Handtasche herum. Sie reicht mir ein Tempotaschentuch, mit dem ich mir geräuschvoll die laufende Nase putze. Sie reicht mir gleich noch ein zweites. „Lieben Dank", ich tupfe unbeholfen über den Fettfleck. Es bleibt feucht, und jetzt kleben zusätzlich weiße Papierkügelchen überall. „Es tut mir wirklich leid", nuschelt der Ziegenbart in selbigen. In dieser Sekunde fährt die

Straßenbahn mit einem Ruck wieder an. Irgendwo schimpft jemand, das Kind weint jetzt.

Mein Herz, das vor drei Tagen zu einem matschigen Brei zertreten wurde, schlägt mir heftig bis zum Hals. Es hämmert gegen meinen Brustkorb, als wolle es die Flucht daraus antreten. Die Luft in der Straßenbahn ist inzwischen zum Schneiden. Zu dem süßen Haselnussduft gesellen sich Aromen von Schweiß und einem angebissenen Döner mit vielen Zwiebeln. Noch drei Stationen, zähle ich mit. Noch zwei Stationen, noch eine. Ich stürze aus der Hitze hinaus in den eiskalten Regen. Noch eine Haltestelle weiter - und ich hätte mich übergeben müssen. Nun friere ich innerhalb von Sekunden wie Espenlaub. Meine Haare sind nass, kleben mir am Kopf. Es sind noch zehn Minuten Fußweg bis nach Hause. Meinen Schirm kann ich nirgendwo finden. Und in der Jackentasche vibriert schon wieder dieses verdammte Handy.

II

Es ist Sonntagmorgen. Ich sitze auf meinem dunkelgrauen Sofa, irgendeine TV-Krimiserie flimmert über den Bildschirm. Ich schaue gar nicht hin. Herrlicher Kaffeeduft liegt in der Luft. Noch immer trommelt Regen auf das Dach. Meine Nase läuft, ich muss niesen. „Oh, bitte nicht!" Im Büro sind wir bereits seit Wochen unterbesetzt, da kann ich eine Erkältung gar nicht gebrauchen. Gestern hatte ich, kaum zu Hause angekommen, meine nasse Kleidung im Flur fallen lassen. Ich war direkt im Badezimmer verschwunden, musste unter die Dusche, um alles abzuspülen: den penetranten Haselnussduft, die eisige Kälte, den zu erwartenden Schnupfen. Noch mit dem Handtuchturban auf den nassen Haaren ging ich in meine kleine Küche. Dort räumte ich alle Einkäufe in die Schränke. Dann stellte ich die Zutaten für das Rezept auf der Anrichte zurecht, das ich heute zum ersten Mal kochen wollte. Ich ließ den weißen Bohnen, meiner getrockneten Hauptzutat, ein erfrischendes Wasserbad ein.

Wenn es einen Ort auf dieser Welt gibt, an dem ich Ruhe finde, dann ist es meine kleine Küche. Während andere zum Sport gehen oder Filme schauen, rühre ich lieber in einem Risotto. Am Herd kann ich entspannen, den Arbeitsstress hinter mir lassen und alles vergessen. So gut vergessen, dass ich sein WhatsApp-Dauerfeuer auf meinem Handy tatsächlich völlig ausgeblendet hatte. Darum quäle ich mich vom Sofa hoch und suche das blöde Ding. Wo habe ich mein Telefon gestern nur gelassen? Als ich es finde, steckt es noch immer in der Tasche meiner Winterjacke. Sein Akku ist fast vollkommen aufgebraucht.

„Hatschi!“ Mein gesamter Körper schüttelt sich vor Kälte. Zum Aufwärmen nehme ich erst einmal einen Schluck aus der dampfenden Kaffeetasse. Dann gehe mit dem Handy zurück aufs Sofa. Dort stöpsele ich das Gerät, das noch immer unaufhörlich blinkt, in die nächste erreichbare Steckdose und entsperre es mit meinem Daumenabdruck.

Du fehlst mir so! Wir müssen damit aufhören, aber ich will dich auch sehen. Ich weiß nicht, was ich tun soll…

Schreib mir doch bitte!Es tut mir leid. Wirklich! Sephi! Was ist los?!? Ignorierst du mich? ICH MUSS DICH SEHEN

Irgendwann in der vergangenen Nacht hat es ihm wohl keine Ruhe mehr gelassen, dass ich nicht auf seine Nachrichten vom Nachmittag geantwortet hatte. Ganz gegen meine sonstige Gewohnheit. Also schrieb und schrieb er. Doch er konnte sich offensichtlich nicht entscheiden, ob er sauer auf mich sein oder sich Sorgen um mich machen wollte. Wie kommt er auf die Idee, dass ich ihn nach unserer letzten Begegnung noch einmal wiedersehen möchte, ihn noch einmal in mein Bett lassen würde? „Weil du ein dummes Huhn bist!", meine innere Stimme kennt mich einfach ziemlich gut. Aber diesmal würde ich ihr das Gegenteil beweisen, das hatte ich mir fest vorgenommen! Ja, ich liebe diesen Mann. Ja, ich will ihn nicht verlieren. Aber ich bin völlig machtlos, wenn es um uns als Paar geht. Nach unserer letzten Nacht denke ich nämlich nicht mehr, dass alles gut werden und er je ganz zu mir kommen wird. Darum werde ich mich von ihm zurückziehen, schon um mich selbst vor weiteren Verletzungen zu schützen. So wie ich es gleich zu Beginn unserer unglückseligen Affäre hätte tun sollen…

III

Es begann im letzten Sommer, wir kannten uns gerade erst vier Wochen, hatten uns bisher nur selten gesehen. Wir saßen auf meiner gemütlichen Terrasse, die Sonne ging langsam unter. Wir tranken kühlen Weißwein. Und er würde zum ersten Mal über Nacht bei mir bleiben. Ich war nervös, so verknallt. So naiv. Da platzte es aus ihm heraus. Er sei verheiratet, er habe einen Sohn, den er über alles liebt. Und er habe nicht kommen sehen, was mit ihm, was mit uns, passieren würde. Dass er sich noch einmal in seinem Leben so verlieben könne. Ich war wie vor den Kopf gestoßen. Verheiratet und verliebt in einem Satz, aber nicht über eine Frau, sondern über zwei? Während ich die ganze Zeit dachte, dass wir uns so selten sehen, weil er weit weg wohnt, viel arbeitet und ich ohne Auto verdammt unflexibel bin, saß er abends bei seiner Frau und seinem kleinen Kind?

„Du bist verheiratet…?“, flüsterte ich kaum hörbar. Ich konnte es kaum glauben. Hatte er mich nicht letzte Woche erst eingeladen, ihn auf seine nächste Geschäftsreise nach Mailand zu begleiten?

„Ja, ich bin verheiratet.“

„Und das sagst du mir heute?!“

„Ich wusste nicht, wann der richtige Zeitpunkt dafür ist…“

„Der Moment, in dem wir uns kennengelernt haben?“

„Du hast so süß ausgesehen, so liebevoll…“

„Liebevoll?“, mir schossen heiße Tränen in die Augen. Ich war sauer auf ihn. Verletzt. Und wütend auf mich, weil das erneut mir passierte. Warum treffe ich andauernd Männer, die mich ausnutzten oder nach angenehmen Treffen auf Nimmerwiedersehen verschwanden? Warum zog ich diese Typen an, die zweigleisig fuhren oder einfach nie wieder von sich hören ließen? Dieser hier hatte sich nach dem ersten Date sofort bei mir gemeldet, dann immer und immer wieder. Sehr oft, um genau zu sein. Jedes Wort eine kleine Hoffnung auf mehr, jeder Satz ein süßes Versprechen.

„Du schreibst mir am laufenden Band Nachrichten, gleich morgens zum Aufstehen und auch spät abends noch, wenn ich schon im Bett liege?!"

„Ja."

„Wie geht das? Sitzt deine Frau währenddessen daneben, kuschelt ihr gleichzeitig auf dem Sofa oder geht gerade zusammen schlafen?", meine Stimme zitterte und überschlug sich fast.

„Ich gehe immer raus in den Garten. Wir verbringen die Abende nicht zusammen vor dem Fernseher beim Kuscheln oder so. Diese Zeiten sind längst vorbei."

„Welche Zeiten?"

„Die, in denen ich glücklich verheiratet war, in denen meine Frau und ich..."

„..."

„Es gibt da keine Zärtlichkeiten zwischen uns mehr. Wir haben keinen Sex oder knutschen wie Teenager. Wir sind wie Freunde, ein gutes Team. Mehr nicht. Aber wenn ich bei dir bin, will ich dich immer nur berühren, dich küssen. Dieses Gefühl erlebe ich zu Hause nicht mehr."

„Zu Hause..."

„Ja. Es ist mein Zuhause. Aber ich fühle mich dort nicht mehr wohl. Abends wenn alle zum Essen um den Tisch sitzen, dann fühle ich mich irgendwie ausgeschlossen von ihren Gesprächen. Als würde ich nicht dazugehören."

„Alle?"

„Meine Frau hat eine Tochter aus einer früheren Beziehung. Wir sind zu viert."

„Eine heile und glückliche Familie", ich flüsterte immer noch.

„So ist es nicht..."

„Wie ist es dann? Dann sei doch offen, trenne dich - bevor du dir was Neues suchst."

„Dann verliere ich mein Kind. Und wahrscheinlich auch meine Firma..."

Wir redeten bis tief in die Nacht, im Schutz der Dunkelheit auf meiner Terrasse war es einfacher. Ich musste nicht in sein schönes Gesicht schauen. Und er nicht in mein trauriges, das tränennass war. Es dauerte nicht sehr lange bis seine Worte erreichten, dass ich nicht mehr böse auf ihn war. Je deutlicher er mir seine ausweglose Lage beschrieb, desto mehr glaubte ich ihm. Desto mehr fühlte ich mit ihm, fühlte die Falle, in der er gefangen saß, seine aussichtslose Situation. In dieser Nacht schliefen wir zum ersten Mal miteinander. Er war zärtlich, sorgte sich, dass auch ich auf meine Kosten kam. Das fand ich wunderbar und, ehrlich gesagt, auch ungewohnt. Sein seliger Gesichtsausdruck, als er in mir zum Höhepunkt kam, hat sich in mein Gedächtnis eingebrannt und wird mir von nun an für immer wehtun. Am Morgen verabschiedete er sich mit einer Umarmung, die so fest war, dass ich seine immense Verzweiflung darin zu spüren glaubte. Er küsste mich, setzt sich in sein Auto, streifte den schmalen Ehering über und fuhr zurück zu seiner Familie. Ich weiß, ich hätte es besser wissen müssen. Doch meine Sehnsucht nach Nähe war so groß, ist immer noch so groß, sie ließ mich ausschließlich auf mein Herz hören, mein Kopf mit der flüsternden, zischenden inneren Stimme war für eine Zeit lang wie abgemeldet.

IV

Zum hundertsten Mal lese ich seine Nachrichten, die von gestern und auch die aus den letzten Wochen. Seit dieser ersten Nacht ist ein halbes Jahr vergangen. Und es hat sich nichts geändert. Rein gar nichts. Im ersten Moment wollte ich ihn nicht mehr sehen. Doch er ließ sich nicht so leicht abwimmeln, zudem sehnte ich mich sehr nach seiner Zärtlichkeit. Vielleicht würde meine Liebe ihm ja die Kraft für eine Entscheidung geben, für einen Neuanfang mit mir? Oder mir die Kraft, eine Geliebte zu sein…

Der bitterböse Erinnerungsfilm an unsere letzte Begegnung spult in diesem Augenblick zurück, um erneut vor meinem inneren Auge abzulaufen: Ich in dem schwarzen Kleid, das er mir während der Geschäftsreise in Mailand gekauft hat. Er, der nur in einem ausgeleierten T-Shirt und einer alten Jeans in meiner Wohnungstür steht und zur Begrüßung nuschelt: „Hi. Der Weg zu dir ist immer so verdammt weit." Auch da schaut er mich schon kaum an. Sein Kuss ist flüchtig. Um so fester sein Griff, der mich packt und zielstrebig in mein abgedunkeltes Schlafzimmer führt. Später dann seine niederschmetternden Worte: „Du weißt, dass ich nicht über Nacht bleiben kann, Sephi!"

Aber ich möchte nicht schon wieder an das Danach erinnert werden. Ich möchte nicht daran denken und nicht diese Kälte in seiner Stimme heraufbeschwören. Ich möchte mich nicht schon wieder selbst am Boden kauernd sehen. Das Karussell der Erinnerungen. Es muss endlich aufhören, sich zu drehen.

Energisch wische ich mir neue heiße Tränen aus dem Gesicht. Schluss! Selbst meine fiese innere Stimme bleibt stumm. Sie beschimpft mich sonst abwechselnd, weil ich es nicht besser verdienen würde, wenn ich mich auf einen verheirateten Mann einlasse. Oder tröstet mich einlullend, dass man sich die Liebe einfach nicht aussuchen könne und dass er mich mit seinen Geschichten verführt und letztlich betrogen hatte. Was von dem, was er mir in jener Nacht im Sommer erzählt hat, wahr ist, weiß ich bis heute nicht. Ich habe nicht versucht, es herauszufinden. Denn unter keinen Umständen würde ich aus Eifersucht zu seinem Zuhause fahren, seine Familie belauern oder seine Frau anrufen, seinem Kind wehtun oder irgendetwas in dieser Art. So tief werde ich niemals hinabsinken: „Auch wenn du Scheißkerl es nicht verdient hast, mit heiler Haut davonzukommen!", sage ich laut zu mir selbst. Und weiß tief in meinem Inneren, dass da auch diese furchtbare Angst lauert, die mich davon abhält, genauer nachzuforschen. Die Angst davor, das ganze Ausmaß seiner Lügen zu erkennen.

Ich ziehe geräuschvoll die Nase hoch und mache mich auf den Weg in meine kleine Küche. Während sich andere in Rache üben, stelle ich mich lieber an den Herd. Der ist mein Hort, hier finde ich meinen Seelenfrieden, ganz egal was zuvor geschehen ist. Und heute finde ich zusätzlich die eingeweichten weißen Bohnen, die ich fast vergessen hätte! Das Rezept hat mir auf dem Papier so gut gefallen. Und heute würde es perfekt zu diesem trüben Tag passen, es ist echtes Soulfood – gegen die Januarkälte da draußen vor dem Fenster und auch gegen die Eiseskälte, die sich weit, weit in mir ausgebreitet hat.

FASOLADA (Weiße Bohnensuppe)

Zutaten für 4-6 Portionen

500 g getr. weiße Bohnen | 2 Karotten
1 St. Knollensellerie | etwas Lauch | 2 rote Zwiebeln
2 Knoblauchzehen | 1 rote Chili | 2-3 EL Olivenöl
1 EL Tomatenmark | 1 kl. Dose Tomaten
Salz | Pfeffer | Oregano | Petersilie

So geht's

Die Bohnen mind. 12 h in Wasser einweichen, anschließend in gesalzenem Wasser für 30 Min. fast gar kochen. Das Kochwasser aufheben.

Karotten, Knollensellerie, Lauch, Zwiebeln, Knoblauch & Chili putzen. Alles fein würfeln, in Öl für ein paar Minuten leicht anschwitzen. Tomatenmark am Topfboden anrösten. Alles miteinander verrühren. Die Dosentomaten dazugeben und kurz dünsten lassen.

Jetzt etwas vom Kochwasser auffüllen. Ein paar Minuten köcheln lassen, dann die Bohnen in den Topf. Restliches Kochwasser angießen, bis sie gut bedeckt sind. Mit Salz, Pfeffer, Oregano & Petersilie würzen. 30 Min. sanft köcheln lassen.

Als *Topping* bietet sich Schafskäse an, der mit der Gabel zerdrückt und mit Salz, Pfeffer, Chili, Thymian & Olivenöl abgeschmeckt wird (Foto: Seite 178).

Ilias

I

Mein Rücken tut weh wie der eines alten Packesels, der auf der Nachbarinsel die Koffer der Touristen durch die Gegend schleppt. Ich strecke mich stöhnend, es knackt bedrohlich, dann drehe ich die Hüfte zur Seite und schaue meine Silhouette im Fenster an, das blitzeblank geputzt ist. Mutter war hier. Sie ist eine sehr gründliche Frau. Bei allem, was sie tut. Bestimmt hat sie sich ganz genau umgeschaut. Auch das ist nichts Neues für mich: Ich bin ihr ältester Sohn und eine einzige Enttäuschung, die man unter Kontrolle behalten muss. Hinter dem blitzeblanken Glas sehe ich die Straße, den schmalen Streifen grober Strand und die Bucht. Das Meer ist heute sehr dunkel und ungewöhnlich unruhig, weißer Schaum tanzt auf den Wellen, die an Land rollen. Am Ufer gegenüber suche ich den Berg, der sich dort normalerweise gen Himmel erhebt. Heute kann ich ihn kaum erkennen, auch nicht die wenigen Villen, die sich an seinen Hang schmiegen. Eine dicke, schwarze Wolke hat sich über alles gesenkt. Es regnet nicht, aber das wird schon noch geschehen…

Ich strecke mich noch einmal. Es knackt wieder. Alles, was ich will, ist, zurück in mein Bett zu gehen. Ich will mich tief unter der Daunendecke vergraben und alles um mich herum vergessen. Für Daunen ist es jetzt gerade noch kalt genug. Sobald es Frühling wird, schlafe ich lieber unter einem dünnen Laken oder gleich ganz ohne. Lediglich die weiche Haut eines Mädchens an meiner. Im blitzeblanken Fenster sehe ich, wie sich mein Gesicht zu einem breiten Grinsen verzieht. Doch es bleibt nicht genug Zeit, um mein Schicksal zu betrauern oder mich wieder hinzulegen und von vorletzter Nacht zu träumen. Als sich eine wunderbar warme Decke und eine Frau mit samtweicher Haut gleichzeitig an meinen Körper geschmiegt hatten. Nicht hier, natürlich. Nicht in meinem Bett, das in meiner Wohnung steht, die meinen Eltern gehört.

In dieser Sekunde kann ich den strengen Blick meiner Mutter in meinem Rücken direkt fühlen. Ich drehe mich erschrocken um. Haben sich ihre blitzenden Augen gerade im Fenster gespiegelt? Oder spielt mir mein Kopf einen üblen Streich? Da ist niemand, beruhige ich mich selbst. Da ist niemand, der sich in der Scheibe spiegelt - außer mir. Es war nur ein Flackern aus der Vergangenheit. Ein heller Blitz, wie aus meiner Kamera. Es war die Erinnerung an diesen einen Moment, als ich meiner Mutter das Herz brach. Und wenn ich sie nicht immer und immer wieder wütend auf mich machen wollte und enttäuschen, dann sollte ich jetzt in meine Hosen steigen und losfahren.

Es ist ein echter Jammer, dass meine Familie nicht wenigstens ein wenig größer ist. Mutter und Vater sind alt, und meine Schwester ist zu ihrem Mann nach Thessaloniki gezogen. Ja, prima! Immer bleibt alles an mir hängen. Seit vielen Jahren versorge ich den Olivenhain, der unserer Familie gehört, nun schon ganz alleine. Und ich hasse es aus tiefster Seele, jeden Winter aufs Neue. Seit der

Woche vor Weihnachten schlage ich mich mit den reifen Früchten herum, die dringend geerntet und zur Ölmühle gebracht werden müssen. Inzwischen sind fast alle von den knochigen Bäumen herunter. Ihr Öl wird uns einen kleinen Zusatzverdienst einbringen.

Das Geld ist mir ganz egal. Wilder Zorn wütet in meinem Kopf, da ich meinen Rücken kaum spüre, mir die Arme unendlich schmerzen. Auch wenn sich, zugegeben, die zusätzlichen Muskeln in meinem Körper gut anfühlen. Meine Hände haben üble Schwielen bekommen, die brennen, und meine Nase läuft ununterbrochen. Denn entweder regnet es andauernd in diesem verdammten Winter oder es ist viel zu kalt. Ich habe mir eine Erkältung eingefangen - wie jedes verdammte Jahr. Doch Mutter würde sich durch meine laufende Nase nicht erweichen lassen. Sie würde mir die Arbeit nicht ersparen.

II

„Du bist heute spät dran!" Ich rolle mit meinen Augen, als ich Mutter unten an der Treppe treffe. Sie und Vater wohnen im selben Haus, in einer eigenen Wohnung unter meiner. Separat zwar, aber immer noch sehr nah.

„Dir auch einen guten Morgen. Es ist gerade 9.30 Uhr", antworte ich und bin schon genervt.

„Und dieser schreckliche Bart. Wie lang soll der noch werden?"

„Mama, niemanden interessiert die Länge meines Bartes. Die Oliven am allerwenigsten!"

„Mich interessiert es, wie du herumläufst! Und Christos auch!"

„Was um alles in der Welt, hat der alte Christos mit meinem Bart zu schaffen?" Inzwischen wünschte ich wirklich, ich wäre etwas früher aufgestanden und so der elenden Standpauke meiner Mutter entgangen.

„Ich habe ihn gestern zufällig getroffen. Und er hat bald wieder Arbeit in der Taverne für dich."

„Da spüle ich die dreckigen Teller und Schüsseln. Und dem Geschirr ist es ebenfalls komplett egal, wie ich dabei aussehe", murmele ich in meinen in der Tat zotteligen Winterbart. Die anschmiegsame Süße von vorletzter Nacht steht auf die störrischen Haare, denke ich und grinse.

„Sei nicht so frech zu deiner Mutter!"

„Mama, ich bin 29 Jahre alt!"

„Eben darum. Und jetzt mach, dass du in die Oliven kommst, bevor dein Vater sich wieder aufregt. Du weißt, dass es ihm schlecht geht."

Meinem Vater, dem seit einem Unfall auf See der linke Arm fehlt, geht es gesundheitlich wirklich nicht besonders gut. Aber er hat sich noch niemals in seinem ganzen Leben über irgendetwas aufgeregt. Was mein großes Glück ist! Denn ohne seine ruhige, besonnene Art hätte Mutter mich wahrscheinlich damals rausgeworfen und aus der Familie verstoßen. Ich atme tief ein, lasse mich auf meinen alten Roller fallen und fahre los. Ich kenne den Weg zum Olivenhain blind. Jedes Schlagloch, jede Kurve. Ich könnte ihn mit verbundenen Augen fahren, wären da nicht die dämlichen Streuner von Katzen überall. Deren Leben ist mir zwar herzlich egal. Aber meines nicht, auch wenn es momentan nicht wirklich richtig gut für mich läuft.

Ihr könnt mich alle mal gerne haben, denke ich trotzig. Ich werde euch schon noch zeigen, dass ich nicht der Versager bin, für den ihr mich alle haltet! Bevor ich die schmale Straße ins Inselinnere nehme, fahre ich beim Café kurz vorm Kanal vorbei. Hier teilt sich die Insel, die mein Zuhause ist, in einen kleineren Part, der sich rund um den Berg befindet, den ich von meinem Fenster aus sehen kann. Und in einen größeren Teil, auf dem ich wohne. Eine Insel, in zwei Teile getrennt. So wie ich. Ein Mann, in zwei Personen geteilt. Der eine nur noch blasse Erinnerung an eine vergangene Zeit, in der die Zukunft durch und durch rosig schien. Der andere im Hier und Jetzt – angeschlagen, aber längst noch nicht k. o., das werdet ihr schon alle sehen.

Vanessa erkennt mich durchs Fenster. Und bis ich bei ihr am Tresen angekommen bin, hat sie Kaffee, viel Milch und drei Löffel Zucker bereits in einen Becher gefüllt, alles mit einem Deckel verschlossen und in eine kleine Tüte gestellt. Ich lege ihr das abgezählte Geld auf den Tresen und gehe direkt zurück zu meinem Roller. Dort hänge ich die Tüte an den rostigen Lenker und fahre los. Die feuchte, kühle Luft wirkt belebend auf mich. Und die Aleppo-Kiefern entlang des Weges verströmen diesen betörenden Duft, den es nur hier gibt. Und der mich dieses tiefe Heimatgefühl spüren lässt. Auf zu den Oliven, den verhassten Oliven.

III

Unser Hain liegt im Inneren der kleinen Insel. Hier reiht sich ein Gemüsefeld an das nächste, eine Reihe Olivenbäume an die folgende. Hin und wieder hat jemand Zitronen angebaut. Bevor ich mit meiner Arbeit beginne, setze ich mich auf die kleine Steinmauer, die unseren Abschnitt markiert, und lasse die Füße hinunterbaumeln. Ich nehme meinen Kaffeebecher, mache den Deckel ab und genieße den ersten heißen Schluck. Süß und stark. So mag ich meinen Kaffee am liebsten. Hinter den dicken Wolken linst tatsächlich die Sonne hervor. Ihre Strahlen wärmen mein Gesicht und tauchen alles in dieses Zauberlicht, das es nur hier gibt. Ich hole meine Kamera aus dem Rucksack und schieße ein paar Fotos: Wolken, Sonne, die Hügel, frisch sprießendes Grün. Später werde ich zu Hause am Computer nachschauen, ob ich damit etwas anfangen kann. Ob ich noch ein bisschen mehr daraus machen kann.

Unter meiner schwarzen Wollmütze wird mir langsam heiß. Wenn alles gut geht, werde ich heute die Ernte abschließen und dann damit beginnen, die Bäume für die nächste Saison vorzubereiten. Sie müssen kontrolliert und ausgeschnitten werden. Das wird wahrscheinlich den Rest der Woche, höchstens aber bis Mitte der nächsten dauern. Dann bin ich endlich fertig – zumindest für dieses Jahr. Dann werde ich nicht mehr jeden Abend riechen, als wäre ich selbst einer dieser knochigen, alten Olivenbäume. Erdig, bitter, dumpf und nach Harz. Ihr hat es gefallen, träume ich mich in die vorletzte Nacht zurück. Da schreckt mich eine laute Autohupe auf. Jemand fährt vorbei und winkt, und ich weiß, der gemütliche Teil des Morgens ist vorüber.

IV

Ich komme aus der Dusche und bin froh, dass der Tag im Olivenhain ohne weitere Zwischenfälle vergangen ist. Da piepst mein Handy. Eine neue Nachricht ist über Facebook eingegangen. Das konnte nun wirklich nur die Süße mit der weichen Haut sein.

Sehen wir uns heute Nacht?

Touristinnen, die ich auf der Insel kennenlerne und auf die ich Lust habe, gebe ich niemals meine Telefonnummer. Ich kontaktiere sie lieber über Facebook, per Messenger. Inklusive separatem Piepton, man weiß ja nie! Und wenn sie wieder abreisen oder sich mir eine bessere Option bietet, ist die Verbindung easy gelöscht. Nervt eine trotzdem, blockiere ich sie. Ende. Aus.

Um diese frühe Zeit im Jahr bin ich bei den Ladys allerdings weit weniger wählerisch als im Hochsommer, wenn ich mich jeden Tag um Frauen im Bikini kümmere. Jetzt gibt es hier kaum Fremde, höchstens ein paar asiatische Tagestouristen, die mit der Fähre aus Piräus kommen und direkt weiter auf eine der Nachbarinseln reisen. Oder was weiß ich, wohin die fahren. Wenn doch einmal eine, meist eine der Städterinnen aus Athen, die sich daheim langweilt und hier ein Wochenendhäuschen besitzt, für ein paar Tage vorbeikommt, bleibe ich natürlich am Ball.

Und diese eine Athenerin ist wirklich besonders sexy. Langes blondes Haar, schlanke Taille, trotzdem sehr weiblich. Obwohl mir alle Knochen im Leib wehtun, regt sich etwas unter dem Handtuch, dass ich mir beim Verlassen des Badezimmers um die Hüften geschlungen habe. Ich lasse mir noch ein paar Minuten Zeit mit meiner Antwort. Ich ziehe mir erst einmal etwas Bequemes an, anschließend bringe ich meine dunklen, störrischen Haare in Form - und natürlich meinen Bart.

Klar, ich bin in zwei Stunden bei dir!

Ich tippe die kurze und knappe Nachricht in mein Telefon und drücke auf Absenden. Dann strecke ich alle viere auf dem Sofa von mir und entspanne erst einmal. Sie wird auf mich warten, das ist wirklich keine Frage! Ich lege mir meinen Laptop auf den Schoß, überspiele die Fotos von der Kamera und werfe einen Blick auf die Aufnahmen vom heutigen Morgen. Sie sind mir richtig gut gelungen! Das Zauberlicht habe ich perfekt eingefangen. Die Fotos glänzen durch Tiefe. Die Kontraste und einzelne Farben kann ich später noch ein wenig stärker hervorholen. Einige der Fotos zeigen die Landschaft, andere die Details der knochigen Olivenbäume, die dicken Äste, vereinzelt hängende Früchte, die Blätter in diesem besonderen Grünton. Ich finde, dass die Bäume in meinen Bildern etwas Geheimnisvolles ausstrahlen, fast schon etwas Mystisches.

Jetzt muss ich aber aufpassen, dass ich mich nicht darin verliere und mein Date heute Abend vergesse. Wenn ich an meinen Bildern arbeite, kann mir das schon einmal passieren. „Nein, kann es nicht!", witzelt meine innere Stimme und treibt mich wie ein Kumpel vom bequemen Sofa hoch.

FEBRUAR

Freundschaft ist wie das
Land, auf dem man sät.

Griechisches Sprichwort

Apoll

I

„Oi! Oi! Oi!", wir schreien inbrünstig, ich bin mittendrin in dem grölenden Chor vor der Bühne. Ich schreie, bis mir die Lunge aus dem Hals zu kommen scheint, bis sich mein Hals rau anfühlt. Es ist großartig! Mein ganzer Körper zuckt und zappelt. Mein Kopf auch. Ich fühle diese überwältigende positive Energie bis in den letzten Winkel meiner Knochen. Auch auf der echt winzigen Bühne des Pubs wird mehr geschrien als gesungen. Elf Leute hat die Band, die sich da oben quetscht und uns hier unten einheizt. E-Gitarre, Gitarre, zwei Schlagzeuge, ein Keyboard und der Rest sind Bläser. Ich liebe es einfach. Es gibt nichts Besseres auf der Welt! Okay, es gibt da noch eine Sache, die ich genauso liebe wie die Musik. Aber heute, heute Abend gibt es nur das hier: den ohrenbetäubenden Lärm, die stickige Luft im Pub, das kalte Bier in meiner Hand und meine Freunde. Es ist meine letzte richtige Nacht in London, Übermorgen geht es schon in aller Herrgottsfrühe zurück nach Hause.

Um mich herum zappeln sie alle. Die Punks mit den stacheligen Irokesen auf dem Kopf; Typen wie ich mit raspelkurzen Haaren und Hosenträgern. Ein paar, die so aussehen, als kämen sie gerade aus dem Broker-Büro, sind auch dabei; und dann die, deren Rasta-Zöpfe wie wildgewordene Schlangen in der stickigen Luft tanzen. Die Mischung macht's. Die Leute sind bunt, lebensfroh und ein bisschen abgewrackt. So wie die Musik. So wie ich. Für die einen hier gilt: hart arbeiten, hart feiern. Für die anderen wohl eher: hart feiern und dann noch härter feiern. Für mich ist das völlig okay, leben und leben lassen. In dieser Szene sind alle irgendwie unterschiedlich und doch alle gleich. Wir alle sind ein Teil des Teams, keiner wird zurückgelassen. So bin ich auch. Und darum mache ich mich jetzt langsam auf den Weg ins Bett, aber ganz langsam. Ein Bier ist noch drin. Den anderen habe ich versprochen, morgen für sie zu kochen. Eine letzte gemeinsame Runde am großen Tisch, ein Abschiedsessen auf unsere Zeit in London, bevor ich meine Kochjacke und meinen Rucksack schnappe und den Heimweg antrete. Dann geht es zurück in die griechische Idylle. Zurück in mein eigenes Restaurant, an meinen eigenen Grill. Dahin, wo ich zu Hause bin.

II

Der Wecker klingelt schrill. Er ist erbarmungslos, mein Schädel brummt. Ich liege auf der dünnen Matratze in der Ecke des Wohnzimmers meines Kumpels Mikey. Seine Bude hier in Camden ist winzig. Aber er freut sich immer, wenn ich mal für ein paar Tage vorbeikomme. Und ich brauche sowieso nicht viel. Die letzten drei Wochen bin ich hier morgens aufgewacht, in meine Klamotten gestiegen und habe mich auf den Weg ins Restaurant gemacht. Zwei Sterne. Eine Offenbarung. Die Zeit ist wie immer viel zu schnell vergangen. Ich liebe meinen Beruf. Und Menschen, die ihn genauso schätzen wie ich. Ein Zwei-Sterne-Koch, der Leuten aus aller Welt für ein paar Wochen die Möglichkeit gibt, für ihn zu arbeiten. Uns die Chance gibt, von ihm zu lernen. Das ist der helle Wahnsinn! Und ich war dabei. Ich bin noch immer dabei, denn heute werde ich hier in Mikeys winziger Bude und seiner noch winzigeren Küche für die Crew kochen. Und für Mikey natürlich, den ich seit meiner Kochlehre kenne, der aber nicht mehr in unsere Heimat nach Griechenland zurückgekehrt ist. Mikey arbeitet inzwischen in London. Er ist Sous Chef in einem lässigen Laden. Er schuftet von morgens bis abends - und trotzdem geht er feiern. So wie letzte Nacht. Mikey ist auch jetzt schon wieder unterwegs. Er steht bestimmt bereits seit einigen Stunden am Herd. Darum erhebe auch ich mich schwerfällig, und denke mir, dass ich mein gemütliches Bett wirklich sehr vermisse.

Ich werde jetzt ein letztes Mal in London auf den Markt gehen, vorher vielleicht noch ein Kaffee an der Ecke trinken, da wo ich in den letzten Wochen immer vorbeigekommen bin, und wo die Studentin hinter dem Counter immer so süß lächelt. Ich sollte mich vielleicht von ihr verabschieden. Oder ich mache es wie meist, wenn es um schöne Frauen geht, ich tauche einfach nicht mehr auf. Wahrscheinlich hat sie mich schneller vergessen, als ich wieder auf der kleinen Insel und in meinem alten Leben angekommen bin. „Jetzt aber los", treibe ich mich selbst an. Denn das Schweinefleisch, das ich für meine Freunde kochen möchte, braucht wirklich seine Zeit auf dem Herd.

CHIRINÓ ME SÉLINO (Schwein mit Sellerie)

Zutaten für 4-6 Portionen

1 kg Schweinefleisch (z. B. aus der Schulter)
2 EL Mehl | 4 große Schalotten | 2 Knoblauchzehen
1 Bund Petersilie | Olivenöl | 1 EL Tomatenmark
1 kg Staudensellerie | frischer Oregano | Salz | Pfeffer
Saft von 2 Zitronen | 2 Eigelbe

So geht's

Das Fleisch trocken tupfen und in mundgerechte Stücke schneiden, mehlieren. Schalotten abziehen, in Ringe schneiden, Knoblauch schälen, fein hacken. Die Stiele der Petersilie hacken. Schalotten, Knoblauch & Stiele in reichlich Öl goldbraun anbraten. Das Fleisch dazu, rundum kräftig anbraten. Tomatenmark im Topf anrösten.

Mit Wasser aufgießen, alles gut vermischen, dann 1h sanft köcheln lassen. In der Zwischenzeit den Sellerie putzen, in Stücke schneiden, Blätter grob hacken. Oregano hacken. Nach 1h den Sellerie und den Oregano dazugeben, salzen und pfeffern.

Für ca. 30 Min. kochen lassen. Dann mit dem Zitronensaft abschmecken. Bei Bedarf nachwürzen. Zwei Eigelbe verrühren und unter die nicht mehr kochende Soße rühren, so wird sie schön sämig. Mit Brot, Kartoffeln oder Reis servieren (Foto: Seite: 178).

III

Der riesige Esstisch, den Mikey samt aller Stühle von einem seiner Nachbarn geliehen hat, nimmt fast den kompletten Raum ein. Ich habe mir den ersten Sitzplatz neben der Kochnische gesichert, sonst würde ich kaum noch an den Herd herankommen. Das Ding ist megamodern, nichts anderes habe ich von Mikey erwartet. Und doch ist er fast unbenutzt. Denn der Platz, den mein Freund in der Kochnische seiner winzigen Bude hat, reicht kaum aus, damit sich eine Maus im Kreis darin drehen kann.

Rund um den Tisch quetschen sich inzwischen drei Frauen und sieben Männer. Es ist heiß hier drin und wahnsinnig laut. Alle quatschen wild durcheinander. Lachen und stopfen sich mit dem Weißbrot und den kleinen Vorspeisen voll, die ich nebenbei vorbereitet habe. Ohne Brot und ohne Mezze, deren Rezepte ich im Schlaf beherrsche, seit ich fünf Jahre alt bin, funktioniert kein griechisches Essen. Punkt. Mit dem Wein sind gerade alle etwas vorsichtiger. Die letzte Nacht im Pub war lang und hart. Viele von uns machen sich heute noch auf den Weg in ihre Heimat. Bald ist es auch für mich so weit. Ich lächle und freue mich wahnsinnig auf Papa und Mama, auf unsere Familientaverne. Auf die frische Brise vom Meer und auf meine E-Gitarren, die ich in den letzten drei Wochen schmerzlich vermisst habe.

„Apoll! Hör auf, von Griechenland zu träumen! Wann gibt es endlich etwas zu essen?“, Mikey brüllt über die Köpfe der anderen hinweg. Er sitzt am weitesten vom Herd entfernt. Er hat von seinem Boss frei bekommen, heute kocht ein anderer für ihn. Das hat er sich redlich verdient!

„Ist ja schon gut! Noch fünf Minuten, dann geht es los."

„Ich bin supergespannt. Nach der fantastischen Sterneküche in den letzten Wochen habe ich mal wieder richtige Lust auf etwas Bodenständiges. Und Griechisch, da kenne ich mich gar nicht aus." Irina ist eine der wenigen Frauen, die den Kochkurs besucht haben. Sie ist Russin, elegant bis in die geföhnten Haarspitzen, auch am Herd ist sie immer tiptop gestylt. Wie sie das Wort „bodenständig" betont, lässt mir die Nerven flattern.

Na, es wird ihr schon schmecken, große Sorgen mache ich mir keine. Schließlich weiß ich genau, was ich hier zubereite. In dem riesigen Topf auf dem Herd köchelt das Fleisch in der Soße, die leichte Blasen schlägt und jetzt genau die richtige Konsistenz erreicht hat. Ich nehme den Topf vom Herd und stelle ihn mitten auf den Tisch. Jeder der hungrigen Köche reicht mir seinen Teller und ich schaufle ihnen Schweinefleisch und Sellerie darauf. Der würzige Duft verbreitet sich in der Luft, es riecht wie bei Papa in der Küche, wenn die Familie zusammenkommt. Wenn wir einmal nur für uns kochen und dann gemeinsam in kleiner Runde essen. Da bemerke ich, dass es ganz still im Raum geworden ist, bis auf ein paar Schmatzgeräusche und ein gelegentliches Seufzen höre ich nichts. Alle essen. Alle genießen. „Wenn du nichts hörst, ist es das beste Zeichen!", sagt Papa immer. Und er muss es schließlich wissen.

IV

Der Rucksack drückt auf meinen Schultern, als ich am Flughafen in Athen ins Freie trete. Endlich wieder Sonne, endlich wieder griechischer Himmel über mir. Die Sonnenstrahlen kitzeln mir in der Nase. London ist geil, aber Anfang Februar ein düsteres, graues Regenloch. Hier strahlt der Himmel, einige wenige weiße Wolken ziehen in der Ferne vorüber - und ich kann spüren, wie heiß es im Sommer werden wird. Bis zur Metrostation sind es nur ein paar Schritte. Ich nehme die blaue Linie, wie immer, wenn ich von einer meiner Reisen nach Hause komme. Sie führt mich mitten hinein ins Herz von Athen. Dorthin, wo ich als Teenager die ersten Clubs besucht habe und die ersten Ska-Punk-Konzerte, die damals eine echte Seltenheit bei uns in Griechenland waren. Ich erinnere mich so genau an diese Zeit, als wäre sie erst ein paar Wochen her. Am Monastiraki-Platz, wo sich die Touristen versammeln, um den Flohmarkt zu erkunden, sich ein Restaurant zu suchen oder einen Blick von unten auf die Akropolis zu werfen, steige ich in die grüne Linie um. Doch ich bleibe gleich unter Tage, das Wahrzeichen der Stadt habe ich nun wirklich mehr als oft genug gesehen. Es interessiert mich nicht, ich will nur noch zu Hause ankommen. Meine Mama in den Arm nehmen, mit Papa einen starken griechischen Mokka trinken und dann ran an den Herd und den Grill.

In der U-Bahnstation herrscht ein irres Gedränge. Alle rennen wie wild durcheinander, schleppen schwere Koffer oder sperrige Aktentaschen mit sich herum. Die grüne Linie fährt ein, als ich gerade den Bahnsteig betrete. Perfekt! Ich setze mich auf einen freien Platz, es ist noch eine der alten Bahnen mit den lackierten Holzbänken. Sie ruckelt wild und ist furchtbar laut, aber so gehört es sich für mich. Das gehört dazu, wenn ich nach Hause komme. Wir fahren mit der Metro schnell aus dem Untergrund ans Tageslicht. Den Rest der Strecke legt die Bahn im Hellen zurück, mitten durch die uralte Stadt.

Ich krame nach einem Euro in meiner Tasche, denn eine alte Frau kommt laut klagend und lamentierend vorbei, in der Hand hält sie einen eingeschweißten Zettel. Sie ist arm, die Regierung hat sie betrogen. Die meisten Leute im Zug schauen weg oder angestrengt in ihre Zeitung. Mir schenkt auch keiner etwas, steht in den Gesichtern der meisten von ihnen geschrieben oder noch viel Schlimmeres. Mir schenkt natürlich auch niemand etwas, aber ich habe gute Laune und finde ein paar Münzen zwischen Einkaufszettel, Büroklammern und einem Plektrum. Die alte Frau lächelt, als ich ihr das Geld in die Hand drücke. An der nächsten Haltestelle steigen zwei junge Kerle ein und singen für Moneten. Ich lache laut, denn bei ihrem Gebrüll fallen mir gleich die Ohren ab. Jetzt reicht es aber wirklich mit meiner Großzügigkeit!

Je näher wir Piräus und dem Hafen kommen, desto voller wird die Metro. Ich trete meinen Sitzplatz an einen alten Opa ab, presse meinen riesigen Rucksack vor meine Brust und stelle mich in die Nähe der Wagentür. Für den Ausstieg brauche ich eine günstige Position. Es sind dann zwar nur noch ein paar Minuten bis zum Fähranleger, aber ich habe auch wirklich nicht viel Spielraum. Wenn nichts dazwischenkommt, geht mein Zeitplan punktgenau auf. Die Metrotür öffnet sich mit einem lauten Quietschen. Ich sprinte aus dem Zug, remple auf dem Bahnsteig ein paar Leute an, rufe eine Entschuldigung und renne weiter.

Hier riecht schon alles nach Ozean, nach Hafen. Die Straße ist voller Autos, ein Hupen, ein lautes Bremsen. Meine Ohren dröhnen schlimmer als im Club vorletzte Nacht. Ohne zu zögern, springe ich über die Straße, ein Taxifahrer geht in die Eisen und schreit mich an. Er wedelt wütend mit seinem Mittelfinger. Meine Laune ist bestens, also winke ich ihm freundlich zu und erreiche in allerletzter Sekunde den Fähranleger. Ein paar Leute stehen dort noch in der Schlange, jedes Ticket wird vor der Fahrt einzeln von Hand kontrolliert. Das ist mein Glück. Ich krame das Papier aus der Tasche, passiere die Kontrolle, stelle meinen Rucksack ins Gepäckfach auf dem Deck und suche meinen Platz im Bauch der Fähre. Heute ist sie nicht besonders voll, noch fehlen die Sommerurlauber.

V

Der Wind reißt wütend an meiner Jacke, die schäumende Gischt spritzt mir ins Gesicht. Es sind nur noch zehn Minuten, bis wir Poros erreichen. Ich stehe an Deck der Fähre und sehe, wie wir auf die Insel zufliegen, sehe ihre felsigen Hügel, die Strände. Das Peloponnes-Festland auf der einen und meine Heimat auf der anderen Seite des Wassers, beides direkt vor uns. Der Ozean schimmert tiefblau und weißer Schaum tanzt auf den Wellen. Sonnenstrahlen brechen sich in ihnen. Mich wundert es keine Sekunde, dass sich die Götter ausgerechnet Griechenland für ihr ewiges Leben ausgesucht haben, denke ich, während mein Herz vor Vorfreude zu platzen droht. Ich gehe zu dem Gepäckfach, quatsche mit dem Bootsmann und erkläre einer Amerikanerin, dass sie noch auf der Fähre bleiben muss, wenn sie die richtige Insel erreichen will. Sie ist ein wenig beruhigt und setzt sich wieder ins Innere. Dann schultere ich meinen riesigen Rucksack und als wir anlegen, bin ich der erste, der über das schmale, wackelige Holzbrett springt. Drei, vier Schritte, ein letzter Satz an Land. Ich bin endlich zu Hause.

Ilias

I

Ich hasse das Geschirrspülen in der Taverne fast noch mehr als die Arbeit im Olivenhain, denke ich gerade. Da wird eine neue Ladung Teller und ein völlig verkrusteter Grillrost mit einem lauten Knall direkt neben dem Waschbecken abgeladen. Der Kellner Costas, der einen leichten Silberblick hat, grinst frech an mir vorbei: „Nur nicht müde werden!“ Ich könnte den Kerl! Was denkt der sich eigentlich. Doch ich schlucke meinen Ärger hinunter, ich brauche das Geld, das ich hier verdiene. Ich brauche es dringend. Und wenn ich will, dass der alte Christos und seine Leute mich die nächsten Tage und auch über Ostern zum Aushelfen in die Taverne holen, kann ich dem Kellner nicht mitten in der Küche einen Kinnhaken versetzen. Außerdem habe ich keine Energie zu verschwenden. Heute ist Mittagsdienst angesagt, die Nacht ist für eine der heißen Städterinnen reserviert, die immer um die Karnevalszeit auf unsere kleine Insel kommen. Nicht dass man hier wüsste, wie man wild feiert, denke ich und verdrehe die Augen.

„Schau nicht so dumm, mach deine Arbeit!“ Es ist müßig, dem alten Christos zu erklären, dass ich die Augen nicht… Es ist müßig, es für mich selbst zu wiederholen.

„Mach ich doch.“

„Und wie du wieder aussiehst!“

„Bitte! Boss, mach nicht auf meine Mutter, die liegt mir damit schon genug in den Ohren. Was interessiert es das Geschirr, wie zottelig mein Bart ist. Und warum soll ich hier hinten am Waschbecken irgendetwas anderes als einen alten Jogginganzug anziehen?!“

„Ist ja schon gut, mein Junge“, Christos lacht in seinen weißen Bart und dreht sich zum Herd um. Sein Rücken ist dabei leicht gebeugt. Und ich meine, die Anstrengung zu erkennen, die er in diesem Moment bei seiner Arbeit fühlt. Es wird Zeit, dass Apoll hier mal wieder aufkreuzt, denke ich. Der Typ, auf den nie jemand sauer ist. Obwohl er andauernd unterwegs ist, Sterneküche in London oder Madrid lernt, pah. Und dann rennt der immer in diesen schrägen Ska-Klamotten durch die Gegend. Diese aufgekrempelten Jeanshosen, die schweren, schwarzen Boots, diese Mütze mit Schirm auf dem rasierten Schädel. Ich merke, wie blinde Wut in mir aufsteigt - und wie sich meine Augen in Richtung Decke rollen wollen. Ich unterdrücke den Impuls. Ich tauche beide Hände tief in das seifige Spülwasser und träume von heute Nacht. Mehr bleibt mir im Augenblick sowieso nicht übrig.

II

Es ist stockdunkel in dem geräumigen Zimmer hoch über den Dächern der kleinen Stadt. Nicht einmal das Weiße in ihren Augen ist zu erkennen. Ich rolle mich von ihr herunter und stoße dabei einen tiefen, befriedigten Seufzer aus.

„Nicht so laut!"

„Himmel, hier ist doch niemand!"

„Die Wände sind so dünn wie Papier, ich will nicht, dass meine Schwester mitbekommt, dass ich nicht alleine hier bin, du weißt doch, wie sie ist."

„Denkst du, ich will das? Denkst du, ich will, dass wieder alle auf der Insel was über mich zu tratschen haben?"

„Himmel, dann sei nicht so laut!"

„Weißt du was? Ich haue ab", ich steige mit Schwung aus dem Bett, das sich eben noch so gemütlich angefühlt hat. Gleichzeitig taste ich in der Dunkelheit nach meiner Unterhose, meiner Jeans, dem T-Shirt. Wo sind bloß Hoodie und Schuhe geblieben, frage ich mich, während ich auf der Bettkante sitze. Sie schmiegt sich von hinten an meinen Rücken, knabbert an meinem Ohr.

„Das war doch nicht böse gemeint. Komm wieder ins Bett, bleib noch ein bisschen hier," schnurrt sie wie ein Kätzchen. Doch mir ist für heute die Lust vergangen. Wenn ich eine zickige Alte wollte, dann hätte ich eine feste Freundin.

„Lass mal Süße, ich pack es jetzt. Morgen muss ich ziemlich früh wieder raus und zur Arbeit." Ich schnappe mir meinen Rucksack und schon fällt mit einem leisen Plopp die Tür hinter mir ins Schloss. Mein alter, rostiger Roller wartet geduldig vor ihrer auf alt getrimmten, aber ultramodernen Ferienwohnung. Die Straße davor ist schmal und liegt völlig im Dunkeln. Ab nach Hause, bevor mich noch jemand sieht!

III

Zehn Facebook-Messenger-Nachrichten, zehn Stück sind in den letzten Minuten eingegangen. Ich grinse wie ein Honigkuchenpferd. Von, „dass du einfach abhaust" bis „lass uns das wiederholen" steht da alles drin. Und ich bin mir sehr sicher, dass wir das wiederholen werden, aber dann nach meinen Regeln. Heute habe ich erst einmal die Abendschicht, Apoll würde wohl wieder zurück sein. Ich habe keinen Bock, nicht auf das dreckige Geschirr und nicht auf den Chef, der sogar noch ein Jahr jünger ist als ich. Fast ein Alter und ihm gehört schon eine Taverne. Ich versuche immer, Mutter zu erklären, dass er die von seinem Vater übernommen hat, quasi geerbt. Doch das

Argument lässt sie nicht gelten. Ich hätte ja ebenfalls etwas aus mir machen können. Ja, verdammt. Ich weiß, dass ich etwas aus mir hätte machen können.

Versager hin oder her, ich beschließe in dieser Sekunde, den Spüljob für heute sausen zu lassen und mich mit der Süßen zu treffen. Sie ist auf einmal ziemlich redselig. Na, zumindest in der lautlosen und schriftlichen Kommunikation. Sie brauchen meine Hilfe in der Taverne an Ostern sowieso, wenn sie nicht mit ihrem dreckigen Geschirr an den Feiertagen alleine dastehen wollen. Also was soll's, wenn ich heute nicht dort auftauche, die melden sich schon wieder. Ich streife mir den Hoodie über den Kopf und verlasse meine Wohnung. Unten auf der Straße treffe ich auf Mutter. Das war klar! Sie kommt von der Gassirunde mit unserem Hund. „Eigentlich ist das dein Hund," ätzt die Stimme in meinem Kopf.

„Du bist schon wieder viel zu spät dran. Gestern warst du auch viel zu spät zum Arbeiten bei Christos in der Taverne."

„Woher weißt du das denn schon wieder? Du warst doch gar nicht dort, nicht mal in der Nähe."

„Ich habe ihn heute Vormittag in der Stadt am Marktstand bei den Fischern getroffen. Er war sauer auf dich. Und ich bin es ebenfalls. Musst du mich immer so enttäuschen? Was soll er denn über mich denken - was er über dich denkt, das weiß ich bereits!"

Genau genommen bin ich eine halbe Stunde zu früh dran. Zu früh für mein Date. Nur für den Geschirr-Job bin ich seit zehn Minuten überfällig. Ich schaue meiner Mutter in die zornigen Augen und sehe, dass ich keine Chance gegen sie habe. Niemand hat eine Chance gegen diese Frau, die mit einem alten Seebären verheiratet ist. Er hat sie damals von einer seiner Fahrten nach Südamerika mit nach Griechenland gebracht. Und wenn er zu diesem Zeitpunkt auch nur eine Sekunde lang gehofft hatte, sich auf diese Weise ein stilles, fügsames Mädchen nach Hause geholt zu haben, hatte er sich gewaltig in Mutter getäuscht. Keine Ahnung, ob ich in einem fremden Land, mit einer mir unbekannten Sprache auch nur einen Tag so gut überleben würde wie meine Mutter. Inzwischen beherrschte sie kaum noch die Sprache ihrer Vorfahren, zumindest habe ich sie schon lange nicht mehr darin sprechen gehört.

Ich tippe die Absage an die Süße ins Handy, drücke schweren Herzens auf Absenden und fahre zur Taverne. Dann muss ich eben doch schuften!

Apoll

I

Das vertraute Knarzen der Treppe klingt wie Musik in meinen Ohren. Doch da ist noch ein anderes heimeliges Geräusch. Während ich aus der Wohnung hinunterkomme, kann ich ihn bereits bei der Arbeit hören. Und dann sehe ich ihn auch. Papa steht mit dem Rücken zu mir am Tisch und hackt etwas. Das Messer klopft gleichmäßig und zackig auf das Holzbrett. In der Luft liegt der Duft der würzigen Tomatensoße, die seit einer Weile in einem riesigen Topf auf dem Herd köchelt. Es riecht nach Rosmarin und Knoblauch. Es duftet nach meinem Zuhause.

Ich wünsche mir immer wieder von ihm, dass er sich mehr Ruhe gönnt. Aber ich weiß auch, dass er Angst hat. Angst davor, wenn er den Kochlöffel zur Seite legt, selbst den Löffel abzugeben. Das sind seine Worte, nicht meine. Vor einem Jahr hat er uns allen einen gewaltigen Schreck eingejagt. Als Mama an einem Donnerstag gegen Mittag in die Tavernenküche kam, um sich etwas Mehl für einen Kuchen zu holen, den sie in ihrer eigenen Küche im Haus nebenan backen wollte, fand sie ihn. Er lag auf dem Boden vor dem Herd. Er röchelte. Stöhnte laut. Ich werde niemals den Schrei vergessen, den Mama in diesem Augenblick ausstieß und der mich in einer Sekunde aus meinem Zimmer hinaus- und die Treppe hinuntertrieb. Später sagte sie zu mir: „Apollonios, das war der Schreck. Der Schreck davor, was ich tun soll, wenn er nicht mehr bei uns ist. Wir sind seit 35 Jahren jeden Tag zusammen. Was soll ich denn ohne deinen Papa machen?"

Mama ist gut zehn Jahre jünger als Papa. Er stand hier schon hinter dem Herd, als sie sich kennengelernt haben. Seine älteren Brüder interessierten sich nicht für die Taverne, also musste er ran. Großvater war damals weit über 70 Jahre alt und nicht bereit, das Geschäft an fremde Leute zu übergeben. Also brachte er seinem Jüngsten das Kochen bei, die Liebe für die Produkte aus dem Meer und von den Feldern unserer Heimat. Und er lehrte ihn die traditionellen Rezepte, die schon seit drei Generationen in unserer Taverne weitergegeben werden. Als er seinem Sohn alles beigebracht hatte, was er wusste und was es zu wissen gab, schloss er seine Augen. Ehrlich! An dem Tag, an dem er Christos sagte, dass es nichts mehr gab, was er ihm noch zeigen könnte, schlief er friedlich für immer in seinem Bett ein. Und mein Papa, gerade erst 19 Jahre alt, stand plötzlich mit einer eigenen Taverne da - und mit Gästen, die nur die allerbesten Speisen gewohnt waren.

Seitdem kocht Christos. Und die Menschen lieben seine Gerichte, auch heute noch. Die Touristen genauso wie die Einheimischen, die sogar im Winter dafür sorgen, dass bei uns die Tische immer gut besetzt sind. Die dafür sorgen, dass wir nicht über unser Geschäft klagen können. Niemals habe ich Papa gehört, wie er sich über sein Schicksal beschwert oder mit der Zeit, dem Geld oder - wie bei vielen seiner alten Freunde beliebt - mit der Regierung haderte. Er kocht, egal was gerade los ist, welche Partei an der Macht ist, bei Sonne oder Regen. Und genau wie bei mir gehört seine zweite große Leidenschaft der Musik. „Ach Apoll", sagte er einmal. „Manchmal habe ich davon geträumt, mit der Gitarre und einer Band in die Welt zu ziehen. Manchmal."

Aber dann verliebte er sich in Mama. Er kannte sie schon ewige Zeiten. Doch war sie für ihn immer ein kleines Kind gewesen. Das kleine Kind, das in der Taverne vorbeikam, Tischwäsche und Handtücher abholte und in die Wäscherei ihrer Eltern brachte. Bis sie eines Tages ganz plötzlich nicht mehr kam. Ihre Mutter hatte sie zur Tante aufs Festland geschickt. Dort sollte sie lernen, wie man einen Haushalt führt und die Tante pflegen, die alt und gebrechlich war. Es fiel ihm zwar auf, dass da jetzt ein anderes Kind kam, um die Wäsche abzuholen. Aber er hatte so viel zu tun, dass er nicht weiter darüber nachdachte. Drei Jahre später stand sie plötzlich wieder vor ihm, bei einem Fest auf der Insel. Sie war jetzt 17 Jahre alt und längst kein Kind mehr.

Die beiden tanzten die ganze Nacht und er ließ sie von diesem Moment an nie wieder gehen. Ein halbes Jahr später heirateten die beiden in der großen Kirche, die gar nicht weit von unserer Taverne entfernt in der gleichen Straße steht. Danach dauerte es ein wenig, bis wir drei Brüder auf die Welt kamen. Irgendwie wollte es erst nicht so richtig klappen. Vielleicht lag es an der vielen Arbeit in der Taverne. Vielleicht standen die Sterne nicht besonders günstig. Vielleicht war es der Druck ihrer Eltern, die sich erhofft hatten, ihre Tochter würde in Athen einen reichen Städter finden. Und jetzt war sie wieder hier auf Poros und im Handumdrehen verheiratet. Wenn sie nun doch wenigstens schwanger werden würde…

Papa kam nach seinem Zusammenbruch in der Küche in ein Krankenhaus auf dem Festland. Der Weg dorthin ist weit, auch sonst muss man hier weite Wege auf sich nehmen, wenn einem etwas

Schlimmeres passiert. Doch mein Papa ist zäh. Er überlebte und stand schon wenige Wochen später wieder jeden Tag am heißen Herd. „Kochen ist doch unser Lebenselixier, Apoll", sagt er immer.

„Wenn du nur da in der Tür herumstehst und mich anstarrst, kannst du nichts arbeiten und dann verhungern unsere Gäste", Papa hat mich längst bemerkt und feixt in seinen weißen Bart.

„Ich komme ja schon. Und du machst erst mal eine Kaffeepause!"

„Das lass ich mir nicht zweimal sagen. Übernimmst du die Kartoffeln, die sind gleich gar?"

II

Am Nachmittag ziehen erste dicke Wolken über dem Meer auf. Es ist ruhig im Gastraum, ich nutze die Gelegenheit, um meinen Instagram-Kanal mit den Erlebnissen der letzten Wochen zu bestücken. Vater lacht immer über das neumodische Zeug – wie er es nennt. Aber ich finde die Vorstellung super, dass ich auf diesem Weg mit Leuten aus aller Welt in Kontakt bin, die meisten sind natürlich Köche. Und dass ich der Welt unser kleines Paradies hier zeigen kann. Nachdem ich ein paar Fotos aus der Londoner Küche gepostet habe, lade ich ein Bild von Papa mit einer außergewöhnlich großen Goldmakrele in der Hand hoch. Er hat das Prachtexemplar bei einem unserer Trips aufs offene Meer geangelt. Später kam der Fisch dann auf den Grill. Ein Festmahl! Die roten Instagram-Herzen fliegen Papa, dem Fisch und dem Foto nur so zu. Habe ich es doch gewusst! Bald braucht er sein eigenes Profil, weil die Leute ihn so gerne mögen.

Während ich in London gearbeitet habe, blieb kaum Zeit für Social Media, also scrolle ich ein wenig durch meine Timeline. Mal sehen, was ich verpasst habe. Auf einem Foto erkenne ich Mikey, der in Camden vor dem Restaurant sitzt, in dem er arbeitet. Er raucht eine Zigarette und grinst breit in die Kamera. Seine kleine Schwester, die gerade in der Stadt ist und die Schauspielschule besucht, wirft einen Kussmund in die Welt. Ihr Selfie hat an die 10k Likes. Das finde selbst ich ein bisschen verrückt. Das nächste Foto in der Reihe kommt mir vom Stil her bekannt vor. Das Geschirr, der Tisch, die Draufsicht auf das Essen – jedenfalls ist sie sehr konsequent in ihrer Bildsprache, denke ich lachend. Seit gut zwei Jahren folge ich ihrem Kanal nun schon. Im Gegensatz zu Mikeys Schwester macht sie fast nie Selfies. Schade eigentlich, denn das Profilfoto verspricht einiges. Leider ist es so winzig, dass ich keine Details erkennen kann. Ich weiß, dass sie in Deutschland lebt und als Job irgendetwas mit Marketing macht. Was immer das auch bedeuten soll! Und ich weiß, dass sie in ihrer Freizeit gerne kocht. Sie ist kein Profi, das sehe ich natürlich sofort. Aber ihre oft exotischen Gerichte inspirieren mich. Diesmal allerdings nicht so sehr, denn sie hat einen griechischen Klassiker zubereitet, der regelmäßig im Topf meiner Mama köchelt, wenn sie an Wintertagen ausnahmsweise einmal für die Familie kocht. Dem Foto nach hat sie das Gericht aber ziemlich gut getroffen. Wenn es nur halb so authentisch schmeckt, wie es aussieht, engagiere ich sie vom Fleck weg als Köchin für unsere kleine Taverne!

Das sieht sehr gut aus!

Ich kommentiere ihr Foto. Und muss nicht lange auf ein „Danke“ und einen lachenden Smiley von ihr warten. Mir kommt es so vor, als hielte sie ihr Handy noch öfter in der Hand als ich! Wir wechseln gleich auf die Chat-Funktion.

Ich freue mich, von dir zu hören,
du warst ja lange nicht online.

Ja, ich war in London
bei einem Kochkurs.

Bei einem Kochkurs?
Aber du bist doch schon Koch!!!

Haha, ja. Aber man kann
doch immer was lernen.

Da hast du recht! So wie ich.
Das Rezept für die Suppe habe
ich gerade neu gelernt…

Und sie sieht genauso aus,
wie sie aussehen sollte! Schade,
dass ich sie nicht kosten kann.

Jetzt werde ich aber verlegen!

Das musst du nicht.
Deine Gerichte sehen
immer gut aus. Echt
exotisch manchmal.

Danke, du bist lieb.
Ich würde gerne mal
richtig kochen lernen.
Aber auf die Idee bin ich wohl
ein bisschen zu spät gekommen…

Ich könnte es dir beibringen!

Dein Ernst?

Klar, aber ich kann
dir nix zahlen, haha.

Ja, das dachte ich mir schon :)
Aber für Kost und Logis komme
ich vorbei. Sieh dich nur vor!

Dein Ernst?

MÄRZ

„Ein gutes Essen bringt gute Leute zusammen."

Sokrates (469 – 399 v. Chr.)

Sephi

I

Es ist so staubig hier unten, dass es mir in der Nase kitzelt. Es riecht muffig nach Mottenkugeln, gebrauchte Gartengeräte hängen an der Wand, etwas Erde ist von ihnen auf den Boden gebröselt. Ein alter, wackliger Stuhl steht in der Ecke. Die Tür zu meinem Kellerverschlag ist so weit geöffnet, wie es eben geht. Gerade habe ich den letzten meiner Kartons hineingeschleppt, um den Kram aus der Wohnung, den ich im kommenden Jahr nicht brauchen werde, dort zwischenzulagern, da klingelt es. Ich beeile mich, um wieder aus dem düsteren Loch hervorzukommen, und öffne auf dem Rückweg in meine Wohnung die Haustür. Da steht er, mein Untermieter. „Hi Manuel, komm doch mit hoch. Ich bin gerade fertig geworden." Oben angekommen, reden wir ein bisschen über das Wetter, das Leben. Manuel ist gerade erst 24 Jahre alt und Student. Irgendwas mit Programmieren, irgendwas, das es ihm finanziell schon jetzt möglich macht, meine Wohnung zu mieten... „Ich bin echt froh über unseren Deal", sagt er und lässt seine schmalen Schultern hängen. Es ist ein trauriger Anblick. Seine Freundin hat ihn vor ein paar Tagen verlassen und jetzt braucht er dringend ein neues Zuhause. „Aber du weißt, dass du für das ganze Jahr zahlen musst? So haben wir das in unserem Vertrag festgehalten...", ich habe ein kleines bisschen Panik, dass seine Freundin es sich in der nächsten oder übernächsten Woche anders überlegt, ihn zurücknimmt und ich dann doch übers Jahr die Mietkosten an der Backe habe. „Ja, alles gut! Ich nehme die Wohnung für ein Jahr, solange du halt weg bist", dabei wirkt er so, als wollte er mich endlich loswerden.

Zehn Minuten später stehe ich allein auf der Straße vor dem Haus, in dem ich die letzten vier Jahre gewohnt habe. Ohne Schlüssel und mit meinem etwas zu groß geratenen, pinken Koffer. Manuel will wohl um keinen Preis der Welt zu seiner Ex-Freundin zurück, prima für mich. Mein Abenteuer beginnt genau jetzt. Ich schaue noch einmal zurück, hoch zu meiner Dachwohnung, da fährt mir ein Schauer durch den Körper. Quer von oben nach unten. Ich stehe da und zittere. Was habe ich mir nur dabei gedacht? Ein Jahr raus aus dem Job. Ein Jahr raus aus meinem Zuhause. Ein Jahr, um Kochen zu lernen. Und was, wenn ich da ankomme, und alles ist nur ein Witz? In den letzten Tagen schoss mir der Gedanke, dass sich jemand einen üblen Scherz mit mir erlaubt, immer mal wieder durch meinen Kopf. Meine Gedanken fahren sowieso Karussell, andauernd. Geschlafen habe ich seit der Entscheidung auch nicht mehr. Wenn etwas Unbekanntes unmittelbar bevorsteht, dann bekomme ich aus Angst nachts kein Auge zu. Es könnte ja etwas schief laufen. Oder mir eben jemand böse mitspielen. Es wäre nicht das erste Mal. Aber Apoll noch ein weiteres Mal zu fragen, zum inzwischen tausendsten Mal, ob das auch wirklich alles so für ihn und seine Familie passt – den Mumm habe ich auch nicht. Ich will mich ja nicht schon vor unserem ersten persönlichen Treffen blamieren. Ich steige in die Straßenbahn ein. Und dabei freue mich, dass es zum letzten Mal für eine sehr lange Zeit sein wird. Zaghaft breitet sich Erleichterung in mir aus.

II

Am Bahnhof steht mein kleines Abschiedskomitee aus zwei Freundinnen. Es sind mir nicht viele geblieben. „Weil du immer nur arbeitest und die letzten sechs Monate außerdem an ihn verschwendet hast", die Gehässigkeit meiner inneren Stimme lässt mich glatt um zehn Zentimeter schrumpfen. „Geiler Koffer", ruft eine meiner Freundinnen laut. Nicht einmal ihr hatte ich von ihm erzählt. Auch nicht, als ich merkte, dass sie langsam misstrauisch wurde, weil ich kaum noch Zeit für sie hatte. Ich war immer in Wartestellung, wie so eine brave Affäre halt. Aber damit ist es jetzt endgültig vorbei. Wir stehen zu dritt am Gleis, halten uns an den Händen. Die beiden sprechen mir Mut zu und wirken irgendwie stolz auf mich. Dass ich etwas ausprobiere. Dass ich etwas wage.

„Wenn ich kein Kind hätte, würde ich vielleicht auch noch mal was Neues ausprobieren. Heute gibt es so viele Möglichkeiten. Ich finde es super, dass du das machst. Und hey, wir können ja easy in Kontakt bleiben. Die Zeiten der Brieftauben sind ja zum Glück Vergangenheit." Meine Freundinnen lächeln und es stehen ihnen sogar ein paar Tränen in den Augen. Mir auch, natürlich. Ich werde doch geliebt, denke ich und weiß, dass sie mich aufnehmen würden, wenn ich morgen zurückkäme, weil alles ein Witz war, den ich nicht rechtzeitig als solchen erkannt hatte. Nichts da! Hier macht niemand Witze. Das ist der Start in mein Abenteuer und das werde ich mir nicht verderben lassen, wenn sogar meine sonst so missgelaunte Chefin hierbei mitspielt. Energisch steige ich in den Zug, finde direkt meinen Platz und winke den beiden am Bahnsteig durch das Fenster zu. Meine Freundinnen werden immer kleiner und kleiner, doch ich schwenke unverdrossen weiter meine Hand, als sie mich schon längst nicht mehr sehen können. Die Fahrt zum Flughafen dauert nicht sehr lange. Ich schaue aus dem Fenster. Felder, kleine Dörfer und die nächste große Stadt mit ihrem neuen, schicken Flusshafenviertel ziehen an mir vorbei. Meine Gedanken schweifen ab, gehen zurück zu dem Tag, an dem ich „für Kost und Logis" in mein Handy getippt hatte. Zurück zu dem Tag, an dem ich das alles noch für eine aufregende Spinnerei hielt oder für einen unerfüllbaren Traum.

Mal ganz ohne Witz.
Mein Papa braucht
dringend Entlastung.
Die bin ja ich eigentlich,
aber im Sommer, wenn
hier die Hölle los ist,
reicht das nicht.

Könnt ihr niemanden
einstellen?

Dafür reicht das Geld nicht :(
Die Kids wollen lieber eine
Lehre in Athen oder Thessaloniki
machen, als hier auf
der Insel zu bleiben…

Auch ohne Witz!
Ich denke schon länger
darüber nach, mal für
ein paar Monate oder ein
Jahr auszusteigen. Trau
mich nicht so richtig…

Willst du nicht lieber
um die Welt reisen?

Nein. Ich wäre lieber
länger an einem Ort,
wo ich auch gerne
arbeiten will. Ach, das
ist ein Hirngespinst!

Nein. Ich finde das gut.
Wollen wir das probieren?

So ernsthaft hatten wir bis dahin noch nie miteinander Nachrichten ausgetauscht. Meist nur kleine Scherze ausgeteilt und hin und wieder Komplimente. Konnte es sein, dass ein junger Koch aus Griechenland mein Ausweg aus dem Alltagseinerlei war? Meine Chance, aus meinem Mauseloch herauszukriechen? Konnte er mein Ausweg aus dem Dilemma sein, etwas Neues zu wollen, aber zu feige für den Absprung zu sein? Ich weiß selbst ganz genau, dass ich zögerlich bin, auch wenn es Gründe gibt, wie den guten Job nicht aufzugeben oder ... Wenn ich ehrlich zu mir selbst bin, gibt es keinen wirklichen zweiten Grund. An dem Tag gestand ich mir endlich ein, dass ich im Großen und Ganzen alleine bin. Dass es niemanden groß stören würde, wenn ich meinen Koffer packen und abhauen würde. Im Büro beispielsweise würde alles genau so weiterlaufen wie bisher. Und auch meine Freunde würden ihre Leben weiterleben, wir wären dann per Skype in Kontakt. „Sei doch nur einmal mutig", meine innere Stimme hetzte schon wieder. Aber diesmal würde ich ihr mit Freude nachgeben.

Und so ging ich am nächsten Morgen zu meiner Chefin, die hinter ihrem Schreibtisch thronte und mich mit ihrem typisch unfreundlichen Blick musterte. „WAS kann ich für dich tun?" Für einen kurzen Moment rutschte mir das Herz in die Hose. Am liebsten hätte ich mich auf dem Absatz umgedreht und wäre rausgerannt. Aber ich blieb dort, ich riss mich zusammen. Ich stand da und hörte mich selbst sagen: „Ich brauche ein Sabbatical – oder irgendwas in der Art..." Das Gespräch entwickelte sich schließlich viel einfacher und angenehmer, als ich es je für möglich gehalten hätte. Wir verhandelten ein paar Punkte, die alle zu meinen Wünschen passten. Und dann veranlasste meine Chefin mein zerquetschtes Herz zu einem kleinen Hüpfer: Wenn ich wollte, könnte ich sofort gehen! „Ich habe eine Bewerbung auf dem Tisch liegen. Sehr vielversprechend. Für ein Jahr, aber sie kann nur genau jetzt mit der Arbeit beginnen. In dem

Augenblick, in dem du zur Tür hereingekommen bist, wollte ich gerade die Absage formulieren. Wenn sie für die Stelle zusagt, kannst du los, wann immer es dir in den Kram passt."

Ich fühle jetzt noch, während ich im ICE auf Frankfurt am Main zurase, wie sich dieses Zittern in meinem Körper ausgebreitet hat, diese Gänsehaut der Vorfreude - und der Panik. Sie ließ mich tatsächlich direkt gehen. Sofort. Mit der Option auf eine Wiederkehr in einem Jahr. Mein Herz explodierte schier, als ich zurück an meinen Schreibtisch kam. Die Kollegen schauten mich ganz verwundert an, als ich damit begann, meine Sachen einzupacken. Die paar Tage, die mir noch blieben, um alles zu organisieren und vorzubereiten, vergingen sprichwörtlich wie im Flug.

III

„Danke, das ist ja gerade noch einmal gut gegangen", mein Gesicht fühlt sich heiß an, ich schaue verschämt auf den Boden. Wie peinlich! Beim Aussteigen von der Fähre wäre ich fast von dem schmalen Holzbrett gefallen, das sie zwischen Schiff und Land legen. Wäre der Kapitän in seiner imposanten Uniform nicht gewesen, würde ich jetzt samt meines pinken Koffers im Hafenbecken vor Poros schwimmen. Oder direkt ertrunken sein, bei meinem Glück. Ein Trauerspiel für alle drumherum. Jemand nimmt mir den Koffer ab und stößt einen Laut der Überraschung aus. Ja, der ist schwer. Meine Beine zittern, als ich endlich festen

Boden unter den Füßen spüre, kitzelnde Schweißperlen stehen mir auf der Stirn. Das fängt ja gut an.

Erst einmal ziehe ich meine viel zu dicke Jacke aus, schnaufe tief durch und versuche, mich zu sammeln. Zum Glück ist Apoll nicht hergekommen, um mich am Hafen abzuholen. Es ist viel zu viel los in der Taverne und ich würde den Weg ohne Probleme alleine finden. Ich hatte Google-Maps vorher so gründlich studiert, wie sonst nur die Rezepte, die ich in mein kleines Büchlein notiere. Unsicher krame ich in meiner Handtasche, hatte ich das Notizbuch überhaupt eingepackt? „Ah, da ist es", murmle ich und konzentriere mich wieder auf den kurzen Weg, den ich einschlagen muss. Poros ist eine kleine und übersichtliche Insel. Und sie bietet ein paar markante Orientierungspunkte, da konnte man sich eigentlich nicht verlaufen. „Man nicht", lacht mich meine innere Stimme aus.

Ich ignoriere sie. Denn in den letzten Tagen habe ich bereits bewiesen, dass ich auch in der Fremde nicht völlig verloren bin. Den Flug nach Griechenland und die Fahrt mit der Metro vorbei an der kargen, bergigen Landschaft, den großen Werbetafeln in der Vorstadt, hinein in den Untergrund Athens hatte ich gemeistert. Athen ist eine Stadt, die so alt ist, dass ich es mir kaum ausmalen konnte. Und wie wunderschön sie erst ist, wenn man sich aus den düsteren Gängen des Untergrunds ans helle Frühlingslicht hinaufgearbeitet hat. Der Stadtteil Anafiotika unterhalb der Akropolis mit seinem Insel-Charme; Exarchia, wo die Studenten leben und immer wieder mit Körpereinsatz für ihre Rechte kämpfen; und die Akropolis bei Sonnenaufgang. Dieser Ort bedeutet mir viel, obwohl ich ihn noch nie zuvor gesehen hatte. Er ist die Heimat der zwölf griechischen Götter, eine davon meine Namensvetterin. Obwohl wir nicht viel gemeinsam haben, wie mir scheint…

Ich finde mich wirklich ziemlich mutig, dass ich die fremde Stadt ganz allein erkundet habe. Doch richtig genießen konnte ich das alles dann doch nicht. In mir war stets diese Unruhe. Die Vorfreude auf das Neue. Das Karussell in meinem Kopf, die Stimme, die mich warnte, dass das alles nur ein übler Scherz sei. Mein Herz, das mir standhaft das Gegenteil versprach, aber in den letzten Monaten doch so ein schlechter Ratgeber war. Ich kenne diesen Widerstreit, solange ich denken kann. Herz gegen Kopf. Würde ich ihn auf Poros endlich beilegen können?

Mein Handy vibriert in meiner Handtasche, es unterbricht meine Gedanken. Ich hätte es zu Hause lassen sollen!

Bist du gut angekommen?
Findest du den Weg?

Ich bin da. Es sind doch nur 800 Meter.

Super, setz dich auf die Terrasse,
iss etwas. Sobald ich kann,
komme ich aus der Küche.
Versprochen!

Siehst du, innere Stimme, es war kein Scherz! Ich ziehe den Griff aus dem pinken Koffer, lege meine Jacke über den Arm und mache mich auf den Weg. Ich muss so laufen, dass ich das Meer rechts neben mir habe und links die weißen Häuschen, die sich rund um einen felsigen, steilen Hügel gruppieren. Blaue Fensterläden, rote Dächer - es sieht hier aus wie direkt aus einem Urlaubsprospekt entsprungen. Mein Herz hüpft und rumpelt dabei gar nicht mehr so, als bestehe es nur noch aus abgetretenen Ecken und Kanten. Ich komme an einer Bank vorbei, auf der ein alter Mann mit Schiebermütze sitzt. Er stützt sich auf einen derben Stock und zu seinen Füßen rekelt sich eine dicke, rotbraune Katze. Das arme Tier hat nur ein Auge! Der alte Mann rückt seine Mütze zurecht, denn die helle Sonne scheint direkt in sein gutmütiges Gesicht. Ihre Strahlen umfließen seinen Kopf, seinen ganzen Körper. Er wirft mir ein freundliches Lächeln zu. Ich nicke, lächle zurück und marschiere an ihm vorbei. Der hätte bestimmt auch seine helle Freude daran gehabt, wenn ich im Hafenbecken gelandet wäre, denke ich und mein Gesicht fühlt sich schon wieder heiß an.

IV

Auf dem schmalen, gepflasterten Gehweg, der direkt am Wasser entlang führt, flanieren Paare; eine Gruppe Jugendlicher steht rauchend in der Gegend herum; Kinder in Faschingskostümen toben. Ich tue ganz erschrocken, als ein Geist mich von hinten überrascht. Der kleine Geist und ich prusten vor Lachen gemeinsam los. Frauen in schwarzen Kleidern tragen schwer an ihren Einkäufen, eine von ihnen sagt etwas zu den spielenden Kindern. Die lachen laut und verschwinden in den Gassen der kleinen Inselhauptstadt.

Einen Moment später legt ein Boot an, Menschen mit Aktentaschen springen von Bord. Eine Familie mit drei Kindern steigt dafür ein. Der kräftige Mann im Seemannsoutfit, der hinter dem Steuerrad steht, holt eine dicke Geldbörse hervor. Der Vater lässt abgezähltes Kleingeld hineinfallen. Was dann geschieht, bekomme ich nicht mehr mit, denn plötzlich liegt ein mir bekannter Geruch in der Luft. Kein lieblicher allerdings, es riecht nach Fisch. Jemand ruft laut etwas, das ich nicht verstehe. Da sehe ich es, zwischen den Häuschen öffnet sich eine Art Durchgang, in dem sich eine Halle befindet. Auf den Tischen, die über und über mit Eis bedeckt sind, liegen noch die Reste des Fangs von heute. Frischer Fisch, direkt aus dem Meer. Mir läuft das Wasser im Mund zusammen, wenn ich nur daran denke, was ich daraus alles zubereiten könnte. Der Fischverkäufer fängt meinen Blick auf, winkt mir. Ich winke zurück. Dich sehe ich bestimmt bald öfter, freue ich mich.

Jetzt müssen es nur noch ein paar Schritte sein, dann bin ich da. Ich bin völlig fasziniert von all dem Neuen um mich herum, ich schaue von links nach rechts, laufe hin und her. Bis es auf einmal hinter mir quietscht und empört hupt. Ein junger Mann mit zotteligem Bart kommt mit seinem rostigen Roller einen Zentimeter vor meinem pinken

Koffer zum Stehen, das Hinterrad bricht ihm aus, er kann sich gerade noch auf der kleinen Maschine halten. Er schimpft, seine Stirn ist von tiefen Zornesfalten zerfurcht. An seinem Lenker baumelt wie verrückt eine kleine Plastiktüte, in der sich auf dem Boden eine hellbraune Flüssigkeit sammelt, darin erkenne ich einen umgekippten Becher To Go. Die Dinger machen immer und überall nur Ärger, denke ich. Wobei ich auch die Art des Transports für fragwürdig erachte…

Doch ich sollte mich nicht so viel über andere und ihren verschütteten Kaffee wundern, denn ich stehe mitten auf der Straße. Vielleicht sterbe ich auch, bevor mein Abenteuer beginnt, denke ich schon zum zweiten Mal heute. Ich schaue den jungen Mann entschuldigend an, grinse schief und hoffe, dass ihm nichts passiert ist. Ich ziehe die Schultern nach oben und sage: „Signomi". Die griechischen Wörter für Bitte, Danke und Guten Morgen hatte ich zu Hause bereits gelernt - und das für Entschuldigung vorsichtshalber gleich mit, denn ich weiß ja, was für ein unglaublicher Schussel ich sein kann. Die Stirn des Rollerfahrers entspannt sich merklich, die tiefen Falten verschwinden fast. Er lacht, aber das Lachen breitet sich nicht bis zu den grünen Augen aus, die mich noch immer böse anblitzen. Ich trete zurück auf den Gehweg, lasse ihn passieren und achte nun genauer auf die Straße, die sich Autos, Roller, Fußgänger, Hunde, Katzen und sonst noch wer teilen. Alles ist ein riesiges Chaos. Ein Durcheinander, das sich für mich aber ganz wunderbar anfühlt.

Der nächste Versuch, die Straße zu überqueren, gelingt mir besser. Und da ist sie, die Taverne, die ich bisher nur von Instagram-Fotos kenne. Ich stehe wahrhaftig vor der grün-weißen Markise, die kaum einen Blick auf das Haus dahinter zulässt. Unter ihr gruppieren sich zahlreiche Tische und Stühle, fast alle sind mit Gästen belegt. Stimmen schwirren durch die Luft. Essen türmt sich in Schüsseln und auf hübschen Tellern. Es duftet fantastisch nach gegrilltem Fisch. Ein paar Katzen streichen bettelnd um Menschenfüße, schlingen ihre dünnen Schwänze fest um Beine. Ein kleines Mädchen wirft einer von ihnen, einer besonders mageren Kreatur, ein Stück Fisch hin. Alle Tiere stürzen sich gleichzeitig auf den köstlichen Brocken, als wäre es der letzte Bissen in ihrem Leben. Es faucht. Ein dicker Kater gewinnt den Kampf. Das dünne Kätzchen verliert, zieht sich geschlagen zurück. Das kleine Mädchen zuckt mit den Schultern und wendet sich wieder ihrem großen Bruder zu, der Faxen am Tisch macht.

V

Mein Teller ist leer. Den allerletzten Rest der köstlichen Tomatensoße habe ich mit dem Weißbrot aufgetunkt, von dem Costas, der Kellner mit dem charmanten Silberblick, mir zuvor noch einen zweiten vollen Korb gebracht hatte. Ich werde mich nie wieder bewegen können, so satt bin ich! Und vor lauter Aufregung habe ich nicht einmal ein Foto von meinem Essen gemacht. Jetzt ist es dafür wirklich zu spät… Um mich herum ist es inzwischen ruhiger geworden. Ein Pärchen sitzt mir schräg gegenüber, schaut sich versonnen in die Augen und teilt sich ein Dessert. Auf der Straße spazieren unablässig Menschen vorbei, Boote schaukeln im ruhigen Wasser und auf einer Bank hat jemand Platz genommen und isst ein Eis.

„Hey, da bist du ja!"

„Apoll?! Oh mein Gott, wie toll, dich in echt zu sehen!"

Wir fallen uns augenblicklich in die Arme. Ich ziehe ihn an mich, vielleicht ein bisschen zu fest. Er ist viel schlanker, als es auf seinen Fotos den Anschein hat. Sein Grinsen ist dafür noch breiter. Wir müssen beide lachen, aber ich fühle mich ein wenig verlegen.

„Setz dich wieder hin! Hat dir das Garnelen-Saganaki geschmeckt?"

„Natürlich hat es das!"

Frische Meeresfrüchte, salziger Feta und diese unglaubliche Tomatensoße sind auf dem Teller, der jetzt wie abgeschleckt vor mir steht, zu einem cremigen Genusswunder verschmolzen. Ich habe alles bis auf den letzten Tropfen verspeist. „Schau doch, es ist nichts übrig geblieben! Das würde ich gerne gleich kochen lernen."

„Vorher zeige ich dir vielleicht erst einmal, wo du die nächsten Monate wohnen wirst?", Apoll amüsiert sich, steht auf und schnappt sich meinen Koffer: „Wie schwer ist der denn?! Es sollen wohl wirklich Monate sein, die du bei uns verbringen willst!"

Apoll

I

Respekt, dass sie mit dem riesigen und schweren Ding von Koffer heil von Bord der Fähre gekommen ist! Sie sieht ein wenig anders aus als auf dem kleinen Profilfoto. Irgendwie jünger, verträumter. Und wie sie ihr Essen genossen hat! Costas hat mich ausgelacht, als er mich im Schatten des dunklen Gastraumes entdeckte, von wo aus ich sie schon eine Zeit lang heimlich beobachtet hatte. Auch er mochte sie auf den ersten Blick, was gut ist, denn wir werden uns in den nächsten Monaten ein Zuhause teilen.

„Das Ding ist echt verdammt schwer", ich muss erst einmal durchatmen, als ich den Treppenabsatz erreiche und in unsere kleine Wohnung über der Taverne trete. Ich habe heute Morgen noch ein paar verstreute Sachen aufgeräumt, sie soll ja nicht gleich der Schlag treffen. Wir stehen mitten im Wohnzimmer, das Costas und ich als Gemeinschaftsraum nutzen. Ich zeige ihr Sofa, Fernseher und das kleine Regal. Auf dem befinden sich neben ein paar Tassen und Schüsseln ein Wasserkocher und eine Kaffeemaschine. Darunter brummt ein kleiner Kühlschrank. „Da sind hauptsächlich Wasser und Bier drin, für Fußball", ich merke, wie ich entschuldigend die Schultern hochziehe. Das alles ist echt ungewohnt für mich. Ein bisschen peinlich ist es mir auch. Aber es ist eine gute Idee, davon bin ich mir immer noch überzeugt. Ihr hübsches Gesicht strahlt. Ihre großen, dunklen Augen leuchten, es sieht jedenfalls nicht so aus, als würde sie sich am liebsten auf dem Absatz umdrehen und vor dem hier, vor uns davonlaufen wollen.

„Ihr habt gar nichts zu essen hier oben?"

„Nein, ich zeige dir später den großen Kühlschrank in der Küche, den wir für unsere privaten Sachen nutzen." Ich setze das „private" mit den Fingern in Anführungszeichen.

„In der Regel essen wir zusammen in der Taverne. Aber du kannst darin natürlich etwas abstellen, für dein Frühstück oder wenn du deinen freien Tag hast oder lieber nicht mit uns essen möchtest." Sie nickt und scheint mit meiner Antwort zufrieden. Ich gehe auf das Badezimmer zu, öffne die Tür. Und zum Glück glänzt hier alles wie in einem 5-Sterne-Hotel. Danke, Tante Maria, schicke ich ein Stoßgebet zum Himmel! „Das ist das Badezimmer. Im Regal da hinten haben wir dir extra Platz gemacht. Die Handtücher findest du in dem Schrank. Wir müssen sie zum Glück nicht selbst waschen, das macht Tante Maria zusammen mit den Sachen aus der Taverne. Es gibt da noch die alte Wäscherei, die kaum noch genutzt wird. Aber davon erzähle ich dir ein anderes Mal. Jedenfalls kommt Tante Maria auch zum Putzen in die Taverne. Und weil sie ein Schatz ist, kümmert sie sich auch darum, dass hier oben in der Männerhöhle alles sauber ist. Ex-Männerhöhle…", ich merke, wie ich zu plappern anfange. Meine Freunde sagen immer, dass ich zu viel rede. Und wenn ich nervös bin, dann rede ich gleich noch mehr. Sephi nickt am laufenden Band, bleibt aber still. Hoffentlich redet sie überhaupt? Oder liegt es an mir? Nein, das kann nicht sein. Mein Bauch sagt mir, dass es ihr recht gut gefällt.

„Und jetzt das Wichtigste. Dein Zimmer", ich bin aufgeregt, ob es ihr zusagt. Tante Maria hat mir geholfen, es ein bisschen herzurichten. Sie hat so ein Spiegelding aus ihrem Haus geholt und einen alten Ohrensessel. Ich ziehe den Schlüssel von der Tür ab. „Der ist für dich, vielleicht fühlst du dich wohler, wenn du abschließen kannst? Costas und ich schließen nie ab, aber wir haben hier oben auch noch nie zusammen mit einer Frau gewohnt...", ich plappere schon wieder und beiße mir auf die Zunge. Autsch. „Und da hängt auch der Schlüssel für die Haustür unten dran, dann kannst du kommen und gehen, wie es für dich gut passt."

„Danke, das ist alles so lieb. Ich weiß gar nicht, was ich sagen soll!"

„Schau dir erst einmal dein Zimmer an. Wer weiß, ob es dir dann immer noch bei uns gefällt!" Ich öffne die Tür und lasse sie in das Zimmer eintreten. Es ist genau so groß wie meines, aber die hellen Möbel darin lassen es viel geräumiger erscheinen. Das Fenster gegenüber der Tür steht weit offen, der Vorhang weht sachte hinein und hinaus. Ein Bett, ein Schrank, das Spiegelding, ein Sessel mit Lampe und ein Regal. Auf dem Boden liegt ein Teppich, der da gestern noch nicht war. Den hat bestimmt Tante Maria heute hingelegt.

„Und?!"

„Oh, wie schön...", sie haucht fast.

„Ehrlich?"

„Ja, das Bett sieht sehr bequem aus. Und das Fenster geht bis auf den Boden, ich kann das Meer sehen und… Ach Apoll, ich weiß gar nicht, was ich sagen soll. Ich freue mich so, hier bei euch auf Poros zu sein!"

„Dann zeige ich dir noch schnell den Rest und dann kannst du erst einmal deine Sachen auspacken und dich von der Reise erholen. Ich muss nämlich wieder in die Küche, der Abendservice. Aber wenn du so weit bist, komm runter, dann zeige ich dir unten alles. Arbeiten musst du natürlich heute noch nicht!" Sie lächelt und nickt mir zu. Ich rolle ihren Koffer ins Zimmer, der ein Farbklecks in all dem Weiß ist. Und dann gehen wir hinüber in mein Zimmer. Es liegt rechts von ihrem, die Tür steht weit offen, mein grauer Kater hat es sich auf dem Bett bequem gemacht. „Hier wohne ich. So seit ich 16 bin. Nach meiner Geburt sind meine Eltern, mit mir und meinem großen Bruder Manolis in ein Haus etwas weiter hinten in der Straße gezogen. Seitdem wohnen die Saisonkräfte hier über der Taverne oder Freunde von Papa, die auf der Durchreise sind, oder eben ich… Seit ein paar Jahren kommt Costas in der Saison."

Wir gehen wieder ins Wohnzimmer und an der Tür des Kellners vorbei. Sie ist verschlossen. Es kleben Fotos seiner Familie daran und Bilder, die seine Kinder für ihn gemalt haben. „Er vermisst sie bestimmt sehr", sagt Sephi, die hinter mir ins Wohnzimmer tritt. „Sie leben in Athen, das ist nicht so weit, aber das weißt du ja. Seine Frau Larissa hat dort ihre Arbeit und die Kinder gehen in die Vorschule. Während der Saison sehen sie sich wirklich nicht sehr häufig, manchmal kommen die drei in den Schulferien vorbei, aber dann haben

wir im Laden auch am meisten zu tun. Mama freut sich dann immer sehr über die beiden Kleinen – und hat wieder einen Grund, darüber zu schimpfen, dass sie noch immer keine eigenen Enkel hat."
Ich sollte wirklich aufhören, so viel zu reden...

Sephi

I

Ich muss laut lachen, als Apoll von seiner Mutter erzählt. Der arme Kerl! Er stimmt mit ein. Und die Stimmung zwischen uns lockert sich ein bisschen. Es ist nicht so, dass ich ihn nicht mag oder das Zimmer oder die Taverne. Ich bin einfach viel zu nervös und aufgeregt, um mich zu unterhalten. Mir fällt gar nichts ein, was ich sagen könnte. Hoffentlich ist er mir nicht böse. Ich mache ein paar Schritte zurück und schaue durch die geöffnete Tür in mein wunderbares Zimmer. Mein Blick fällt auf die weichen, über und über bestickten Kissen, die das Bett krönen, auf den weißen Holzschrank mit Schnitzerei und den wehenden Vorhang vor dem großen Fenster. Ich höre Apoll, wie er summend die Treppe hinunterspringt. Und weiß in diesem Moment, dass er mir die Erleichterung angesehen hat.

Es ist mir ein bisschen peinlich, aber ich hatte vorher ziemlich viel Angst, dass das Zimmer oder die Wohnung mir nicht gefallen würden. Dass ich mich nicht wohlfühlen könnte. Aber das Gegenteil ist der Fall. Du musst auch mal Glück haben, denke ich und schaue mich weiter neugierig um. Die Möbel sind gebraucht, aber sehr gut in Schuss. Und da alles so schön weiß ist, kann ich aus dem Zimmer mit den wenigen Dingen, die ich mitgebracht habe, ganz leicht meinen Raum machen. In dem geräumigen Schrank finde ich noch ein paar Kissen und zwei dünne Laken, die bestimmt für den Sommer gedacht sind. Meine Kleider bekomme ich hier auf jeden Fall unter! Ich trete zurück in den Flur, ich zücke mein Handy und mache ein Foto durch die geöffnete Tür und durch das Fenster mit dem wehenden Vorhang. Wenn ich schon mein Essen nicht auf Instagram zeigen kann, weil ich es quasi inhaliert hatte, dann zeige ich eben, mein neues Zuhause auf Zeit. Das ein bisschen verzaubert aussieht, so wie das Licht durch das Fenster fällt, sich im Spiegel bricht und wundervolle Punkte und Muster an die Wand wirft.

Als nächstes wende ich mich dem Schminktischchen mit dem dreigeteilten Spiegel zu. Es gefällt mir außerordentlich gut. Das Kissen auf dem niedrigen Hocker davor fühlt sich wunderbar weich unter meinem Po an, meine Finger streichen über das helle Holz. Ich erkunde die Schubläden, die viel Platz bieten. Und in einem finde ich sogar einen verschnörkelten, goldenen Schlüssel, der passt, um mit ihm eine der kleinen Laden zu verschließen. Das nächste Möbel ist dran. Ich lasse mich in den Ohrensessel fallen, er ist gut gepolstert und bequem. Die gebogene Stehlampe dahinter sorgt für tolles Licht, wenn ich neue Rezepte aufschreiben oder ein Buch lesen möchte.

Ich stehe auf und schiebe den Sessel noch ein wenig mehr in Richtung des Fensters. Wenn ich hier sitze, kann ich das glitzernde Wasser und die weißen Segelboote und Yachten beobachten, die direkt vor meinem Fenster ankern. Es ist gar nicht weit bis zum Ufer des Festlandes gegenüber. Ich erkenne mit bloßem Auge kleine Häuser und eine Taverne am Wasser, in der Menschen sitzen. In diesem Moment legt erneut das kleine Boot an, das ich vorhin schon bemerkt hatte. Alle, die aussteigen, sehen so aus, als kämen sie gerade von der Arbeit oder einer schicken Geburtstagsfeier. Frauen im Kostüm mit großen Handtaschen, Männer mit gelockerten Krawatten, einige tragen Aktentaschen unter dem Arm. Sie streben in alle Richtungen auseinander. Das ist ihre Straßenbahn, schießt es mir in den Sinn. Besser als die, die ich von zu Hause kenne, ist diese allemal!

II

Mein Handy vibriert ausdauernd in meiner Handtasche. Ich nehme es heraus und sehe, dass mich meine Freundin aus Deutschland anruft.

„Hallo Sephi!"

„Hallo! Toll, dass du anrufst."

„Ich wollte mal hören, ob du gut angekommen bist auf deiner Insel."

„Ja, heute Mittag. Gerade stehe ich in meinem neuen Zimmer. Es ist alles so aufregend!"

„Erzähl mal. Ich bin schon ganz gespannt."

„Es sieht hier genauso aus, wie man es sich vorstellt. Weiße Häuser, blaue Fensterläden. Diese kleinen Stühle mit den geflochtenen Sitzflächen vor den Restaurants..." Gerade will ich ausholen und ihr von meinem Zimmer erzählen, und dass ich mir jetzt ein Bad mit gleich zwei Männern teilen werde, da höre ich ein bitterliches Weinen im Hintergrund.

„Oh, Sephi. Max hat sich den Kopf angeschlagen. Ich muss auflegen, aber das hört sich doch alles prima an. Ich melde mich wieder." Das Tuten in der Leitung zeigt an, dass die Verbindung bereits unterbrochen ist.

„Aber...", ich schaue auf das Display meines Handys. Aufgelegt. Hoffentlich hat sich Max nicht zu sehr wehgetan, denke ich. Und dass ich ihr ja irgendwann mein Zimmer beschreiben kann. Irgendwann. Oder sie schaut es sich bei Instagram an, so wie alle anderen auch. Ich lege meinen Koffer auf das Bett. Und stelle das Handgepäck daneben. Das ist alles, alles, was ich für das kommende Jahr mitgebracht habe. Übersichtlich. Ich krame Puder und Mascara aus meiner Handtasche, viel mehr Kosmetik besitze ich gar nicht. Zusammen mit meiner Haarbürste und dem Parfüm, das ich so gerne mag, arrangiere ich beides auf dem Schminktisch. Ich lege mein Notizbuch, in das ich neue Rezepte kritzele, und einen Stift dazu. Schon sieht es in dem Raum ein bisschen mehr nach mir aus, freue ich mich. Die drei Krimis, die ich vor dem Abflug in der Flughafenbuchhandlung erstanden habe, stelle ich in das kleine Regal über dem Sessel.

Meine Kleider sind fast noch schneller ausgepackt. Ich habe ein paar bequeme Hosen und T-

Shirts dabei, in denen ich hoffentlich gut arbeiten kann. Und meine liebsten Kleider. Zwei Strickjacken für kühle Abende. Alles verschwindet in den Tiefen des geräumigen Schranks. Die dicke Jacke, die ich in Deutschland noch gebraucht habe, kommt in die hinterste Ecke: „Tschüss, wir sehen uns dann in einem Jahr wieder!"

Ich trete hinaus auf den kleinen Flur, im Augenblick ist es still hier oben, kein Ton ist zu vernehmen. Gleich gegenüber befindet sich die Tür zum Badezimmer. Ich klopfe vorsichtshalber an. Nichts. Ich trete ein und schaue mich in aller Ruhe in dem geräumigen Bad um. Es gibt eine große Dusche, dahinter eine Toilette und ein Waschbecken, Schrank und Regal. Ich räume meine Zahnbürste und die Seife mit dem Rosenduft in mein Fach, an dessen Außenseite klebt ein Haken fürs Handtuch. Mein Blick fällt auf den großen, blitzeblank geputzten Spiegel über dem Waschbecken – und da bin ich. Meine Augen zeigen eine Mischung aus Vorfreude, Müdigkeit und Angst. Ich kann noch immer nicht ganz glauben, dass ich wirklich hier stehe. Dass ich dieses Abenteuer tatsächlich wage. Kann man abschließen? Schießt es mir durch den Kopf. Man kann. Im Schloss steckt ein großer Messingschlüssel, zum Glück!

Ich gehe zurück in mein Zimmer und krame die letzten Dinge aus dem pinken Koffer, auf die ich auch in der Ferne nicht so gerne verzichten wollte. Meine geliebte Kaffeemühle. Den hellen Porzellanfilter. Und zwei Päckchen meiner Lieblingsbohnen habe ich ebenfalls dabei. Ich stelle alles im Wohnzimmer in das Regal zu Wasserkocher und klassischer Kaffeemaschine. Dann schaue ich mich genauer um, hinter dem Sofa liegt ein Paar Turnschuhe herum. Auf einem Regal stapeln sich Zeitschriften und Bücher. Eine Kaffeetasse hat einen Abdruck auf dem hellen Couchtisch hinterlassen, obwohl überall Untersetzer liegen. Tante Maria wird das nicht sehr freuen, denke ich schmunzelnd, schnappe mir einen Lappen und wische schnell über das niedrige Tischchen.

III

Nachdem ich mich für ein paar Minuten auf dem gemütlichen Bett ausgestreckt und anschließend umgezogen habe, nehme ich die knarzende Treppe nach unten in die Küche. Ich höre Schüsseln klappern und Messer über Bretter schaben. Leise läuft griechische Musik. Von der Tür aus nehme ich die Szenerie in mich auf, die auf mich unglaublich friedvoll wirkt. Apoll ist so sehr mit einem mächtig großen Fisch beschäftigt, dass er mich zunächst gar nicht bemerkt. Er lächelt, während er arbeitet. Ein alter Mann mit weißen Haaren steht mit dem Rücken zu mir, er summt vor sich hin. Niemand spricht, eine entspannte Stimmung liegt in der Luft. Und dieser unwiderstehliche Duft! Knoblauch, Zwiebeln, Kräuter - alles vermischt sich in meiner Nase. Da bekomme ich glatt schon wieder Appetit.

„Hallo", flüstere ich. Niemand reagiert.

„Hallo", nach einem Räuspern versuche ich es ein kleines bisschen lauter.

„Oh, hey, du!" Apoll legt das große Messer zur Seite und strahlt mich an.

„Melde mich zum Dienst, Chef", sage ich und fühle mich irgendwie wunderbar.

„Sephi, lass mich dir erst mal Papa vorstellen", lacht Apoll. Sein Vater dreht sich zu uns um und wischt sich seine Hände an der Schürze ab. Er hat einen mächtigen Schnurrbart und einen noch mächtigeren Bauch. „Das ist Christos, mein Vater." Der alte Mann streckt mir seine riesige Hand entgegen und schüttelt meine fest. Dann zieht er mich fest an sich und umarmt mich. Er sagt etwas auf Griechisch, was ich nicht verstehe. Mit Apoll schreibe und rede ich immer nur auf Englisch. „Papa sagt, dass er sich sehr freut, dass du da bist. Und dass du ihm sehr gut gefällst. Okay, Letzteres hätte ich vielleicht nicht übersetzen sollen…", Apoll kann sich vor Lachen kaum noch halten. Ich schaue ihn überrascht an und dann seinem Vater in die warmen, dunklen Augen, die einen weichen Ausdruck angenommen haben. Ich fühle mich sofort wohl bei ihm.

Christos schüttelt mit dem Kopf, lächelnd sagt er: „Ein viertes Kind, eine Tochter. Koritsi mou, mein Mädchen!" Daran schließt er ein Wort an, dass ich ebenfalls noch nie gehört habe. Apoll lacht immer noch und erklärt: „Wenn ich es nett übersetze, hat er mich gerade einen Quatschkopf genannt. Und damit hat er natürlich völlig recht. Ich rede Blödsinn! Er hat schon in den letzten Tagen davon gesprochen, dass er sich sehr freut, endlich eine Tochter zu bekommen. Wenn ihm seine drei Söhne schon keine Schwiegertöchter nach Hause bringen. Er freut sich wirklich auf dich, schon alleine, weil du so gerne kochst. Ich habe ihm vorher alles von dir im Netz gezeigt... Und jetzt habe ich noch eine Überraschung für dich!"

Apoll verschwindet kurz hinter der Tür und taucht mit einem Päckchen in der Hand wieder auf. Mir wird ganz schwindelig, als ich es auspacke. Darin befindet sich eine dunkelgraue, gestärkte Schürze, auf die das Logo der Taverne und Perséphone, mein voller Name, gestickt sind. Mir schießen prompt Tränen der Rührung in die Augen. Apoll nimmt die Schürze und legt sie mir um den Hals. „Jetzt bist du ein Teil von unserem Team!" Und dann ist da noch eine Rolle aus dunklem Leder in dem Päckchen. Ich öffne den festen Knoten, der sie zusammenhält, und rolle sie auseinander. Drei blitzeblank geputzte Messergriffe ragen aus ihren schmalen Fächern. „Die sind für dich. Ich habe mir in London neue Messer gekauft, die ich schon immer haben wollte. Aber diese hier haben mich durch meine Lehrzeit gebracht. Und jetzt gehören sie dir. Denn jeder Koch braucht seine eigenen Messer!"

„Das kann ich nicht annehmen", flüstere ich, während mein Herz wie wild pocht.

„Doch!", Apoll lässt keinen Widerspruch zu.

„Dann muss ich dir aber ein Geldstück im Austausch geben, sonst bringt uns das Unglück!"

„Siehst du", sagt Apoll und schaut seinen Vater an. „Sephi ist jetzt schon eine echte Köchin!"

IV

Die Fähre kommt am Hafen an und stößt so heftig in ihr Horn, dass ich vor Schreck auffahre und in meinem Bett sitze. Gleichzeitig schlägt die Glocke vom Uhrenturm laut und bedächtig. Ich zähle mit und komme auf sieben Schläge. Langsam finde ich mich zurecht, weiß, wo ich bin. Ich bin in meinem Zimmer. Es ist dunkel im Raum, nur ein paar Sonnenstrahlen finden ihren Weg durch die Schlitze der geschlossenen Fensterläden. Der zarte Vorhang bewegt sich, er tanzt mit den Lichtpunkten auf dem Boden. Ich schwinge mich aus dem Bett, und drücke die Fensterläden nach außen auf. In diesem Augenblick schiebt sich die Morgensonne komplett hinter einer dicken Wolke hervor, die sie zuvor noch ein wenig verdeckt hatte. Die düstere Wolke zieht weiter, weg von der Insel, weg von mir. Der kühle Wind lässt mir eine Gänsehaut über Arme und Rücken laufen. Ich balanciere mit einem nackten Fuß auf dem anderen vor dem bodentiefen Fenster. Beide Füße sind eiskalt, die Zehen krampfen sich wärmesuchend zusammen. Unten auf der Straße rufen sich Menschen fröhlich etwas zu, Autos fahren und hupen, Roller knattern. Die Segelboote und kleinen Yachten schaukeln so wie gestern Abend vor meinem Fenster im Wasser. Sie werden jetzt zu jedem neuen Morgen gehören. Auf einer Yacht sitzt ein Pärchen kuschelnd in der Morgensonne und frühstückt. Am Ufer haben sich die Inselkatzen versammelt und blicken auf das Meer. Ich zähle zehn, die sitzen, schauen und sich durch die Menschen, die an ihnen vorübereilen, nicht stören lassen. Dann erkenne ich den Grund:

Nach und nach fahren die Fischer der Insel mit ihren Booten ein, sie bringen den morgendlichen Fang an Land, für die armen Kätzchen fällt allerdings kaum etwas ab. Das Taxiboot legt gerade an, es ist fast leer. Auch sein Gegenstück bringt nur wenige Menschen ans Festland hinüber. Eine stattliche Segelyacht gleitet vor meinen Augen vorbei. Ich kann mich kaum von ihrem Anblick lösen.

Die dunklen Wolken am Himmel haben noch nicht gänzlich aufgegeben. Sie kämpfen mit dem Wind und der Sonne um die Vorherrschaft über den heraufziehenden Tag. Eine kleine Gruppe Touristen kommt vor der Taverne zum Stehen. Sie schauen besorgt in den Himmel und überlegen, was zu tun sei. Sie unterhalten sich darüber, dass ihnen noch ein bisschen Zeit bleibt, bis ihre Fähre ablegt und beschließen, sich im nächsten Café mit einem Frühstück und Kaffee zu stärken. Kaffee, denke ich, schließe die Augen und atme tief ein. Fast kann ich ihn schon riechen. So einen brauche ich jetzt auch!

Barfuß tapse ich, ausschließlich mit Höschen und meinem kurzen, ausgeleierten T-Shirt bekleidet, ins Wohnzimmer zu dem Regal, auf dem das Objekt meiner Begierde steht. Während das Wasser gemächlich heiß wird, verwandle ich Kaffeebohnen in feines Pulver, welches ich anschließend in den Porzellanfilter fülle. Ohne meinen handgefilterten Kaffee starte ich nur ungern in einen neuen Tag. Nachdem das Wasser gekocht hat und wieder ein wenig abgekühlt ist, gieße ich es mit kreisenden Bewegungen nach und nach über das feine

Pulver. Darunter tropft der erste winzige Schluck in die Tasse. Ein vertrautes Geräusch. Hinter mir räuspert sich jemand. Ich fahre erschrocken herum. Da steht Apoll und mustert mich von oben bis unten. Mir wird heiß im Gesicht. Wie peinlich, ich habe fast nichts an!

„Oh je, habe ich dich mit der Kaffeemühle geweckt? Das tut mir leid!"

„Keine Sorge, das haben die Touristen unter dem Fenster schon erledigt. Sieht spannend aus, was du da machst..."

„Willst du auch einen Kaffee?"

„Nee, lass mal. Aber das solltest du mal Papa zeigen, der liebt seinen traditionell zubereiteten Mokka, wenn der sieht, dass du Kaffee von Hand aufbrühst, liebt er dich gleich noch mehr. ‚All diese neumodische Technik...'" Apoll imitiert grinsend die brummige Stimme seines Vaters und verschwindet ohne ein weiteres Wort im Badezimmer. Ich nehme meine Tasse und schleiche mich zurück in mein Zimmer. Ich möchte nicht auch noch dem armen Costas so halb nackt begegnen. Wahrscheinlich wäre ich nicht sicher, wohin er mit seinem Silberblick gerade genau schaut. Das würde für uns beide doppelt unangenehm...

Mit der wärmenden Tasse in der Hand setze ich mich in den Ohrensessel, ich ziehe die Beine an meinen Körper und schnuppere am Kaffee. Ganz automatisch schließen sich meine Augen. Was war das für ein Abend gestern, denke ich, während ich den ersten Schluck trinke. Zunächst war es noch ruhig in der Küche, doch schon bald zog ein wahrer Sturm auf. Auf der Straße wurde getanzt. Menschen über Menschen waren unterwegs. Alle waren festlich gekleidet, Kinder hatten fantasievolle Kostüme an. Wein wurde in großen Bechern herumgereicht und die Tische in der Taverne bogen sich unter den vollen Tellern und Schüsseln.

Apoll stand ununterbrochen hinter dem Grill, sein Gesicht war rot von der Hitze der Glut. Christos rührte und schnippelte in der Küche, er füllte Teller auf, schnitt Fleisch in Stücke. Tante Maria, die ich in der Zwischenzeit auch kennengelernt hatte, spülte schimpfend in der Küche die Teller, die Costas ihr einen nach dem anderen leer zurückbrachte. Immer wenn ein Berg abgewaschen war, türmte sich sofort ein neuer auf. Wenn ich es richtig verstand, war die Küchenhilfe nicht zur Arbeit erschienen. Der gutmütige Christos sah einen Moment lang gar nicht mehr so freundlich aus. Das Einzige, was ich tun konnte, war, nicht im Weg herumzustehen und dabei gar nichts zu tun.

Also schnappte ich mir ein großes Handtuch und ging Tante Maria zur Hand. Sie zeigte kurz auf die leeren Stellen im Regal, doch sobald ich etwas einsortiert hatte, wurde es auch direkt wieder herausgeholt und mit neuen frischen Speisen belegt oder gefüllt. Erst weit nach Mitternacht kam ich dazu, mich das erste Mal für ein paar Minuten auf einen Stuhl zu setzen. Wow, das würde in den nächsten Wochen sportlich werden!

Kurz darauf gesellte sich Christos zu mir, er stellte fünf kleine Gläser und eine Karaffe auf den Tisch. Er schenkte die helle Flüssigkeit ein und alle anderen kamen ebenfalls dazu. „Selbstgebrannt,

Koritsi mou!", sagte er stolz und deutete auf den Schnaps in der Karaffe. Wir stießen auf den arbeitsreichen, aber sehr gelungenen Abend an. Und ich musste erst einmal kräftig husten, als ich den scharfen Schnaps in meiner Kehle spürte. Alle um mich herum lachten, mich eingeschlossen. Die trübe Stimmung, die zunächst in der Küche geherrscht hatte, war von einer Sekunde auf die andere verflogen. Alle sahen sich an und wirkten stolz auf die geleistete Arbeit. „Wieder einmal geschafft", sagte Costas und verabschiedete sich, um nach oben zu gehen. Ich folgte ihm ein paar Minuten später und fiel wie ein Stein in mein weiches Bett. In dieser Sekunde war ich bereits in einen tiefen Schlaf der Erschöpfung gesunken.

Apoll

I

„Siehst du, gar nicht so schlecht, das ganze neumodische Zeug!" Ich treffe Papa, der ganz allein auf der Terrasse sitzt. Er liest die Zeitung und hat eine kleine Mokkatasse vor sich stehen. „Schau dir lieber den Fisch an, den sie heute Morgen reingebracht haben", Papa schüttelt den Kopf. Mir gegenüber würde der alte Brummer nie zugeben, dass ich die perfekte Idee zu seiner Entlastung hatte. Schließlich geht es nicht darum, dass er eine Tochter bekommt, sondern Hilfe. Sephi ist hier, weil sie bereit ist, für fast gar keinen Lohn bei uns zu arbeiten. Sie würde sagen, dass ich ihr ganz viel zu bieten habe. Aber bei dem Gedanken verdrehe ich die Augen, und weiß, dass die beiden mindestens gleichermaßen stur sind. Und zum Glück können sie beide ordentlich anpacken!

„Sephi hat sich gestern super angestellt. Einfach gleich mitgemacht, ohne ein Wort darüber zu verlieren - und vor allem, ohne blöd im Weg herumzustehen..."

„Das hat sie. Was uns zu dem anderen Thema bringt, mein Junge! Wenn Ilias sich das noch einmal leistet, ist er endgültig raus. Ich habe seiner Mutter versprochen, ihm den Job nicht wegzunehmen, aber so geht es nun einmal nicht. Einfach nicht auftauchen. Ohne ein einziges Wort. An Ostern sind wir aufgeschmissen ohne ihn. Wenn alles läuft, wie du es dir vorstellst, hilft Sephi dann beim Kochen und nicht in der Spülküche. Und ich möchte nicht, dass Mama einspringen muss. Eigentlich möchte ich noch nicht mal, dass Maria sich andauernd die Hände für uns schmutzig macht." Mein Papa redet sich richtig in Rage.

„Bitte, Papa, reg dich nicht so sehr auf. Dein Herz! Tante Maria kommt gerne, das weißt du. Und mit Ilias rede ich. Versprochen! Er wird an den Ostertagen hier sein und alles gutmachen, was er in der letzten Zeit verpennt hat."

„Wir werden sehen!"

Ilias ist wirklich kein schlechter Kerl, denke ich. Irgendwann ist er auf seinem Weg falsch abgebogen. Das renkt sich bestimmt wieder ein.

In der Küche liegen verschiedene Fische in einer großen Wanne, die sind für die Gäste von außerhalb. Und für alle, die sich nicht um die Fastenzeit scheren. In der zweiten Wanne befindet sich ein riesiger Oktopus zusammen mit einem Haufen Muscheln. Beides darf jetzt sozusagen mit kirchlichem Segen verspeist werden. Den Kraken will ich zum Trocknen raus in die Sonne hängen. Ein Blick aus dem Fenster sagt mir, dass das kein Problem werden sollte, die Sonne hat sich endgültig gegen die dunklen Wolken durchgesetzt, sie strahlt vom durch und durch blauen Himmel. Fisch und Meeresfrüchte sind so frisch, es kribbelt schon in meinen Fingern. Am liebsten würde ich direkt mit dem Kochen loslegen!

Da höre ich jemanden die Treppe herunterkommen. Es ist Sephi, sie sieht überraschend fit aus. Und ist inzwischen angezogen. Ich grinse und wünsche ihr: „Kalí Sarakostí".

„Das heißt aber nicht guten Morgen?", sie sieht mich verzweifelt aus ihren großen Augen an, weil sie mich mal wieder nicht verstanden hat.

„Nein, das heißt ‚Frohe Fastenzeit'. Heute ist Reiner Montag, der Fasching ist vorbei. Heute ist ein Feiertag, aber das interessiert wohl nur die Leute, die in einem Büro arbeiten…"

„Wie lange wird denn gefastet?"

„So ungefähr 48 Tage lang, bis Ostern ist."

„Dann wird heute nicht mehr gefeiert?"

„Der Reine Montag ist ein Familientag, viele machen ein Picknick. Oder essen Fasolada, die Suppe mit den weißen Bohnen, die du schon selbst gekocht hast. Der Oktopus ist okay, Meeresfrüchte wie Muscheln auch. Fleisch, Fisch und eigentlich auch Milchprodukte und Alkohol kommen jetzt nicht mehr auf den Tisch."

„Eigentlich?"

„Die allermeisten legen die Regeln heute nicht mehr so streng aus. Und wir bieten hier eh alles an, die Touristen würde sich schön wundern", ich lache bei dem Gedanken, dass wir nur noch Oktopus und kein Tzatziki oder Wein mehr auf der Karte stehen hätten. „Ich will dir noch etwas zeigen - und dir bei der Gelegenheit jemanden vorstellen!"

II

Wir steigen nebeneinander die Stufen zur Wohnung hoch, in meinem Bauch breitet sich ein warmes Gefühl aus. Ich mag Sephi jetzt schon. Als sie durch die Tür gehen will, halte ich sie auf und deute auf die Leiter, die an einer geschlossenen Luke in der Decke endet. Mit dem Stock, der in der Ecke bereitsteht, schiebe ich die Abdeckung zur Seite. Das Quadrat in der Decke ist plötzlich himmelblau, Sonnenlicht fällt auf uns herab - und unser kleines Familiengeheimnis kommt zum Vorschein. Ich schicke Sephi als erstes die Leiter hinauf aufs Dach unserer Taverne. Ich will ihren Gesichtsausdruck sehen! Ich folge ihr. Sobald man den Kopf durch die Luke steckt, ist man mitten im Paradies. Und an Sephis weit geöffneten Augen erkenne ich, dass sie das auch so sieht. Sie ist nicht die erste Person, die von diesem Fleckchen überrascht ist. Neben dunklen Holzstühlen und einem passenden Tisch stehen hier oben viele rote Blumentöpfe, in einigen von ihnen wachsen Zitronenbäumchen, ein paar kleine Olivenbäume gibt es auch. Auf einem Pflanztisch, der schon meiner Uroma gehört hat, stehen Töpfe mit Rosmarin, Basilikum, Thymian und vielem mehr in voller Pracht. Selbst jetzt, wo der Sommer sich erst ganz langsam ankündigt. Ich rupfe ein paar grüne Blättchen vom Oregano ab und gebe einige davon Sephi. Wir zerreiben das Kraut zwischen unseren Fingern und saugen das würzig-herbe Aroma ein, das jedem unserer Gerichte diese besondere Note verleiht.

„Oregano, den kenn ich von zu Hause fast nur getrocknet aus dem Glas…", sie schaut sich immer noch erstaunt um.

„Ja richtig! Das ist frischer, damit kochen Papa und ich viel, aber damit wurden im Mittelalter auch die Hexen vertrieben", beim letzten Teil des Satzes werde ich extra etwas lauter. Es macht mir seit Kindertagen Spaß, meine Mama mit ihrer Leidenschaft für all diese wunderbaren Kräuter und Pflanzen zu ärgern, die sie für unsere Küche hegt und pflegt, mit denen sie aber auch jede Krankheit dieser Welt behandeln kann, das behauptet sie jedenfalls selbst.

„Was du nur wieder redest!" Mama kommt hinter einem kleinen Schuppen hervor, in dem sie ihre Arbeitsgeräte und die Samenkörner verwahrt. In das Hexenhäuschen darf niemand außer ihr hinein, viel zu groß ist ihre Angst, dass jemand etwas durcheinanderbringt. Sie wischt sich die von der Erde schwarzen Hände an ihrer Schürze ab, die über und über mit den Kräutern bestickt ist, die sie hier oben unter der Sonne anpflanzt, und in deren

Tasche eine beeindruckende Gärtnerschere steckt. Sie schüttelt lachend den Kopf und knufft mich in die Seite. Dann erst gibt sie Sephi die Hand. Ich kann in ihrem Gesicht dieselbe Anspannung lesen, die in den letzten Wochen immer darin stand, wenn ich ihr von meiner Idee erzählt habe. „Schön, dass Sie gut angekommen sind, und dass Sie gestern gleich so hilfreich eingesprungen sind." Ich kenne meine Mama gut. Ihre Stimme ist betont freundlich, aber ihre Augen taxieren Sephi kritisch: „Apollonios hat schon viel von Ihnen erzählt. Wir sind schon alle ganz gespannt, wer da bei uns das Kochen lernen möchte, obwohl er doch schon einen guten Beruf in Deutschland hat."

„Mama!" Ihre Stimme ist so frostig, da fehlen selbst mir einmal die Worte.

„Lass mal!", sagt Sephi an mich gewandt und setzt dabei ein zauberhaftes Lächeln auf. „Sie haben ja recht. Es ist ziemlich außergewöhnlich", sie spricht weiter und schaut jetzt direkt Mama an, „dass Sie mich aufnehmen. Und ein bisschen verrückt ist es auch. Aber ich bin wirklich sehr froh, dass Sie mir trotzdem diese einmalige Chance geben, hier bei Apoll und Ihrem Mann das Kochen zu lernen. Ich werde mich für Ihre Gastfreundschaft mit all meiner Kraft und all meiner Liebe fürs Kochen revanchieren."

„Mein Mann kann diese Hilfe wirklich gut gebrauchen. Aber jetzt müssen Sie mich erst einmal entschuldigen. Ich muss hinüber in unser Haus und die Lagana backen, heute startet die Fastenzeit." Die Stimme meiner Mama klingt schon ein wenig sanfter, als sie sich ein Bündel Oregano schnappt, das sie vor einiger Zeit in dem Schuppen zum Trocknen aufgehängt hatte, und gehen will.

„Was ist Lagana?", Sephi hat die Veränderung in Mamas Tonfall offensichtlich ebenfalls bemerkt und will noch nicht so schnell aufgeben. Sie lässt sich nicht leicht einschüchtern, denke ich. Das gefällt mir, das habe ich nicht wirklich erwartet, nachdem sie gestern so still war.

„Kommen Sie mit, dann werden Sie es schon erfahren!" Auch diesen Tonfall meiner Mama kenne ich nur zu gut. Energisch und keinen Widerspruch duldend. Inzwischen höre ich ihn nicht mehr so häufig. Aber wenn ich an meine Schulzeit denke, die ich und mein Kumpel Alex zumeist nicht auf unseren Stühlen im Klassenzimmer, dafür am Strand oder oben auf dem Felsen über der Stadt verbracht haben, dann kommt sie mir unheimlich vertraut vor.

Während ich noch meinen Gedanken nachhänge, stehe ich plötzlich ganz alleine auf unserem Dach zwischen den Oliven und den Kräutern, die mich mit ihrem Duft einkreisen und betören. In der Ferne erkenne ich die selbst gebauten Drachen der Inselkinder, die in der klaren Luft schweben und hoch in den blauen Himmel steigen. Oben auf dem Berg geht bestimmt ein ordentlicher Wind. Es ist schon eine Zeit lang her, dass ich am Reinen Montag dort mit einem meiner Drachen gewesen bin. Ich erinnere mich an einen Feiertag vor bestimmt 20 Jahren, den ich zusammen mit meinem großen Bruder Manolis da oben verbracht habe. Manolis hatte unseren Drachen einen Tag zuvor mit Papa gebaut. Wir waren beide aufgeregt, ob er überhaupt fliegen würde. Wir rannten wie die Verrückten über die spitzen Felsen und den steilen Bergweg hinunter, damit unser Drachen höher stieg als der aller anderen Kinder. Vaggelis, unser kleiner Bruder, war so winzig, dass er noch in die Windeln gemacht haben muss. Dabei hatten wir ihn aber natürlich trotzdem, in einem Weidenkörbchen, das am Wegrand im tiefen Gras stand.

Wir haben unseren kleinen Bruder vom ersten Tag an überall hingeschleppt. Mama war manchmal der Verzweiflung nahe, weil sie nicht wusste, wo wir uns gerade wieder herumtrieben. Und manchmal auch, weil sie genau wusste, wo wir waren. Zum Beispiel als wir den Kleinen mit in die Bar genommen haben, die heute meinem Kumpel Alex gehört. Da war Vaggelis gerade elf oder zwölf Jahre alt. Ich kann mich nicht genau an sein Alter erinnern, aber es war ein echt lustiger Abend - zumindest bis wir zu Mama nach Hause kamen…

LAGANA (Osterbrot)

Zutaten für 3 Brote

1 Würfel Hefe | 1 große Prise Zucker |1 EL Salz
600 g Mehl (Typ 1050) | 3 EL getrockneter Oregano
100 ml Olivenöl | 100 g Sesamsamen

So geht's

Hefe zerbröseln, mit etwas lauwarmem Wasser und Zucker in einer Schüssel auflösen, 5 Min. ruhen lassen. Salz in 300 ml lauwarmem Wasser in einer zweiten Schüssel auflösen.

Schüssel bereitstellen. Mehl & Oregano darin vermischen, eine Kuhle hineindrücken. Öl, Hefe- und Salzwasser einfüllen. Mit dem Kochlöffel nach und nach Mehl unterheben. Teig auf einer bemehlten Arbeitsfläche immer wieder kneten, langziehen und zusammenschlagen. Je länger man den Vorgang wiederholt, desto lockerer wird der Teig.

Für ca. 1,5 h warm stellen. Ofen auf 180 Grad vorheizen. Den Teig noch einmal kneten, in drei gleich große Teile schneiden, jeden in ein ovales, nicht zu hohes Brot formen. Mit einem Stäbchen Löcher in den Teig stechen. Mit Olivenöl bepinseln & Sesam bestreuen. Für ca. 35 Min. backen. Kurz vorm Ende der Backzeit mit Wasser besprühen, damit die Brote einen schönen Glanz bekommen (Foto: Seite 178).

III

Gut drei Stunden sind vergangen, seit Mama und Sephi vom Dach verschwunden waren. Ich stand seitdem in der Küche, extrem lauter E-Gitarren-Bläser-Sound inklusive. Das Mise en Place für den Tag ist bereit, auch wenn es heute ruhig in der Taverne bleiben wird, da viele Inselbewohner diesen Feiertag mit ihrer Familie verbringen. So wie wir, zumindest ein bisschen. Ich decke den großen Tisch für uns alle, es gibt gegrilltes und anschließend eingelegtes Gemüse, verschiedene Salate, gefüllte Weinblätter und die Creme aus gesalzenem Fischrogen, die wir Taramosalata nennen. Auf dem Herd köchelte die sämige Soße für die Pasta, in die ich später, wenn alle am Tisch sitzen, nur noch die vorbereiteten Muscheln hineingeben werde.

Wie von Geisterhand tauchen alle auf, angelockt durch den Duft aus der Küche. Tante Maria ist da, Costas natürlich, Papa auch, der schon mal den Wein aussucht. Als wir bereits seit fünfzehn Minuten zusammensitzen und dabei auf Mama und Sephi warten, biegen die beiden plötzlich um die Ecke. Sie lachen über irgendetwas, schallend. Und sie sehen dabei so aus, als wären sie schon seit Jahren die besten Freundinnen. Was ist denn in den letzten drei Stunden zwischen den beiden geschehen? Was hat Sephi mit meiner Mama angestellt? Ich wundere mich, aber es breitet sich auch Erleichterung in mir aus, denn ohne den Segen von Mama läuft bei uns rein gar nichts.

Sie stellen drei frisch gebackene, herrlich duftende Lagana auf den Tisch, der sich bereits unter der Last der Köstlichkeiten biegt. So dass man eigentlich nicht von Fastenzeit sprechen darf. Sie setzen sich zu uns, nebeneinander und tuscheln ununterbrochen. Papa strahlt über sein ganzes Gesicht und gießt allen reichlich von dem Wein ein. Denn so genau hat er es mit der Fastenzeit noch nie genommen. Mama rümpft darüber die Nase. Doch ihr Entsetzen ist gespielt, denn sie lacht jetzt und stößt mit uns allen auf den schönen gemeinsamen Nachmittag an.

Für die nächsten zwei Stunden bleibt es wie durch ein Wunder völlig ruhig in unserer Taverne. Wir sitzen zusammen, reden alle durcheinander und verspeisen unser Fastenmahl. Costas sucht in seinem Handy die neuesten Fotos seiner Töchter heraus. Tante Maria kann nur mit Mühe eine Träne der Rührung darüber verdrücken. „Zauberhaft, einfach zauberhaft", ruft sie laut aus. Mama ist näher an Papa herangerückt, sie halten sich bei den Händen, reden miteinander mit den Augen. Eine Sprache, die sie seit jeher perfekt beherrschen - und die für uns drei Brüder immer ein Buch mit sieben Siegeln war und wohl auch bleiben wird. Zwischen diese beiden passt kein Blatt, denke ich. Und ich vermisse meine Brüder, meine Verbündeten, gleich noch viel mehr. Denn ohne sie ist das Leben nur der halbe Spaß.

Und ich wüsste gerne, was sie von Sephi halten. Ich schaue nach ihr, sie wirkt viel lockerer als gestern wie sie da so auf ihrem Stuhl hockt. Sie schiebt sich ein Stück Brot mit rosa Taramosalata darauf in den Mund. Sie schließt die Augen und dieses genießerische Lächeln, das ich schon gestern bei ihr entdeckt habe, überzieht ihr Gesicht erneut. Jemand, der so genießen kann, passt einfach hierher zu uns. Ich gratuliere mir selbst zu diesem Schachzug. Wir werden ein Jahr lang eine tolle Hilfe haben. Und dann sehen wir weiter, vielleicht kommt einer meiner Brüder zurück auf die Insel. Ich schicke ein Stoßgebet an den Himmel! Oder es wird sich eine andere Lösung finden, um Papa zu entlasten und mir die Freiräume für meine Reisen und die Musik auch weiterhin zu geben.

Während ich so über die nächsten Wochen und Monate grüble, scheint Sephi wieder im Hier und Jetzt am Tisch angekommen zu sein. Ihre Blicke wandern konzentriert zwischen den plappernden Menschen links und rechts von ihr hin und her. Sie versucht mit aller Macht, unseren Gesprächen zu folgen. Costas bemerkt das und übersetzt für sie das allermeiste. Sie fängt an zu lachen, entspannt sich noch ein bisschen mehr und ist wie durch Zauberhand über Nacht zu einem Teil meiner geliebten Familie geworden.

APRIL

„Freude an der Arbeit lässt das Werk trefflich geraten."

Aristoteles (384 – 322 v. Chr.)

Ilias

I

Ich knattere mit meinem rostigen Roller über die Insel. Ein besseres Wort dafür gibt es nicht, denn die Geräusche meines Gefährts machen mir inzwischen große Sorgen. Das Ding wird eh nur durch den Rost zusammengehalten, der an allen Ecken erblüht ist. Ich kann machen, was ich will, er ist alt und wohl kaum noch zu retten. Und Kohle für einen neuen Roller habe ich nicht. Nicht mal für ein gebrauchtes Modell. Vielleicht läuft es an den Osterfeiertagen gut für mich. Und wenn nicht, ich komme schon irgendwie über diesen einen Sommer mit dem alten Ding. Nach der Saison am Strand geht bestimmt wieder etwas: Sonne, Drinks, Touristinnen, viel Trinkgeld…

Ostern. Die Feiertage stehen kurz bevor. Und nachdem Apoll mir vor ein paar Tagen am Telefon einen ordentlichen Einlauf wegen der geschwänzten Schicht verpasst hat, hat er dann doch gefragt, ob ich zum Spülen in die Taverne kommen würde. Aber bis dahin ist noch ein wenig Zeit. Zeit, die ich sinnvoller nutzen kann. Heute bin ich schon seit ganz früh am Morgen mit meiner Kamera unterwegs. In den letzten Tagen ist die Natur auf der Insel quasi explodiert, weiß und rosa blüht bereits überall der Oleander. Und im rot-orangen Morgenlicht, das die ganze Landschaft geil in Szene setzt, sieht alles noch viel besser aus. Doch genug von Natur und Blüten. Jetzt bin ich auf dem Weg in die

Stadt. Ich will zu dem alten Haus. Es ist völlig verfallen, Pflanzen wachsen aus seinen scheibenlosen Fenstern, das halbe Dach fehlt. Es ist natürlich gefährlich, zwischen den morschen Balken und zerbrochenem Glas herumzuklettern, aber für ein gutes Foto gehe ich gerne das Risiko ein. Auch das Wagnis, direkt unseren beiden Inselpolizisten in die Arme zu laufen. Ihre Wache liegt gleich um die Ecke der Ruine. Sie sind nicht sehr oft dort, denn meist trinken sie irgendwo einen Kaffee oder fahren gerade mit dem Schrotthaufen, den sie Polizeiauto nennen, über die Insel. Die Karre ist noch maroder als mein rostiger Roller, denke ich und muss lachen. Das Lachen wird mir vom Wind aus dem Mund gerissen und fliegen davon. Die beiden Polizisten haben wirklich wenig zu tun, hier auf der Insel passiert nie etwas. Umso erfreuter sind sie, wenn sie jemanden im Eigentum anderer erwischen und dabei auf böse Cops machen können. Die schauen zu viele amerikanische Serien! Und was soll das eigentlich, Eigentum anderer, pah. Als wenn es in dem Haus noch etwas zu holen gäbe. Oder als ob sich der Besitzer in den letzten 100 Jahren einmal darum gekümmert hätte. Und wenn mir ein Holzbalken auf den Kopf fällt, ist es auch nicht deren Problem. Im Gegenteil: Dann haben sie und ich ein Problem weniger…

Ich halte vorm Café am Kanal. Vanessa steht wie immer hinter der Theke, aber sie quatscht mit jemandem und sieht mich nicht kommen. Kein fertiger Kaffee heute, den ich nur abgreifen und mitnehmen muss. Also stelle ich mich brav in der Schlange an. Während ich warte, habe ich ausreichend Zeit, um die Kuchenstücke und Kekse in der Auslage zu betrachten. Verdammt! Ich werde keinen Kuchen essen. Die Olivenmuskeln in den Armen sind zwar noch vorhanden. Aber ich hatte über den Winter reichlich Fett am Bauch angesetzt. Und das war, so kurz vor der Saison, noch nicht wieder verschwunden. Ich ziehe meinen Bauch ein und lasse den leckeren Kuchen links liegen.

Mit wem redet Vanessa da so lange? Die weichen Rundungen, die kurzen braunen Haare... Sie kommt mir irgendwie bekannt vor. Aber es ist niemand von der Insel, so viel kann ich an ihrer sexy Kehrseite erkennen. Das würde ich wissen. Da dreht sie sich um, lächelt mich an und entschuldigt sich, dass sie so lange braucht. Ich kenne diese Augen, die sanft und verlegen dreinschauen. Haben wir uns schon einmal gesehen? Ich bin mir sicher. Hat sie sich nicht schon einmal bei mir für irgendwas entschuldigt? Vanessa unterbricht meine Gedanken und schiebt mir meinen Kaffee über den Tresen. Ich lege ihr das Geld hin, nehme den Becher und verziehe mich. Doch! Ich kenne diese Frau. Und ja, sie hat sich schon einmal bei mir entschuldigt. Das ist die interessante Kleine, die ich vor Apolls Taverne vor ein paar Wochen beinahe mit dem Roller überfahren hätte. Wie lange ist das genau her? Drei Wochen, vier Wochen vielleicht? So lange bleibt normalerweise keine Touristin auf unserer Insel. Wer ist sie und was macht sie hier? Ich nehme mir vor, bei nächster Gelegenheit Vanessa auszuhorchen. Echt süß, die Kleine!

II

Ich habe es mir vor meinem Computer gemütlich gemacht, lediglich das Bildbearbeitungsprogramm läuft auf Hochtouren. Die Fotos aus der Ruine sind großartig geworden. Eine Stunde lang bin ich über die morschen Holzbalken geklettert und den ekligen Spinnweben ausgewichen, die da in jeder Ecke hängen. Zerbrochenes Fensterglas hat einen tiefen Schnitt in meiner Schuhsohle hinterlassen, aber es hat sich wirklich gelohnt. Gerade als ich wieder herausgeklettert kam, sind die beiden Sheriffs um die Ecke in die schmale Straße gebogen. Das musste ja so kommen. Verdammt! Ich bin sofort auf den Roller gesprungen, der sich zum ersten Mal seit Wochen direkt starten ließ, und in Höchstgeschwindigkeit davongebraust. Die beiden, Dick und Doof, wie ich sie insgeheim nenne, sind noch ein ganzes Stück hinter mir hergelaufen, aber dann bog ich um die nächste Ecke, in die folgende noch engere Straße und war schon weg. Alles in allem ein guter Tag!

Und trotzdem springen meine Gedanken hin und her. Sie sind nicht nur bei meiner erfolgreichen Flucht vor der Dorfpolizei oder bei den Fotos, die ich gerade auf meinem Computer bearbeite. Sie hüpfen immer wieder zu diesem runden Po in der engen Jeans, zu den sanften braunen Augen. An dem Tag, an dem ich sie beinahe über den Haufen gefahren hätte, trug sie ein weites Kleid, das diesen runden Po zu sehr versteckt hat. Aber diese Augen, die sind mir im Gedächtnis haften geblieben, irgendwo ziemlich weit hinten zwar. Aber jetzt sind sie wieder ganz präsent. Blitzen unentwegt durch meinen Kopf. Wer ist diese Frau nur?

Sephi

I

Er hat gar nichts bestellt und bekommt dennoch etwas, wundere ich mich, als Vanessa mir kurz ein Zeichen gibt, dass ich warten soll. Sie dreht sich zu ihrer imposanten Siebträgermaschine um, klopft mit geübter Hand das Kaffeepulver fest und verankert den schweren Träger im Gerät. Die Maschine faucht kurz auf, dann läuft der Espresso in den bereitgestellten Becher. Sie gießt heißes Wasser dazu, gibt sehr viel Milch und drei gehäufte Löffel Zucker hinein. Ich erschaudere innerlich. Der Kaffee, der vor mir in der Tasse dampft, ist schwarz und gänzlich ohne Zucker. Ein Americano, Espresso und heißes Wasser, sonst nichts. Aber ich habe bereits erfahren, dass nicht viele Menschen meine Leidenschaft für den puren, bitteren Genuss teilen, denke ich und lächle. Aber drei Löffel Zucker, das ist schon sehr, sehr süß!

Ich schaue mir den „Süßen" noch einmal genauer an. Denn der kommt mir irgendwie bekannt vor. Da schießt es mir in den Kopf: Ist das nicht der Typ auf dem rostigen Roller, der mich an meinem ersten Tag auf der Insel beinahe überfahren hätte? Ich glaube schon. Sein Bart ist ein bisschen länger und zotteliger, aber diese grünen Augen. Meine

Erinnerung müsste mich schon gewaltig täuschen. Er schiebt ein paar Münzen über den Tresen, nimmt seinen Becher und verschwindet auf der Stelle. Vor dem Fenster sehe ich ihn auf genau diesen Roller steigen. In der ganzen Zeit, die er hinter mir gestanden hat, hat er kein einziges Wort gesprochen. „Der hat gar nichts bestellt?!", wiederhole ich meinen Gedanken laut.

„Das muss er auch nicht. Das ist Ilias, der kommt immer hier her. Und er trinkt immer einen Latte mit extra viel Milch und drei Löffeln Zucker. Bei den Leuten von der Insel weiß ich halt, wie die ihren Kaffee am liebsten mögen. Von dir weiß ich das inzwischen ja auch!" Vanessa zwinkert mir zu. Und sie hat recht. Bei meinem zweiten Besuch hat sie noch gefragt: „Americano ohne alles?" Danach habe auch ich nichts mehr bestellen müssen, außer eines der süßen Törtchen vielleicht, die sie in der Auslage anbietet. Die sind aber wirklich zum Niederknien! Inzwischen weiß ich, dass sie die Leckereien von einer Konditorei auf der Insel bezieht, die gar nicht weit von unserer Taverne entfernt ihr Geschäft betreibt. Jeden Tag erfahre ich ein bisschen mehr vom Leben hier. Jeden Tag fühle ich mich ein bisschen heimischer. Doch ich muss endlich diese Sprache lernen!

„Wo waren wir stehen geblieben? Ach so, ich spreche mit Eva. Sie ist die Lehrerin in der hiesigen Grundschule. Sie kann dir bestimmt Griechisch-Unterricht geben, das macht sie ja sowieso jeden Tag mit den Kleinen."

„Denkst du nicht, dass ihr das zu viel wird oder sie in ihrer Freizeit lieber etwas anderes unternehmen würde?"

„Ach was! Ich frage sie nachher gleich, wenn ich Spiro von der Schule abhole. Und gebe ihr deine Telefonnummer. Wenn sie Lust hat, wird sie sich bei dir melden. Wenn nicht, dann überlegen wir uns etwas anderes. Irgendwie wirst du schon Griechisch lernen. In der Not mache ich das einfach...", sie lacht ihr besonderes Vanessa-Lachen, fröhlich und eine Spur zu laut, aber so ganz und gar mit sich im Reinen.

„Danke, das ist lieb von dir! Ich mache mich jetzt auf den Weg, Apoll wird mich in der Küche schon vermissen..."

„Lass dich nicht von dem alten Schinder Apoll ausbeuten", ihr Grinsen nimmt den Worten die Schärfe. Sie weiß, dass ich nicht für Geld in der Taverne arbeite. Sie versteht irgendwie warum, aber eigenartig findet sie es trotzdem. Die meisten denken, dass es komisch ist, wenn die Sprache darauf kommt. Aber ob ich nun ein Jahr lang durch die Weltgeschichte reise und dabei nichts verdiene oder an einem so wundervollen Ort lebe und dabei noch etwas ganz Neues lerne. Ich sehe da immer noch keinen Unterschied. Genauer gesagt: Ich kann mir für mich persönlich nur die zweite Variante vorstellen. Mein Sabbatical, meine Regeln! Oh, denke ich, nicht nur meine Regeln, sondern auch mein ganz neues Selbstbewusstsein. Die Zeit in der Küche tut mir jetzt schon richtig gut. Ganz egal, welche Rezepte ich bei Apoll und

Christos noch lernen werde. Ich winke Vanessa zu und mache mich auf den Weg.

II

In der Küche tröten schon wieder lärmend die Bläser aus den Lautsprechern, jemand schreit einen mir völlig unverständlichen Text in ein Mikrofon. Apolls Offbeat-Musikgeschmack macht mich wirklich fertig, denke ich und gleichzeitig wird mir dabei warm ums Herz. Dass er sich nicht am laufenden Band in die Finger schneidet, immer so neben dem Takt…

„Schau nicht so, ich steh halt drauf", Apoll droht mir mit dem Messer, mit dem er gerade noch Kräuter gehackt hat. Ich nehme die Arme hoch: „Ist ja schon gut, Chef! Eigenwilligen Musikgeschmack kenne ich zur Genüge, den habe ich quasi mit der Muttermilch aufgesogen…"

„Mit der Muttermilch?"

„Das sagt man bei uns so, ist ein Sprichwort…"

„Jaja, ich kenne das Sprichwort. Aber was hat es mit der ‚eigenwilligen Musik' auf sich?", Apoll setzt die beiden Worte mit den Fingern in Anführungszeichen. Mit dieser Geste von ihm bin ich bereits vertraut. Ich nehme lächelnd meine Schürze vom Haken, sie ist frisch gewaschen und der Stoff ist noch ganz steif. Ich streiche mit dem Finger über meinen Namen, der darauf eingestickt ist, ziehe sie mir über und erzähle ihm dabei von ihr, von meiner Mutter: „Während die meisten Mütter meiner Schulfreundinnen Schlager- oder vielleicht noch Rockmusik gehört haben, mochte meine schon immer Oper. Sie liebte diese imposanten Klänge, die den ganzen Raum einnehmen können und dabei ganz von selbst eine Geschichte erzählen. Wie im Märchen oder in einer Zauberwelt. Sie mochte viele Komponisten, aber ihr Liebling war zeit ihres Lebens Igor Strawinsky, ein russischer Komponist. Hast du schon von ihm gehört? Ihr Lieblingswerk von ihm war ‚Perséphone' - mit Apostroph", ich deute auf auf das „é" auf meiner Schürze.

„Hast du daher deinen Namen? Gar nicht von der griechischen Göttin der Unterwelt?"

„Daher habe ich meinen Namen - und den Akzent auf dem E. Und irgendwie auch von der Göttin der Unterwelt, denn um die arme Frau dreht sich in der Oper so ziemlich alles."

„Ist seine Musik so ‚eigenwillig'?" Wieder diese Anführungszeichen.

„Für ein kleines Kind ganz sicher! Aber bestimmt auch für einige Opernfans, da es ein wirklich eigenwilliger Mix aus Sprechtheater, Oper und Chorgesang ist. Es ist eines seiner weniger weit verbreiteten Werke. Ich weiß wirklich nicht, wie sie ausgerechnet darauf so stehen konnte", ich muss lachen, während ich mich an meine Mutter erinnere und wie sie unter den Klängen von „Perséphone" die Wohnung aufgeräumt oder für mich gekocht hat.

„So ein ‚eigenwilliger' Mix ist mein Ska-Punk auch...", Apoll zuckt mit den Schultern und deutet mit dem Messer in der Hand auf meinen Arbeitsplatz neben dem Herd. „Wenn du meine Musik noch ein bisschen aushältst, dann kannst du live erleben, wie hervorragend es sich dabei in der Küche arbeitet!"

Meine Messer liegen ordentlich aufgereiht an meinem Platz, das Brett davor ist sauber geputzt, Kartoffeln, Artischocken und wilder Spargel stapeln sich in einem großen Weidenkorb dahinter. Fröhlich mache ich mich an die Arbeit und auch sicherer als noch vor einigen Tagen. In den letzten Wochen hat Apoll sich sehr viel Mühe damit gegeben, mich in all den Techniken zu unterweisen, die den Unterschied zwischen mir und einem Profikoch ausmachen. „Bei deinem Geschmacksinn müssen wir nichts üben, aber so kannst du nicht schneiden, da bringst du dich ja um", scherzte er an einem der ersten Tage, an denen wir zusammen in der Küche am Herd standen.

Sein erster Geschmackstest war damals eine Art Blindverkostung für mich. Ich kann mich noch genau an den Abend erinnern. In der Taverne wurde es langsam ruhig, die Arbeit in der Küche neigte sich dem Ende zu. Apoll kam mit einem schwarzen Tuch zu mir. Gerade fühle ich meinen Herzschlag wie damals. Was hatte er nur vor? Er legte mir das Tuch um die Augen und band es fest. Ich stand sprichwörtlich im Dunklen, sah nichts und wusste nicht, was als Nächstes passieren würde. „Jetzt testen wir, wie gut du wirklich bist!", sprach er und steckte mir ein Stückchen rohe Karotte in den Mund. Okay, das war einfach. Beim Staudensellerie musste ich mich fast übergeben, wer isst bitte so etwas und zu allem Überfluss auch noch roh?! Aber dann machte er es immer und immer schwieriger für mich.

Apoll fütterte mich nach und nach mit frischen Lebensmitteln und später auch mit gekochten Speisen. Ein Stück zart geschmortes Lamm; eine eingelegte, saftige Tomate, die nach Sommer schmeckte. Ein Bissen von einer rohen Garnele, der mich an die Sushi-Abende mit meinen Freundinnen zu Hause in Deutschland erinnerte. Ich sah noch immer nichts, fühlte nur seine warme Hand, die meinen Arm festhielt. Und die Finger der anderen Hand an meinen leicht geöffneten, zitternden Lippen. Manches reichte er mir auf einem Löffel, den er mir dann sanft in den Mund schob. Ich hielt die Augen trotz der schwarzen Binde fest geschlossen. In meinem Geist formten sich je nach Geschmack die Bilder der Köstlichkeiten. Ich erfühlte ihre Konsistenz, manches war weich und sanft, anderes knusprig oder eben so hart wie die Karotte. Ich erkannte die verschiedenen Zutaten in den gekochten Speisen, den scharfen Biss des Knoblauchs, der bis in meine Nase vordrang. Die Süße von langsam geschmorten Zwiebeln. Oder den Thymian, mit seinem ganz eigentümlichen Aroma, das meinen Gaumen kitzelte.

Als Nächstes fühlte ich etwas Cremiges auf einem Löffel an meinen Lippen, der scharfe Geruch von Knoblauch stieg mir erneut in die Nase. Ich ließ die samtige Masse zwischen meiner Zunge und dem Gaumen hin und her fließen. Ich wusste es sofort: „Das ist Skordalia – und da ist so viel von dem scharfen Knoblauch drin, dass ich ab jetzt nichts mehr anderes schmecken kann. Das ist unfair!" Ich musste laut lachen, Apoll stimmte mit ein. Er nahm mir die schwarze Augenbinde ab und strahlte über das ganze Gesicht. Als ich mich wieder ans Licht gewöhnt hatte und ihn erkennen konnte, sah er so aus, als wäre er wirklich stolz auf mich - und auf sich gleich mit. „Das war der letzte Löffel! Und wow, ich bin ehrlich begeistert."

In dieser Nacht konnte ich nur schwer in den Schlaf finden, ich spürte noch immer Apolls Berührungen an meinem Arm und schmeckte seine Finger auf meinen Lippen. War da etwas zwischen uns? Wollte er mir mit diesem Test etwas sagen, etwas mehr als nur, dass ich ein prima Lehrling für ihn war? Irgendwann in dieser Nacht fiel ich in einen unruhigen, von Träumen begleiteten Schlaf. Ich sah erst mich selbst, danach Apoll, dann wieder grüne, mich eindringlich musternde Augen. Morgens konnte ich mich noch für den Bruchteil einer Sekunde an ein paar sehr wirre Traumsequenzen erinnern, doch dann waren die Bilder, welche der Traum in meinem Kopf hinterlassen hatte, auch schon wieder verflogen. Was übrig blieb, war ein kribbeliges, unruhiges Gefühl in der Magengegend. Und natürlich blieb mir auch meine Kochausbildung, die in der Realität ohne Pause weiterging.

„Hey Sephi, nicht träumen. Die Kartoffeln schälen sich nicht von alleine!" Apoll riss mich aus meinen Gedanken und der süßen Erinnerung. Er hatte längst die Musik leiser gestellt und war bereit für eine neue Lektion. „Wenn du auch das andere

Gemüse fertig geputzt hast, zeige ich dir ein ganz neues Rezept. Es heißt Briam und soll die Gemüsebeilage zu dem gegrillten Lamm werden, das wir am Ostersonntag in der Taverne servieren - und du wirst sie dann für all unsere Gäste zubereiten, ganz alleine. Aber erst brauche ich die geschälten Kartoffeln von dir!"

Augenblicklich rutschte mir mein Herz in die Hose. Ich sollte das Gemüse für alle Gäste zum Festtagsessen kochen? Doch Apoll ließ mir keine Zeit, um mir allzu große Sorgen zu machen. Ein riesiger Berg Kartoffeln lag in dem Weidenkorb, er wartete darauf, geschält und dann gekocht zu werden. Und ein guter Teil davon würde zu einer neuen Portion Skordalia inklusive jeder Menge Knoblauch werden, ein anderer war Zutat für das Briam, von dem ich noch nie zuvor gehört hatte.

BRIAM (Gemüseauflauf)

Zutaten für 4-6 Portionen

2 kleine Auberginen | 2 EL Salz | 2 Zucchini
2 Kartoffeln | 6 Tomaten | 4 rote Spitzpaprika
4 rote Zwiebeln | 100 ml Olivenöl | 2 Knoblauchzehen
Salz | Pfeffer | 1 Bund Petersilie

So geht's

Die Auberginen in schmale Scheiben schneiden. Salz mit kaltem Wasser in eine Schüssel geben, die Scheiben dazu. Das restliche Gemüse waschen. Zucchini, Kartoffeln und Tomaten in schmale Scheiben, Paprika und Zwiebeln in Ringe schneiden.

Auberginen trocken tupfen, Öl in einer Pfanne heiß werden lassen. Scheiben nach und nach hellbraun anbraten. Dann in ein Sieb geben, das Öl ausdrücken und auffangen. Zum Schluss fein gewürfelten Knoblauch anbraten. Mit dem aufgefangenen Öl und 125 ml heißem Wasser vermischen.

Ofen auf 180 Grad vorheizen. Auflaufform mit Auberginen auslegen, salzen & pfeffern. Die restlichen Gemüse schichten, nach jeder Lage salzen & pfeffern. Mit dem Öl-Knoblauch-Wasser übergießen.

30 Min. zugedeckt, dann 30 Min. offen backen. Petersilie hacken, über den fertigen Auflauf streuen. Mit Brot, Schafskäse und gewürztem griechischen Joghurt servieren (Foto: Seite 178).

III

Ein Moment der Ruhe. Zum ersten Mal seit Tagen. Ich lehne mich erschöpft in meinem Sessel am Fenster zurück und schaue hinaus aufs Wasser, hinaus zu den Booten. Ich kann sie kaum mehr erkennen, nur ihre Silhouetten schaukeln im Meer. Draußen ist es inzwischen stockdunkel geworden. Meine Gedanken fahren wieder Karussell, langsamer zwar, aber stetig. In meinem Kopf drehen sich die neuen Rezepte, die Geschmäcker und die schwer zu erlernende Schnitttechnik im Kreis. Die letzten Tage vor Ostern waren wie im Flug an mir vorbeigezogen. Ich ziehe die Beine hoch an meinen Oberkörper und lasse meine Füße in der Luft kreisen. Ich kann kaum noch einen anderen Teil meines Körpers spüren, so sehr schmerzen sie. Ein großes, buntes Pflaster ziert meinen Daumen. Es gibt so unfassbar viel zu tun in der Taverne. Und alle packen mit an. Christos und Apoll waren schon immer viele Stunden vor mir in der Küche. Tante Maria kam mit dem Putzen und Spülen kaum hinterher. Costas hatte endlich eine Hilfe, sonst hätte er den stetigen Ansturm der Touristen und Einheimischen kaum bewältigen können. Und dabei stehen die eigentlichen Feiertage, die, an denen das Fasten endgültig vorbei sein würde, erst noch bevor. Apoll hat mich vorgewarnt, es würde dann voller und verrückter werden. Dabei strahlten seine Augen, denn es gibt wohl nicht viel, was ihm mehr Freude bereitet hätte als ein ausgebuchter Laden, denke ich. Wir haben das Briam, das ich für die Gäste zubereiten soll, immer und immer wieder geübt. Und lange über die Konsistenz des

Gemüses, die richtige Anzahl von Knoblauchzehen und die nötige Menge Salz gesprochen. Jetzt fühle ich mich gut vorbereitet, oder doch nicht? Ich lasse noch einmal meine schmerzenden Füße kreisen, strecke meinen Rücken gerade durch und stehe vom bequemen Sessel auf. Es ist wirklich Zeit fürs Bett, sonst erlebe ich morgen mein meerblaues Wunder in der Küche.

IV

Es ist bereits wieder später Nachmittag, ein weiterer Tag, der nur so verfliegt. Ich stehe mit einer Tasse Kaffee in der Hand an meinem Fenster. Es ist weit geöffnet, eine kühle Brise kommt vom Wasser herein, trocknet den Schweiß auf meiner Stirn. Der weiße Vorhang tanzt. Ich habe genau 15 Minuten Zeit, um mich zu sammeln, und dann das Briam für das Lamm fertigzustellen. Das erste Gericht, das ich ganz allein und inzwischen wirklich ohne Hilfe von Apoll für unsere Gäste koche. Den ganzen Tag über habe ich schon Zwiebeln und Knoblauch geschält, die einen gewürfelt, den andere fein gehackt. Ich habe Salatsoßen angerührt und unzählige Kartoffeln von ihrer Schale befreit. Natürlich! Während ich all diese Aufgaben erledigt habe, habe ich mich zusätzlich um die wunderbaren Auberginen und die anderen frischen Gemüse für meine Beilage gekümmert. Das Briam wird großartig werden! Das hoffe ich zumindest. So groß war mein Selbstbewusstsein im letzten Monat dann doch noch nicht angewachsen, dass ich mir keine Sorgen darum machen würde, allen alles zu verderben. Das Fest der Feste auf der Insel zu einem Debakel, werden zu lassen.

Doch da lenkt mich etwas von meiner Unsicherheit ab. Etwas zieht meine Aufmerksamkeit wie magisch auf sich. Irgendetwas unten auf der Straße fesselt mich. Vor meinem Fenster kommt in diesem Augenblick unüberhörbar laut knatternd ein rostiger Roller zum Stehen. Ein Roller, den ich inzwischen schon öfter gesehen habe. Und den Kerl, der darauf sitzt, den kenne ich zumindest vom Sehen auch. Seit unserer ersten Begegnung habe ich Ilias bereits mehrmals im Café bei Vanessa oder bei einem meiner viel zu seltenen Streifzüge über die Insel entdeckt. Ich versuche, wirklich jede freie Minute zu nutzen, um mein neues Zuhause besser kennenzulernen. Aber gerade in den letzten Tagen fehlte mir dazu meist die Kraft - und es blieb auch kaum ein Moment übrig, selbst wenn ich gewollt hätte. Er hingegen scheint viel Freizeit zu haben, denn ich konnte nicht erkennen, ob er jemals auf dem Weg zu oder von einem Job war, wenn er mit seinem Roller an mir vorüberbrauste. Vanessa brauchte ich nicht zu fragen, sie ist unheimlich diskret, was ihre Gäste angeht. Oder vielleicht ist sie sich auch noch nicht sicher, wie viel sie mir anvertrauen kann... Und weil ich mich bei meiner neuen Freundin nicht gleich als lästernde Tratschtante unbeliebt machen möchte, bohre ich lieber nicht so genau nach.

Jetzt hält er also unten vor der Taverne an und er ist nicht alleine. Eine schlanke Blondine schwingt sich elegant von seinem klapprigen Gefährt, das eine letzte, üble Rauchwolke ausstößt.

Die beiden stehen sehr dicht beieinander, sodass ich ihre Gesichter nicht gut erkennen kann. Die innige Verabschiedung zieht sich aber ziemlich in die Länge. Bevor ich zurück an meine Arbeit gehen muss, kann ich live und in Farbe einen ausdauernden Abschiedskuss beobachten, den ganz offenbar keiner der beiden unbedingt beenden möchte. Es ist ein wirklich intensiver Kuss. So intensiv, dass ich nur vom Zuschauen rot im Gesicht werde. Habe ich je selbst so einen Kuss erlebt?

Erschrocken und mit pochendem Herzen trete ich zwei große Schritte vom Fenster zurück. Beinahe falle ich dabei über den flauschigen Teppich, der vor meinem Bett liegt. Zum Glück ist kein Kaffee mehr in der Tasse, die ich immer noch in der Hand halte. „Du bist eine lästernde Tratschtante und eine üble Spannerin dazu", meldet sich meine innere Stimme zu Wort. Hey, denke ich, während ich mein Zimmer verlasse, von dir habe ich aber schon lange nichts mehr gehört! Im Wohnzimmer stelle ich meine Tasse zu den anderen Sachen aufs Regal und mache dann, dass ich die Treppe hinunter und zurück in die Küche komme.

Noch während ich hinabsteige, dringen aufgeregte, laute Stimmen aus der Küche bis zu mir vor. Das ist ungewöhnlich, denn in der Regel arbeiten Apoll und Christos still miteinander. Wenn Christos in der Küche ist, gibt es nicht einmal den lärmenden Ska-Punk. Vater und Sohn stehen schon so lange zusammen am Herd, da braucht es nicht viele Worte und laute schon gar nicht.

Doch das ist auch gar nicht Apoll, der da mit seinem Vater spricht. Die Stimme klingt ganz anders, irgendwie tiefer, viel rauer. Ich komme durch die Tür und gehe direkt auf meine Schürze zu. Ich lege die Schlaufe um den Hals und knote die Bänder vor meinem Bauch zusammen. Als ich den Blick hebe, traue ich meinen Augen kaum. Ilias steht da, blickt gelangweilt umher und lässt eine gewaltige Strafpredigt von Christos über sich ergehen. Sein Gesicht sieht dabei allerdings nicht so aus, als würde er sich große Sorgen um seinen Job oder irgendetwas anderes im Leben machen. Jetzt schaut er mich mit seinen grünen Augen direkt an. Er grinst. Das ist die Spülhilfe der Taverne? Oh mein Gott, ja! Ilias, den Namen habe ich schon öfter einmal gehört. Aber da ich den Gesprächen auf Griechisch noch immer nur sehr schwer folgen kann, habe ich ihn niemals auch nur für eine Sekunde mit dem knutschenden Kamikaze-Rollerfahrer in Verbindung gebracht.

Ilias

I

Meine Ohren fallen mir gleich ab! Christos hört nicht auf, zu lamentieren. Ich schalte auf Durchzug, es ist ja nicht so, dass ich ihn nicht irgendwie verstehen kann, aber war der nie jung? Hatte der nie Lust auf... Bevor ich meinen Gedanken zu Ende bringen kann, sehe ich plötzlich sie. Sie steht in der Küche, zieht sich eine Schürze über. Sie kommt mir vor wie eine Erscheinung der Mutter Gottes, so plötzlich taucht sie vor meinen Augen auf. Okay, die Mutter Gottes würde sich wahrscheinlich nicht ausgerechnet in Apolls Küche eine gestärkte Schürze umlegen. Aber sie tut es gerade. Sie trägt bequeme Kleidung, nicht die heiße, enge Jeans von vor ein paar Tagen. Das Schürzenband betont dennoch ihre schlanke Taille, lässt die Rundung ihres Pos erahnen. Das kurze Haar hält sie mit einer Spange aus der Stirn. Sie ist komplett ungeschminkt und eigentlich überhaupt nicht mein Typ. Aber irgendwas ist da an ihr, was mich verrückt macht, mich nicht aufhören lässt, sie immer wieder und wieder anzuschauen. Sind es die großen, schüchternen Augen? Ist es dieses atemberaubende Hinterteil? Ich kann es nicht genau sagen. „Don't fuck the company", geistert es durch meinen Kopf. Wobei, was soll's? Wenn ich Christos so zuhöre, der immer noch wütend auf mich einredet, gehöre ich definitiv nicht mehr lange zu seinem Team…

Ich entschuldige mich zum wahrscheinlich tausendsten Mal bei ihm. Ja, es war blöd. Ja, es kommt nicht wieder vor. In den nächsten Monaten sowieso nicht, denn da sind die Touristen vor Ort, überrennen unsere kleine Insel - und ich arbeite am Strand, denke ich gelassen. Ich bin dann fast jeden Tag unten am Wasser. Zum Ende der nächsten Woche geht es los. Das Team, mein Team, trifft sich, um den Strand vom angeschwemmten Wintermüll zu befreien. Mein Chef, also der, für den ich im Sommer arbeite, bringt die Sonnenliegen, Tische und Stühle vorbei. Unser Verkaufskiosk bekommt dann einen neuen Farbanstrich und wir füllen die Vorräte an Getränken auf, vor allem den Alkohol. Ich werde mein Team für die Sommermonate einteilen. Wir planen die Partys für die besonders heißen Nächte im Juli, August und September, denken uns ein paar neue, coole Drinks aus. Ich werde mit der Kalkulation für die Lebensmittel und der restlichen Getränke beginnen. Ja, bei uns am Strand gibt es auch etwas zu essen. Dort wird auch gekocht! Und ich bin für all das zuständig, die Leute, das Bier und die Gäste. Ich weiß, dass mein Chef, dem das einzige große Hotel auf der Insel gehört, sich auf mich verlässt. Mich dabei aber nicht gängelt. Und mir nicht die Hilfsarbeiten aufbrummt. Und er kann sich auf mich verlassen. Wäre nur immer Sommer, dann könnte ich das ganze Jahr für ihn am Strand arbeiten. Ich wäre wahrscheinlich bereits Manager und müsste mir nicht mehr die Finger schrumpelig spülen an euren Tellern, verdammter Mist! Doch im dunklen, kalten Winter, wenn es beständig regnet, dann ist das Hotel geschlossen und der Strand verwaist. Dann gibt es nur mich, die verdammten Oliven und hin und wieder eine süße Kleine aus der Stadt, in deren Bett ich mich aufwärmen kann.

Apropos süße Kleine, ich schaue mich noch einmal nach ihr um. Vorhin hat sie sich gleich weggedreht, ist direkt an ihre Arbeit gegangen. Und hat so getan, als gäbe es nichts Wichtigeres als das Gemüse vor ihr. Jetzt steht sie mit dem Rücken zu mir. Ich sehe die zarte Linie zwischen ihrem

Hals und ihrer Schulter. Ihr T-Shirt ist während der Arbeit ein wenig verrutscht. Sie zieht immer wieder ihre Schulter hoch, um es an die richtige Stelle zu verschieben, doch das will nicht klappen. Mit ihren Händen steckt sie derweil mitten in den Scheiben des geschnittenen Gemüses, die kann sie gerade für nichts anderes gebrauchen. So bleibt mir der Blick auf ihre zarte Haut an der Schulter ein wenig länger erhalten. Sie ist leicht gebräunt und schimmert ein wenig golden im grellen Küchenlicht. Ich würde gern noch mehr davon sehen, andere Stellen ihres Körpers…

Apoll steht dicht neben ihr, er schaut ihr ganz genau auf die schlanken Finger, sie tuscheln miteinander. Sie lacht über irgendetwas, was er gesagt hat, und dann stupst sie ihn leicht mit dem Ellenbogen in die Seite. Was er ihr wohl erzählt hat? Besonders witzig ist der ja eigentlich nicht. Hinter mir höre ich ein lautes Räuspern, es wird wiederholt, noch lauter. Costas mit dem Silberblick steht da, mit einer riesigen Ladung dreckiger Teller. Ja, doch! Ich wende mich dem Waschbecken und meiner Arbeit zu. Ich mache ja schon!

II

Seit ein paar Minuten ist es ruhiger in der Küche. Die ersten Vorspeisen sind draußen bei den Gästen, die keine Eile mit dem Essen haben. Apoll ist jetzt nicht mehr da, er dreht auf der Terrasse den Spieß mit dem Lamm über dem offenen Feuer. Gleichzeitig hat er den Grill mit den Fischen im Blick. Niemals würde er, wenn er vor Ort ist, eins von beiden einem anderen überlassen. Manolis, seinem großen Bruder, dem vielleicht. Aber der ist schon seit einer Weile nicht mehr hier aufgetaucht. Ganz so traumhaft ist sie dann doch nicht, eure tolle Familie, denke ich böse und fühle, wie sich die tiefen Falten auf meiner Stirn zusammenziehen. Ich mache eine kurze Pause und stelle mich in die andere Küchentür, die einen Blick auf die Terrasse zulässt. Ich schaue genau auf Apoll und den Grill. Alle Plätze im Außenbereich der Taverne sind belegt. Traditionelle Musik schallt bis weit hinaus auf die Straße. Auf den Tischen stehen Schüsseln und Teller. Die Gäste greifen zu, prosten sich über die Tische hinweg mit weißem, eisgekühltem Wein zu. „Christós Anésti!“, rufen die einen, die anderen antworten „Alithós Anésti!“.

„Was genau sagen die Leute zueinander, ich kenne bisher nur ‚Chrónia pollá‘, was irgendwie bei jeder Gelegenheit gewünscht wird.“ Es ist das erste Mal, seit ich hier bin, dass sie mit mir spricht, mich überhaupt wahrzunehmen scheint. „An Ostersonntag sagst du ‚Christus ist auferstanden!‘. Und dein Gegenüber antwortet dir ‚Wahrhaftig auferstanden‘. Aber mit einem ‚Viele Jahre!‘, das bedeutet das, was du gerade gesagt hast, liegst du auch niemals wirklich falsch bei uns in Griechenland. Das passt heute an Ostern und zu Weihnachten und zum Geburtstag auch“, erkläre ich ihr. Dabei erforsche ich ihr süßes Gesicht ein wenig genauer. Sie hat riesige, braune Augen und diese langen Wimpern erst! „Ich bin übrigens Ilias, wir kennen uns noch gar nicht. Wie heißt du?“

„Ich bin Sephi. Und dass wir uns noch gar nicht kennen, würde ich jetzt nicht behaupten wollen." Sie schaut mich mit diesen Augen eindringlich an, sie blitzen jetzt ein bisschen frech.

„Du hast recht, ich meine, wir beide wurden uns noch nicht vorgestellt."

„Ich wusste gar nicht, dass du hier arbeitest, dass wir Kollegen sind. Entschuldige, dass ich vorhin nicht gleich bei dir war und Hallo gesagt habe, aber ich bin so nervös, ob das Briam gut wird. Und ob die Leute es mögen werden..." Jetzt schaut sie wieder ganz verlegen aus ihren wunderschönen Augen.

„Macht gar nichts! Da habe ich mir ja auch gerade meine Standpauke von Christos abgeholt...", ich grinse sie breit an. Mal sehen, ob sie eine Streberin ist. Sie ist eine, denn schon rollt sie mit den Augen. Das habe ich mir fast gedacht, aber immerhin ist sie eine Streberin, die genauso geil mit den Augen rollen kann wie ich selbst. Leider bekommen wir keine Gelegenheit mehr, um unser Gespräch zu vertiefen, denn Christos, der alte Schinder, treibt uns schon wieder zur Arbeit an. Es geht in die nächste Küchenrunde.

Sephi, jetzt weiß ich endlich, wie sie heißt. Und frage mich, was das wohl für ein komischer Vorname ist. Sie winkt Apoll zu, bevor sie wieder an ihren Arbeitsplatz in der Küche verschwindet. Oh nein, echt jetzt? Haben die beiden etwa etwas miteinander? Es muss ja einen Grund geben, warum er eine Fremde herholt, die unsere Sprache nicht versteht und offensichtlich auch keine Köchin ist, denke ich verwundert. Er steht auf sie. Keine Frage, der Immer-Ohne-Date-Apoll hat endlich eine Freundin gefunden. Das ist irgendwie witzig und gleichzeitig blöd für mich, aber abwarten und Tee trinken. Kommt Zeit, kommt Rat – und sie will bestimmt nicht auf Dauer für ihren Lover schuften!

III

Irgendwann geht auch dieser Abend zu Ende. Endlich! Ich habe die ganze Zeit über versucht, Sephis Aufmerksamkeit auf mich zu lenken, ein bisschen mit ihr zu flirten, um abzuchecken, was da gehen könnte. Doch sie hat nicht reagiert, nicht einmal ein wenig. Sie war die ganze Zeit mit ihrem Gemüse beschäftigt. Oder sie hat nur so getan und beim Rühren und Salzen an Ska-Apoll gedacht? Meine Augen schmerzen schon vom vielen Rollen in Richtung Himmel…

Inzwischen sind die allermeisten Gäste der Taverne satt und haben mächtig einen sitzen, weil Wein und Ouzo in Strömen fließen. Es ist tatsächlich kaum noch Geschirr zum Spülen für mich da, als mich Apolls Tante Maria aus dem Raum schickt. Sie würde den Rest jetzt übernehmen. Auch gut, bitte sehr! Ich gehe einmal quer durch die Küche, dann durch den dunklen, leeren Gastraum, in dem wirklich nur im Winter Menschen sitzen, hinaus auf die Terrasse. Apoll winkt mir zu und ich geselle mich zu ihm an den Tisch – und zu ihr. „Iss und trink etwas! Du hast heute echt richtig geschuftet." Ich hasse es, wie er mir gönnerhaft den Umschlag mit meinem Lohn über den Tisch schiebt. Trotzdem nehme ich das Angebot an, hier zu essen. Erstens habe ich einen tierischen Kohldampf, zweitens will ich die beiden noch einen Augenblick lang zusammen beobachten. Schlafen die nun miteinander oder nicht?

„Der Gemüseauflauf ist echt toll geworden", sage ich und meine es auch so.

„Danke." Wie süß, sie wird ja richtig rot bei dem Kompliment. Dabei ist es wirklich nicht gelogen. Das Briam ist gut. Und das Lamm ist es auch. Zum Glück ist etwas davon übrig geblieben, denn wenn ich etwas auf der Welt niemals essen würde, dann ist es Fisch, nicht gekocht, nicht gegrillt und ganz sicher niemals roh!

Während ich kaue, beobachte ich Sephi. Sie strahlt Apoll ununterbrochen aus diesen Augen an. Die süße Kleine steht auf unseren Meisterkoch, denke ich. Und gleichzeitig bin ich mir auf unerklärliche Weise sicher, dass er es in erster Linie auf ihre kulinarischen Fähigkeiten abgesehen hat. Verdammt, das Briam ist wirklich gut! Doch zu dem Typen passt es irgendwie nicht, eine Freundin zu haben. Ähnlich wie zu mir, nur aus einem anderen Grund: Apoll ist immer gut drauf, er feiert viel. Er ist ständig in der Weltgeschichte unterwegs und macht auch irgendeine von diesen neumodischen Extremsportarten. Aber eine Frau, eine Frau hatte ich schon Ewigkeiten nicht mehr bei ihm gesehen. Gut für mich, denke ich, schnappe mir meinen Lohn und verabschiede mich von den beiden. Wenn ich jetzt direkt nach Hause fahre, dann kann ich mich noch in Ruhe umziehen und auf die Party gehen. In der Bar ein paar Schritte von hier, trifft sich heute die ganze Insel. Auch wenn es ein bisschen bescheuert ist, den ganzen Weg zweimal zu fahren, aber in der durchnässten Spül-Klamotte geh ich nicht zum Feiern raus. So egal ist es mir dann auch wieder nicht, wie ich aussehe.

„Wir sehen uns später!", rufe ich und will mich verdrücken.

„Was ist später?", fragt Sephi neugierig.

„Apoll, komm erzähl du Sephi, wo heute noch der Punk abgeht! Du willst sie doch nicht in deiner Küche einsperren und vor allen anderen hier auf der Insel verstecken." Noch während ich mit den beiden rede, steige ich auf meinen rostigen Roller, trete ein paar Mal kräftig aufs Gas. Als er gnädigerweise anspringt, brause ich davon.

Apoll

I

„Wir treffen uns an Ostersonntag immer alle in der Bar, die hier gleich nebenan ist. Tanzen und so. Außer vielleicht noch an Weihnachten kommen nie so viele Leute zurück nach Hause auf die Insel, die zum Arbeiten oder mit Partnern weggezogen sind und jetzt ihre Familien besuchen. Es ist ein bisschen wie ein riesiges Klassentreffen. Außerdem sind im Augenblick noch nicht so viele Touristen unterwegs. Im Sommer, wenn die überall sind, gehen wir in andere Locations. Oder generell seltener aus. Die meisten von uns, die hier noch leben, arbeiten im Hotel, einem Café oder der Touristeninformation. Da gibt es rund um die Uhr etwas zu tun. Und wenn man ein bisschen mehr vom Trinkgeld abräumen will, sollte man morgens nicht noch die Schnapsfahne von der Party letzte Nacht auspusten", ich zwinkere ihr zu. „Aber du, du kannst morgen ruhig eine haben!"

„Was sagst du, ich soll morgen eine Schnapsfahne haben?"

„Ja, das sollst du! Ich gebe dir morgen frei. Dafür feierst du heute mit uns – bis der Arzt kommt!"

„Bis der Arzt kommt... Und du?"

„Ich kann beides, glaub mir!"

„Ich weiß gar nicht, ob ich noch genug Kraft zum Feiern habe. Meine Füße brennen wie Hölle und mein Rücken tut mächtig weh, außerdem bin ich echt müde..."

„Dann gehst du jetzt nach oben und duschst kalt! Das macht wach. Und wenn du umgezogen bist, treffen wir uns wieder hier unten. Keine Ausrede, sogar Costas ist dabei! Ich will feiern. Und du kommst mit!" Als sie ohne weiteres Zögern aufsteht und hinter der Tür zur Wohnung verschwindet, gieße ich mir ein Glas kühlen Weißwein ein. Sie ist ein Glücksgriff für die Küche, und wenn sie jetzt noch wie ein Kerl feiern kann, dann sind wir Kumpel für immer.

II

Sephi, Costas und ich sind wenige Minuten später startklar. Sie sieht gut aus, das muss ich sagen. Dafür hat sie nicht einmal 15 Minuten gebraucht. Im Gegensatz zu vorhin trägt sie ein Kleid. Sie ist geschminkt, ihre Augen wirken dadurch noch größer, auf ihren Wangen glitzert es... Papa nickt anerkennend, als er sie entdeckt. Und wenn ich nicht so gar keine Lust auf eine feste Beziehung mit all ihren Nachteilen hätte, würde ich ihm vielleicht den Gefallen tun und es bei ihr versuchen. Nein, würde ich nicht...

„Was hat sie denn, was dich stört? Ich verstehe dich nicht, mein Junge!", versuchte er mir erst vor ein paar Tagen ins Gewissen zu reden. „Ich habe deine Mama auch erst ‚entdecken' müssen." Ich weiß das alles und ich kenne die Argumente und Geschichten schon ewig. Seit einiger Zeit denkt jeder in meiner Verwandtschaft, dass ich gute Ratschläge gebrauchen kann, wie man Frauenherzen für sich gewinnt - und glücklich macht. Meine Kumpels fangen auch schon damit an, deren Tipps drehen sich allerdings eher ums Abschleppen. Damit habe ich nun wirklich keine Probleme, hatte ich nie. Doch das möchte ich noch weniger, irgendeine Touristin, die ich dann nach einer Runde gefühllosem Sex fies abserviere. Bin ich wie Ilias? Nein, das bin ich nicht. Ich bin ich. Und ich möchte unbedingt neue Rezepte entwickeln, noch mehr Musik machen und quer durch die Welt reisen, mit Freunden in Clubs in London oder Madrid feiern. Bei berühmten Köchen arbeiten. Ich möchte keine Frau oder Kinder, die mir am Hosenbein hängen, mich daran hindern, mit dem Gleitschirm zu fliegen, zu tauchen oder noch wichtiger: endlich richtig Karriere als Koch zu machen. Das, was ich hier bisher geschafft habe, ist längst nicht alles, das ist erst der Anfang. Und ich möchte das auch für Mama und Papa, für Tante Maria und meine Brüder erreichen. Da brauche ich nun wirklich niemanden, der sich beschwert, dass ich nie Zeit für ihn habe. Keine Ahnung, ob Sephi so jemand ist, aber ich will es auch gar nicht erst herausfinden. Es läuft doch prima zwischen uns. Sie ist ein toller Kumpel und ein Ass in der Küche. Papas Augen blicken ganz kummervoll, als er mit mir darüber spricht. Es ist wirklich das Letzte, was ich möchte, dass er sich Sorgen um mich und meine Zukunft, um mein Leben macht. Aber eine Frau? Wie sagt man so schön: Jeder Morgen ist ein neuer Anfang. Und es gibt noch so viel zu erleben. Vielleicht ändere ich meine Meinung ja eines Tages, vielleicht gehört irgendwann eine Familie in dieses Bild von meiner Zukunft. Vielleicht ist Sephi dann die richtige Frau. Sie ist sehr hübsch, keine Frage, wir teilen die Liebe zum Kochen, was mir extrem wichtig ist. Aber hey, ich bin noch keine 30 Jahre alt, kein Grund also, die Dinge zu überstürzen. Und wer weiß, vielleicht ist sie dann längst wieder weg. Wer sagt denn überhaupt, dass sie mich will? Dass sie länger als ein Jahr bei uns bleiben möchte?

Ich ziehe die schwere Holztür zur Bar auf, extremer Lärm schlägt uns entgegen und eine üble Luft. Sephi verzieht das Gesicht. Ich ahne, dass sie sich Schöneres für ihren Feierabend vorstellen kann, als in diesen Mief reinzugehen. Aber sie beißt die Zähne zusammen und tritt mit einem energischen Schritt über die Schwelle. Gutes Mädchen, denke ich. Sie muss wirklich lockerer werden, Ausgehen gehört zum Leben dazu! Und Ilias hat ausnahmsweise einmal recht, hier geht heute der Punk ab, sprichwörtlich zumindest, nicht im musikalischen Sinne. Und Sephi muss wirklich mal raus aus der Taverne, raus aus ihrem Zimmer. Das ist bestimmt dieser deutsche Fleiß, von dem immer alle reden und von dem sich so manche Spülhilfe eine Portion abschneiden könnte. Aber die griechische Liebe zur Musik und zum gemeinsamen Feiern, die fehlt ihr noch. Die Mischung wäre genial, denke ich und muss grinsen. Aber ich mache mir keine besonders großen Sorgen, nicht um sie, nicht um mich. Ich werde sie schon auf den richtigen Weg bringen. Sie ist schließlich hier bei uns, um mal was Neues zu erleben!

Während Costas bereits irgendwo in der tanzenden Menge verschwunden ist, entdecke ich Sephi, die etwas verloren in der Gegend herumsteht. Ich nehme sie bei der Hand und führe sie in Richtung Bar, die wie immer auf Hochglanz poliert ist. Ich hebe zwei Finger und Alex, der Barkeeper, mit dem ich schon seit Schultagen dicke bin, nickt kurz und knapp. Er schiebt mir zwei eiskalte Bierflaschen über den Tresen. Das Kondenswasser läuft in glänzenden Perlen an ihnen hinunter und macht sofort Lust auf mehr, viel mehr. Ich drücke Sephi eine der kalten Flaschen in die Hand. „Jamas!", rufe ich und sie prostet mir zu.

„So ganz ohne Griechischkenntnisse bist du also doch nicht!", brülle ich über die laute Musik hinweg.

„Du Witzbold!“, ruft sie zurück, boxt mich in die Seite und setzt die Flasche an ihre weichen Lippen an.

„Nicht schlecht“, ich nicke begeistert, denn als sie sie wieder absetzt, ist sie kaum noch zur Hälfte voll.

„Die Hitze in der Küche macht echt so durstig“, sie schaut auf die Flasche und lacht verlegen. Dann nimmt sie meine Hand und will mich auf die Tanzfläche ziehen, ich winke ab. Ich kann zappeln, aber ich kann nicht tanzen. Sie zieht die Schultern hoch, lässt mich stehen und verschwindet in der wogenden Menge. Ich drehe mich zum Tresen um. Alex wirft mir einen anerkennenden Blick zu, hebt seinen Daumen. Dann ändert sich sein Blick, jetzt fragt er nach einem weiteren Mythos. Ich nicke, na klar! Wir verstehen uns ganz ohne Worte, schon damals, als Schönschrift und Mathematik noch unser tägliches Brot waren. Oder unser tägliches Brot hätten sein sollen. In den Augen von Frau Tatarou, unserer Lehrerin, hätten wir bestimmt gerne etwas seltener im Klassenzimmer fehlen dürfen. Das waren noch Zeiten! Und heute? Heute gehört ihm diese Bar. Und seine kleine Schwester Eva ist die Lehrerin an unserer Inselschule.

Irgendwo im Halbdunkeln entdecke ich Ilias, der in einer Ecke herumsteht. Er ist allen Ernstes nach Hause und dann noch einmal zurück in die Stadt gefahren, um zu feiern. Nicht schlecht. Mal sehen, ob er morgen Abend zu seiner Schicht genauso motiviert erscheinen wird. Ist eh das letzte Mal bis Weihnachten. Demnächst geht sein Job am Strand wieder los. Und bei uns sitzen hauptsächlich entspannte Touristen auf der Terrasse. Die machen viel Arbeit, sind aber ein stetiger Strom, den wir gut bewältigen können. Mit Sephi bei uns sowieso! Ich merke, wie ich nach ihr Ausschau halte. Ich kann sie nicht gleich entdecken und fühle dieses Kribbeln im Bauch, das ich immer habe, wenn etwas schiefläuft. Doch da ist sie. Sie tanzt mit Vanessa und schaut dabei aus ihren großen Augen in Ilias' Richtung. Hat sie ihn also auch entdeckt. Und er macht gerade das, was er immer tut. Er knutscht wild mit einer mir völlig fremden Frau.

Der macht sich deutlich weniger Sorgen als ich darum, ob ihm eine seiner Bekanntschaften am Hals hängen bleibt, denke ich. Da taucht plötzlich ein Bild vor meinem geistigen Auge auf. Ich sehe Sephi und mich am Herd stehen und arbeiten, wir kochen. Zwischen unseren Beinen bewegt sich etwas. Eine Kinderhand greift nach oben, greift nach ihrer Hand und meinem Hosenbein…

„Hey Apoll, trink dein Bier aus, dann kann ich dir endlich ein neues verkaufen", Alex reist mich mit seinen Worten aus diesem eigenartigen Tagtraum. Ich bin froh darum, denn mein Herz springt mir vor Panik fast aus der Brust.

MAI

„Glücklich sind die Menschen,
wenn sie haben, was gut für sie ist."

Platon (428 – 348 v. Chr.)

Sephi

I

Es ist noch wirklich sehr früh am Tag, doch der Himmel hat bereits diesen unbeschreiblich blauen Farbton. Die Morgensonnenstrahlen fallen wärmend auf mein Gesicht, als ich unter dem Dunkel der Tavernenmarkise hervor ins Licht trete. Ich atme tief ein, einmal, zweimal. Die salzige Luft vom Meer strömt in meine Lungen, vertreibt augenblicklich die Müdigkeit der letzten, kurzen Nacht. Ich schlüpfe in mein Jäckchen, denn es ist noch frisch um diese Uhrzeit. Dann schlage ich den Weg nach rechts ein, laufe immer am Wasser entlang, winke dabei den hereinkommenden Fischern zu. Vor dem großen, quadratischen Kirchengebäude mit der Kuppel auf dem Dach biege ich rechts ab. Ich umrunde die Kirche und nehme die mittlere der engen Gassen dahinter. Sie führt mich zwischen Häusermauern entlang und endet an einer steilen Treppe. Grüne Büsche mit zauberhaften weißen Blüten schützen mich wie ein Dach. Links und rechts davon erheben sich weitere Häuser, in deren Gärten riesige Kaktusfeigen mit ihren stacheligen, fleischigen Blättern wachsen.

Ich betrachte die hübsch verzierten Eingangstüren näher und die aufwendig zu Mosaiken verlegten, grauen Steine am Boden. Die steile Treppe führt wie im Zickzack immer weiter hinauf. Wer sich nicht auskennt, verirrt sich schnell in den Hof eines Privathauses. Noch reichen die Strahlen der Morgensonne nicht bis zwischen die Mauern hier oben. Ein kühler Wind streift mich leicht. Er erfrischt mich und macht mir den Aufstieg um einiges angenehmer. Am Ende der Treppe angelangt, muss ich noch eine letzte Stufe nehmen. Jetzt stehe ich auf einer schmalen Straße, die sich hier zwischen den Häusern schlängelt. In die eine Richtung führt sie noch weiter nach oben den Berg hinauf, in die andere nach unten, bis sie irgendwann das Meer erreicht. Ich öffne vorsichtig ein schmiedeeisernes, quietschendes Tor und trete auf eine geräumige Terrasse.

Ich bin früh dran und nutze diesen Moment der Ruhe und Einkehr. Ich setzte mich auf die grobe Steinmauer, die die Terrasse zur Hälfte umfasst. Ich lasse die Beine über dem Abgrund schweben und genieße den grandiosen Ausblick. Unter mir breitet sich ein Meer von kleinen, roten Dächern aus, sie stehen dicht an dicht gedrängt. Ich sehe die große Kirche und die Rückseite der Bar. Apolls Taverne ist zu weit entfernt oder vielleicht auch von Bäumen verdeckt, ich kann es nicht ganz genau sagen. Zwischen den Dächern unter mir wachsen vereinzelte uralte Olivenbäume, an denen schon hellgrüne, noch ganz kleine Früchte hängen, die man aus der Entfernung nur erahnen kann. Große grüne Sträucher säumen die Wege, manche von ihnen blühen in Weiß und Pink und Lila. Gleich dahinter liegt der schmale Meeresstreifen, den ich auch von meinem Fenster aus sehen kann, das griechische Festland dahinter. Taxiboote queren den Weg von einlaufenden Yachten. Weit hinten erkenne ich die Fähre, die aus Athen kommt.

Eine rotbraune Katze schleicht sich von der Seite an, sie hat nur noch ein Auge. „Dich kenne ich doch“, flüstere ich, während sie es sich auf meinem Schoß gemütlich macht. Ich kraule ihr weiches Fell. Du hast es gut, denke ich, du kommst einfach, legst dich hin und forderst die Zärtlichkeiten ein, die du haben möchtest. Und dann verschwindest du wieder. Ich lächle, so mutig wäre ich wahrscheinlich nicht einmal als Katze. Mut, denke ich. Eine meiner wichtigsten Herausforderungen für dieses Jahr, ich will endlich mutiger werden. Aber ich will nicht traurig sein oder mich gar beschweren. Ich sitze mitten im Paradies. Die Luft ist frisch und salzig, die frühen Sonnenstrahlen kitzeln mich. Es gibt keinen Grund zur Eile, keine missmutigen Gesichter oder jemanden, der mir seinen heißen Kaffee über die neue Hose schüttet… Ich streiche noch einmal über das rotbraune Fell der Katze: „Ach, ich habe es doch auch ganz gut, stimmt's, du einäugiges, niedliches Katzentier? Was dir und deinen Augen wohl geschehen ist?“

Hinter mir öffnet sich quietschend eine Tür. Ich drehe mich über meine linke Schulter und sehe zu dem kleinen, weiß getünchten Haus mit den blauen Fensterrahmen und der blauen Tür und lächle, es ist Eva. Sie setzt sich neben die Katze und mich, streichelt ebenfalls ein wenig über den Kopf des Tieres. „Liebe Sephi, wie geht es dir?“, fragt sie mich auf Griechisch. Ich antworte und richte die Frage höflich auch an sie zurück. Meine Unterrichtsstunde hat soeben begonnen. Da kennt die Lehrerin Eva kein Pardon!

II

Zwei Stunden intensiven Lernens sind wie im Flug vergangen und jetzt schwirrt mir der Kopf. In dem kleinen Spiegel in Evas dunklem Flur kann ich sehen, wie mir einzelne Haarsträhnen kreuz und quer vom Kopf abstehen. „Das ist ja zum Haareraufen", rufe ich ihr zu und zupfe mit denselben Fingern, die ihn zuvor durcheinandergebracht haben, meinen kurzen Bob wieder in Form. „So!"

Die einzelnen griechischen Wörter kommen mir mit jedem Tag vertrauter vor, höre ich sie doch rund um die Uhr: bei der Arbeit in der Küche, wenn sich die Menschen vor meinem Fenster unten auf der Straße unterhalten, wenn ich auf dem kleinen Markt einkaufe. Oder wenn ich in der Bar bin oder Costas sich die Nachrichten in unserer Wohnung anschaut. Aber diese Grammatik und diese Geschwindigkeit, mit der die Leute miteinander sprechen, verwirrt mich noch immer. Besonders schwierig zu verstehen sind vor allem die Sprecher der Nachrichten. Wie aus einem Wasserfall sprudeln die Worte aus ihren Mündern. Ich seufze tief.

Ich lasse meinen Kopf kreisen und meine Schultern tief fallen. Die Anspannung weicht augenblicklich, mein Körper lockert sich. Nach jeder Stunde bei Eva fühle ich noch etwas anderes, es tut meinem Kopf gut, mich auf ihren Unterricht, auf die ungewohnte Sprache zu konzentrieren. Ich merke richtig, wie sich mein Horizont erweitert, wie ich durch Bilder und Sprichwörter, die meine Lehrerin gerne nutzt, auch mehr über Land und Leuten lerne. Wie ich immer tiefer in die griechische Seele eintauche. In etwas, das mir seit der ersten Sekunde ein so wohliges Gefühl gegeben hat, dass ich es nicht in Worte verpacken kann. Alles hier fühlt sich nach Heimat an, obwohl ich zuvor noch nie da war. Ich spüre, wie sich meine Wurzeln ein neues Zuhause suchen, sich jeden Tag fester und fester im Boden verankern. Kann das wirklich sein?

Bis zu unserer nächsten Stunde in ein paar Tagen hat Eva mir eine Hausaufgabe aufgegeben. Das ist der Moment zum Abschluss unserer Übungsstunden, an dem ich mich immer wie eine ihrer Grundschülerinnen fühle. Diesmal soll ich ein kurzes Gespräch mit jemandem führen, den ich noch nicht kenne. Über das Wetter, übers Kochen… Auf Griechisch natürlich. Ich darf währenddessen nicht ins Englische oder Deutsche wechseln. Und ich muss ihr später ausführlich von dieser Begegnung berichten. Wer ist die fremde Person, wie sieht sie aus, hat sie einen Beruf, eine Berufung? Und was genau hat sie mir über ihr Leben erzählt?

Eine fremde Person anzusprechen, das ist an sich eine riesige Herausforderung für mich. Eine fremde Person in einer mir noch immer fremden Sprache anzusprechen, das wird eine Herkulesaufgabe. Na das kann ja heiter werden, denke ich, während ich die steilen Stufen hinunterlaufe, fast hinunterspringe. Die jetzt höherstehende Sonne heizt mir tüchtig ein, die rotbraune Einäugige ist auch da und läuft auf leisen Sohlen hinter mir her. Schade, dass sie mir nicht antworten kann, sonst hätte ich schon eine Gesprächspartnerin gefunden!

III

Während ich weiter darüber nachgrübele, wie ich einfach so jemanden auf der Straße ansprechen soll, überbrühe ich Tomaten vorsichtig mit kochendem Wasser. Ich ziehe ihnen die fast schon dunkelrote Haut ab, schneide den grünen Strunk aus den Früchten, die so wunderbar, säuerlich-erdig duften, und teile sie in gleich große Viertel. Die wabbelnden Kerne kratze ich mit einem kleinen Löffel heraus. Die Arbeit geht mir ganz automatisch von der Hand. Das habe ich auch zu Hause in meiner winzigen Küche schon hundertfach gemacht. Es ist die perfekte Aufgabe, um nebenbei ein wenig zu grübeln, über eine fremde Person.

Wer soll das nur sein? Nach und nach landen immer mehr Tomatenviertel in der großen Schüssel vor mir auf dem Küchentisch. Es duftet verführerisch, solche Tomaten bekommt man in Deutschland eigentlich nur, wenn man sie im eignen Garten anpflanzt. Und diese Früchte hier sind sicherlich der erste Baustein, des großen Geheimnisses rund um die Familien-Tomatensoße. Heute soll ich tatsächlich darin eingeweiht werden. Denn so gut ich im Herausschmecken einzelner Zutaten bin, das Aroma und der Geschmack von Christos Tomatensoßen-Rezept ist derartig komplex, dass es mir einfach nicht gelingen will, jede Zutat zu erkennen. Zumeist köchelt sie schon längst sämig in einem großen Topf, wenn ich vormittags hinunter komme. Dann verbreitet sie diesen herrlichen Duft in der Küche, den Flur hinauf zur Wohnung. Sie ist wie der Lockruf der Sirenen, denke ich, nur eben über die Nase, nicht über die Ohren. Es ist ein

Duft, den ich für immer mit diesem Ort und meinen Monaten hier in Verbindung bringen werde, da bin ich mir sicher. Auch wenn ich erst heute wieder gespürt hatte, dass ich hier Wurzeln schlagen könnte, es vielleicht sogar schon tue, weiß ich doch, dass meine freie Zeit begrenzt ist, dass mein Abenteuer irgendwann im nächsten Frühling enden wird. Doch jetzt bin ich hier. Und jetzt geht es ans Eingemachte.

„Wenn du das Rezept irgendjemandem verrätst, sind wir geschiedene Leute, für immer!", hat Apoll gestern gesagt und dabei schallend gelacht. „Dann muss ich dich töten, was mir echt leidtäte..." Während Apoll wie so oft einen Witz gemacht hat, habe ich zu Christos geschaut. Sein ernster Blick sprach Bände. Die Familienrezepte sind nichts, worüber man Scherze macht. Oder die man irgendwem weitererzählt. Sie sind ihm wichtig. Sie müssen gut behütet werden. Und ich verstehe ihn. Niemals würde ich sein Vertrauen missbrauchen.

IV

„Los geht's." Apoll tritt durch die Tür und klatscht zweimal in die Hände. Er kommt zu mir an den Tisch, legt einen Arm um meine Hüfte, gibt mir einen leichten Kuss auf die Wange. Ich fühle einmal mehr diese Wärme, die in mir aufsteigt. Apoll begutachtet die Tomatenstücke, schiebt mir einen Korb voller roter Zwiebeln zu, „das sind die besten!" Er selbst hackt Knoblauch, frischen Oregano und ein paar weitere Dinge, die ich niemandem verraten darf! Seine Bewegungen sind präzise und geschmeidig. Stundenlang könnte ich ihm zusehen. Sie sind wie Ballett, kraftvoll und anmutig. Irgendwie beruhigend, fast hypnotisierend. Ich reiße meinen Blick los von seinen schlanken Händen und dem Messer, das er absolut sicher darin hält. Wir bereiten eingelegte, getrocknete Tomaten vor, Tomatenmark natürlich, das würde ich zu Hause ebenso benutzen. Wir füllen Ouzo in ein großes Glas und verarbeiten grüne und rote Chilis.

Als ich mir gerade eine kitzelnde Schweißperle von der Stirn wischen möchte, fasst Apoll mit einem Ruck nach meinem Arm.

„Nicht ins Gesicht! Die Chilis sind so scharf, du tust dir weh, wenn du damit ins Auge kommst." Ich zucke zusammen, seine Hand umschließt fest meinen Unterarm. Wir stehen ganz nah beieinander, schauen uns tief in die Augen. Das erste Mal sehe ich, dass sie nicht einfach braun sind. Winzige schwarze Sprenkel scheinen, in ihnen zu tanzen. Ruckartig lässt er mich wieder los, dreht sich direkt zu seinem Arbeitsplatz um. Er schaut mich nicht mehr an und räuspert sich: „Wir haben alles vorbereitet, wir können jetzt mit dem Kochen anfangen." Ich fühle ein komisches Zittern im Magen und drumherum. Wir hatten schon öfter diese Momente der Nähe in der Küche, vor allem abends, wenn niemand sonst mehr bei uns ist. Ich fühle dann ein leises Knistern zwischen uns. Keine lodernde Flamme, eher etwas, das Luft zum Atmen braucht, dass sich entwickeln möchte, wie ich inständig hoffe. Doch Apoll fand in der Regel einen Weg, diese Momente zu unterbrechen. Die zarten Schwingungen aus der Luft zu vertreiben, so wie in diesem Augenblick.

Ich konzentriere mich wieder auf meine Arbeit, sammle ohne Not alle Schüsseln zusammen und komme zu ihm an den Herd. Er hat das Feuer entfacht und einen der großen Töpfe aufgestellt. Aus dem Handgelenk gibt er mit Schwung Olivenöl hinein. Das inzwischen vertraute Zischen ertönt. Eine Zutat nach der anderen verschwindet im Topf. Zwiebel und Knoblauch sollen keine Farbe nehmen, aber beim Dünsten verbreiten sie sofort ihr vertrautes Aroma. Ich bin mit all meinen Sinnen voll dabei und beobachte jeden von Apolls Handgriffen. Er röstet das Tomatenmark am Topfboden an. Meine Tomatenstücke folgen. Als Apoll den Ouzo hineingießt, zischt es erneut. Dann fängt es an, im Topf zu brodeln. Wir beugen uns gleichzeitig über ihn und stoßen krachend mit den Köpfen zusammen. „Autsch!" Er hat einen Dickschädel, denke ich. Die Dämpfe des kochenden Alkohols benebeln mich und lassen den Schmerz schnell verfliegen. Apoll schaut mich erschrocken an, legt seine Hand an meinen Kopf und streichelt mit dem Daumen über die Stelle, an der sich eine Beule bildet. „Signomi", flüstert er. Und sein Kopf kommt näher, während er meinen sanft ein Stück an sich heranzieht...

„Huhu, ist jemand da?" Wir zucken zusammen und fahren augenblicklich auseinander. Tante Maria kündigt sich – zum Glück schon von Weitem – mit einem lauten Rufen an. Eine Sekunde später steht sie in der Küchentür und schnuppert.

„Ohhhhh, Tomatensoße! Verrate nicht zu viel, mein Junge", lacht die rundliche Frau. „Habt ihr noch Wäsche? Ich gehe jetzt hinüber und schmeiße die große Maschine an!"

„Alles schon für dich zurechtgelegt, Tantchen", sagt Apoll und räuspert sich wieder.

„Ich habe auch alles in den Korb getan", antworte ich, während ich die glühende Hitze fühle, die mir in die Wangen schießt.

„Perfekt, meine Lieben, weitermachen!" Tante Maria ist so schnell wieder verschwunden, wie sie aufgetaucht war. Apoll rührt angestrengt in der fast fertigen Tomatensoße. Mir kommt es so vor, als bleibt er den Rest des Vormittags bewusst eine Armlänge auf Abstand. Mit knappen Worten erklärt er die Fertigstellung der leckeren Soße, die nun für eine ziemlich lange Zeit im Topf vor sich hin köchelt. „Nicht zu viel Temperatur", sagt er. „Zu viel Hitze würde den Geschmack zerstören. Dieser Topf ist für heute Abend. Fürs Mittagsgeschäft ist noch etwas von gestern übrig. Aufgewärmt schmeckt sie fast noch besser. Und ich zeige dir gleich eines unserer Gerichte, das wir damit zubereiten. Es heißt Garnelen-Saganaki. erinnerst du dich noch?"

„Natürlich erinnere ich mich!"

„Mit der richtigen Tomatenbasis ist es ganz easy. Pass auf, das geht so…"

TOMATENSOSSE à la CHRISTOS

Zutaten für ca. 700 ml

4 Tomaten | 1 rote Zwiebel | 2 Zehen vom jungen Knoblauch | 2 frische rote Chili | 5 Stücke von getrockneten Tomaten | 2 EL Olivenöl
2 EL Tomatenmark | 1 TL Zucker | 25 ml Ouzo
400 g Dosentomaten | 2 EL Oregano | 1 EL Thymian
1 EL Rosmarin | 500 ml Gemüsebrühe
Salz | Pfeffer | 1 TL mildes Harissa

So geht's

Tomaten putzen, einritzen, mit heißem Wasser überbrühen, Haut abziehen. Kerne entfernen & in grobe Stücke schneiden. Zwiebel, Knoblauch, Chili & getrocknete Tomaten grob hacken.

Olivenöl im Topf erhitzen, Zwiebeln, Knoblauch, Chili & getrocknete Tomaten farblos anbraten. Frische Tomaten dazu, kurz dünsten. Tomatenmark anrösten, Zucker dazu, karamellisieren. Mit Ouzo ablöschen und gründlich einkochen lassen.

Dosentomaten und Kräuter dazugeben, mit der Brühe aufgießen, mit Salz, Pfeffer & Harissa würzen. Ca. 30 Min. bei geschlossenem Deckel sanft köcheln lassen, dann noch einmal 10 Min. offen etwas einkochen. Zum Schluss sämig pürieren. Eventuell mit frischer Petersilie und Schnittlauch servieren.

GARNELEN-SAGANAKI (Tomate, Feta & Garnele)

Zutaten für 4 Portionen

Ca. 650 g frische, geputzte Garnelen
12 Riesengarnelen in der Schale | 1 große rote Zwiebel
2 EL frische Petersilie (nicht die Stiele wegwerfen)
2 Knoblauchzehen | 1 rote Chili | 2 EL Olivenöl
50 ml Ouzo | 700 ml von Christos' Tomatensoße
250 g Feta | Salz | Pfeffer | 3 EL frischer Oregano

So geht's

Garnelen waschen, kontrollieren, ob der Darm entfernt wurde. Bei den Riesengarnelen 2/3 der Schale lösen, den Rest am Schwanz lassen, Darm entfernen.

Zwiebel fein würfeln, die Stiele der Petersilie abschneiden, fein hacken, ebenso Knoblauch & Chili. Zwiebeln in der Pfanne bei geringer Hitze einige Minuten in Öl dünsten. Petersilienstiele, Knoblauch & Chili dazugeben.

Hitze in der Pfanne deutlich erhöhen, die Garnelen anbraten. Mit Ouzo ablöschen. Christos' Soße dazugebeben. Alles einkochen.

Feta zum Schmelzen in die Soße geben, mit Salz (vorsichtig) & Pfeffer abschmecken. Zum Schluss gehackte frische Kräuter dazu. Riesengarnelen separat braten und gemeinsam anrichten (Foto: Seite 178).

Apoll

I

Meine Freunde haben mich überredet. Wir treffen uns nach Feierabend noch auf ein Bier. So richtig viel Lust habe ich nicht, vielleicht zum ersten Mal in meinem Leben. Aber ich raffe mich auf und ziehe los. Es ist angenehm ruhig in der Bar. Doch die Nacht ist mild, also setzen wir uns alle zusammen ans Meer. Die Musik schallt durch die nach draußen gerichteten Boxen bis auf die Straße, bis zu uns ans Wasser. Die Stimmung ist locker und entspannt. Ich schaue aufs Meer, am Ufer gegenüber sind ein paar schwache Lichter zu erkennen, ansonsten ist es dunkel. Eisgekühlter Ouzo und ein Schälchen mit Kartoffelchips stehen auf dem kleinen Tisch zwischen mir und den Jungs. Eine Kerze flackert. Ihr Schein wirft Schatten in ihre Gesichter. Ich kann nur schwer ausmachen, was ihre Augen sagen, während sie Witze reißen und sich gegenseitig von ihrem Tag erzählen. Ich bin still heute, aber es entspannt mich, zu wissen, dass auch in meinem Gesicht die Schatten tanzen. Dass meine Freunde mir meine Sorgen nicht direkt ansehen können.

Gleichzeitig bin ich froh, hier zu sein. Die Alternative wäre mein einsames Zimmer. Denn normalerweise trinke ich mit Sephi und Costas das Feierabendbier auf der Terrasse der Taverne, in unserem Wohnzimmer oder oben auf dem Dachgarten. Wir sitzen zusammen und besprechen, wie der Tag war und was uns morgen wohl erwarten wird. Seit

Sephi da ist, zieht sich Papa oft schon früher am Abend zurück und verbringt die freigewordene Zeit mit Mama in ihrem Haus oder auf der begrünten Terrasse über unserer Wohnung. Sie genießen die geschenkten Stunden. Und ich freue mich mit ihnen. Doch heute möchte ich den Abend lieber nicht mit Sephi ausklingen lassen. Der Moment in der Küche, als wir uns beinahe geküsst hätten, als ich sie fast geküsst hätte, hängt mir noch nach. Um Haaresbreite hätten mich meine Gefühle überrannt, der Gedanke lässt mich nicht mehr los. Die Situation war so, sie war so… Ich finde keine Worte dafür. Was ist nur los mit mir? Will ich doch eine Frau an meiner Seite? Nein! Will ich eine Frau an meiner Seite, die in ein paar Monaten wieder verschwinden wird? Auch das nicht! Und dann ist da noch dieser Moment in der Bar, vor ein paar Tagen. Wie Sephi Ilias angeschaut hat, als der mit einer seiner Flammen knutschend über die Tanzfläche schwebte. Wenn sie auf so einen scharf ist, dann viel Glück! Gleichzeitig klingen mir Papas Worte in den Ohren, ich solle es mir doch einmal überlegen, Sephi wäre wirklich ein tolles Mädchen. Und selbst Mama, der bisher nie eine Freundin recht war, lässt immer wieder Spitzen in meine Richtung fallen, dass es an der Zeit wäre, eine eigene Familie zu gründen. Dass Tante Maria auch eine Meinung hat, brauche ich nicht extra zu erwähnen.

„Was hast du gesagt?“, Alex beugt sich zu mir und hält mir eine Bierflasche zum Anstoßen hin.

„Nichts! Hast du keine Arbeit?“, frage ich ihn unwirsch. Ich mag wirklich mit niemandem darüber reden, dass ich beinahe einen dummen Fehler begangen habe. Und auch nicht darüber, dass mich das Gerede der Familie ganz wirr im Kopf macht. Und auch nicht darüber, dass Sephis bloße Anwesenheit einen riesigen Beschützerinstinkt in mir weckt, den ich so bisher noch nicht kannte.

„Nee, ist doch nichts los. Das schafft die Aushilfe auch ohne mich. Doch was'n mit dir?"

„Du, tut mir leid. Ich mag nicht drüber reden. Lass uns lieber einen Termin finden, an dem ich hier mal wieder Musik auflegen kann. Es wird Zeit! Es juckt mich schon in den Fingern."

Wir holen unsere Handys heraus, checken die Termine. Hin und wieder kann ich Alex dazu bringen, vom üblichen Musik-Einerlei abzuweichen und mich zu engagieren. Dann lege ich für ein paar Stunden Ska-Punk auf und lasse die Leute in der Bar nach meiner Musik zappeln. Diese Nächte sind immer super angekommen und für mich sind sie eine prima Abwechslung zum Alltag.

„Schau mal hier", Alex lacht und zeigt mir ein Foto auf seinem Handy. „Eva hat mir heute Morgen dieses Foto geschickt, sie bringt jetzt eurem süßen Lehrling aus Deutschland unsere Sprache bei. Ganz schön fleißig die beiden so am frühen Morgen!"

„Ja, weiß ich...", antwortete ich ausweichend. Hat man denn nirgendwo seine Ruhe. Kann es sein, dass Sephi inzwischen alle auf der Insel kennt und verzaubert hat? Oder warum spricht mich jeder auf sie an? „Ich habe die Nase voll für heute. Schreib mein Bier auf den Deckel, ich zahle beim nächsten Mal!" Ich schnappe mir meine Jacke und gehe ohne ein weiteres Wort davon.

II

Kurz darauf liege ich in meinem Bett und bekomme ein schlechtes Gewissen. Meine Freunde haben nicht verdient, dass ich sie einfach sitzen lasse. Sie wundern sich schon, was mit mir los ist. Ach, das ist mir egal, rede ich mir selbst ein und versuche, einzuschlafen. Es ist still in der Wohnung. Weder von Costas noch von Sephi ist etwas zu hören. Gleichzeitig fühlt es sich mit meinen Nachbarn ganz anders an, als wenn ich im Winter hier alleine wohne. Dann ist die Stille absolut. Ein Zustand, den ich nur sehr schwer ertragen kann. Allein und in völliger Ruhe fühle ich mich unwohl. Dann drehe ich die Musik laut auf, singe aus vollem Halse mit und zapple vor dem weit geöffneten Fenster. Auch heute steht das Fenster offen, aber der Wind trägt die Musik aus den Lautsprechern der Bar bis zu mir hinein. Der gleichmäßige Rhythmus hilft mir normalerweise dabei, zur Ruhe zu kommen. Ich strecke mich auf dem Bett aus, doch ich liege wach. Ich sehe Sephis Augen vor mir. Fast so groß wie ihr gesamtes Gesicht und voller Wärme und Leidenschaft. Ich habe keine Ablehnung, Angst oder Wut in ihnen entdecken können, als ich mich zu ihr beugte. Hätte sie es auch gewollt? Hätte sie mich küssen wollen? „Was ist das denn für eine Frage?!?“, sage ich laut. Ich stehe wieder auf, schalte das Licht ein und setze mich an meinen Computer. Wenn ich sowieso nicht einschlafen kann, kann ich auch die Speisekarte für den Sommer überarbeiten. Und auschecken, welche Songs ich bei Alex auflegen will. Soll sie doch einem anderen Kerl im Kopf herumspuken!

III

Inzwischen ist es draußen ruhig geworden. Die Musik ist längst aus. Alex hat die Bar abgeschlossen, alle sind wahrscheinlich daheim und im Bett. Die Speisekarte für den Sommer steht, Papa muss sie natürlich noch absegnen. Die Trackliste für den Gig habe ich auch zusammengestellt. Trotzdem wütet in mir noch immer diese Unruhe. Dieser Streit zwischen Kopf und Bauch - und diesmal kann sich der Bauch wirklich kaum behaupten. Vielleicht wäre es klug, sich über eine eigene Familie Gedanken zu machen? Und schon stecke ich wieder mitten drin in der Schleife aus Pro und Kontra. Aus Nein und Ja. Aus Papas Worten und meinen eigenen Gefühlen. Es ist zum Haareraufen, wenn ich nur welche hätte…

Ich stöpsele die Kopfhörer in meine E-Gitarre, setzte mich aufs Bett und lege los. Die Klänge fahren direkt in meinen Kopf. Meine Hände arbeiten wie in der Küche, ohne dass ich sie groß dirigieren müsste. Die Noten des Liedes erscheinen vor meinem inneren Auge, die Melodien sind wie Worte, wie Sätze. Ich kann Musik hören und gleichzeitig sehen. Ich tauche tief in mein Spiel ein und vergesse endlich Raum und Zeit.

Ilias

I

Ich wälze mich unruhig in meinem Bett von einer Seite auf die andere. Gestern hatten die Jungs die über den Winter leicht verwitterte Strandhütte abgeschliffen. Heute hatte ich sie neu angestrichen. Weiß und blau, so wie die Touristen es erwarten. Ich war fast den ganzen Tag allein am Strand. Zu uns kam man nur, wenn man baden und ausspannen wollte. Eine kleinere Yacht hatte gegen Mittag in der Bucht geankert, aber die Besatzung hat sich nicht ins kalte Wasser getraut. Die Sonne heizte uns zwar schon ordentlich ein, aber baden? Baden gehen würde ich um diese Zeit im Jahr auch noch nicht. Inzwischen ist es tiefe Nacht geworden und ich liege hier und grüble. Ich habe Sephi schon seit ein paar Tagen nirgendwo mehr gesehen. Das letzte Mal in Alex' Bar. Und das ist ziemlich blöd für mich gelaufen. Die süße Blonde mit der samtweichen Haut war auch dort, es war ihr letzter Abend, bevor sie wieder aufs Festland abgehauen ist. Sie hat mich neben der Tanzfläche entdeckt und sich an mich drangehängt wie eine Klette. Wir haben geknutscht. Und als ich mich gerade von ihr lösen wollte und meinen Blick durch den Raum streifen ließ, sah ich sie. Sephi. Sie tanzte mit Vanessa und schaute mich aus ihren großen Augen an, quer über die Tanzfläche nahm sie mich regelrecht ins Visier. Dann nickte sie mir kurz zu und konzentrierte sich wieder auf Vanessa, die ihr irgendetwas ins Ohr flüsterte.

Verdammt! Ich bin mir inzwischen sicher, dass da nichts zwischen ihr und Apoll läuft, der hat doch nur seine blöde Musik und das Kochen im Kopf. Wenn es um Frauen geht, steckt dem doch ein riesiger Stock im Arsch! Zumindest für diesen Abend war die Chance gründlich vertan, Sephi noch ein wenig mehr Aufmerksamkeit zu schenken, sie ein bisschen zu umgarnen und zu schauen, wie sie darauf reagieren würde. In der Küche war sie den ganzen Abend über ziemlich kühl zu mir gewesen. Aber das stört mich nicht weiter. Vielmehr spornt es mich erst recht an. Und warum soll ich Apoll, dem Langweiler, das Feld bei ihr überlassen? Wenn Sephi nur halb so viel Leidenschaft im Bett zeigt wie beim Schnippeln des Gemüses... Oh, yeah! Bei dem Gedanken wird mir ganz warm und es kribbelt in meinen Lenden. Verdammt! Da war mir die Schnalle vom Festland aber ordentlich in die Parade gefahren. Nicht, dass wir nicht trotzdem eine heiße Nacht miteinander verbracht hatten. Heiß, aber leise natürlich, in der Ferienwohnung ihrer Familie. Gedacht habe ich allerdings die ganze Zeit nur an eine...

II

Ich gähne ausgiebig. Der dritte Kaffee heute Morgen kann leider immer noch nicht viel gegen die durchwachte Nacht ausrichten. Ich nehme einen weiteren Schluck und beobachte den Getränkelieferanten, der sich mit seinem großen Wagen den schmalen, gewundenen Weg den Berg hoch quält. Der Motor heult jammernd auf, er muss richtig angetrieben werden, um den steilen Pfad zu schaffen. Der Strand liegt hinter Bergen, hier kommt nur her, wer weiß, dass es uns gibt. Die Tagestouristen, die die Fähre ausspuckt und die sie wenige Stunden später wieder einsammelt, werden ihn nie entdecken können. Die meisten Badegäste kommen mit Booten, aber auch mit dem Auto, dem Roller, manche sogar mit dem Fahrrad.

Mein Blick schweift einmal quer durch das Gelände. Mit den Bergen im Rücken eröffnet sich vor mir die Bucht. Der schmale Streifen Strand wird an beiden Enden von schroffen Felsen eingefasst. Runde geschliffene und spitz aufragende Steine wechseln sich ab und türmen sich zu Hügeln auf, auf denen immergrüne Büsche wachsen. Strand und Felsen bilden einen fast komplett geschlossenen Kreis um die Bucht, lassen nur einen kleinen Spalt frei, hinter dem sich der Golf erstreckt. In ihm ist das Wasser im Frühling und Sommer ruhig und von einer geheimnisvollen blau-grünen Farbe. In den Wintermonaten drückt der Wind mehr und mehr Meereswasser in die Bucht hinein, das dann wild schäumend vom eh schon schmalen Strand Besitz ergreift. Zu dieser Zeit reicht das Wasser häufig bis an die kleine Hütte heran, die jetzt leuchtend frisch gestrichen und friedlich im Trockenen steht. Dort auf eine neue Saison wartet. Im Moment ist es noch ruhig auf der Insel, nur ein paar vereinzelte Urlauber haben sich zu uns verirrt. Aber es werden schon mehr werden in den nächsten Tagen, denke ich voller Hoffnung. Die Sommer-Höhepunkte am Strand sind unsere monatlichen Partys unter dem Vollmond, der in den kurzen Hochsommernächten wie eine Fackel am wolkenlosen Himmel leuchtet. Dann kommen sogar Apoll und seine Freunde vorbei. Tagsüber erscheint in der Saison kaum ein Inselbewohner hier. Für uns gibt es im Sommer immer etwas zu tun, wir haben keine Zeit zu vertrödeln, Geld muss verdient werden, um den trüben Winter zu überstehen. Im Meer baden und auf einer Sonnenliege ausspannen, das ist etwas für die Touristen.

Ich bin gerne hier. Morgens, wenn es noch ruhig ist und die Vorbereitungen für den Tag abgeschlossen sind, streife ich mit der Kamera umher. Dann fange ich mit ihr die Vögel ein oder die Eidechsen, die sich auf den grauen Steinen sonnen. Ich liebe die Nahaufnahmen der Felsen, jedes Detail, jede Färbung des Steins ist ganz genau zu erkennen. Über den Tag kümmere ich mich dann um unsere Gäste. Meist sitze ich an meinem Platz an der Hütte und beobachte sie. Liebespaare, Familien; Junge und Alte. Ich bringe ihnen Wasser und Kaffee, ab mittags auch Bier. Sie schwimmen im ruhigen Meer, lesen ihre mitgebrachten Bücher oder Zeitungen. Die Zeit scheint langsamer zu vergehen. Es gibt nur selten Ärger oder Missmut, alle sind entspannt und genießen das Leben. Später am Abend, wenn sich die Urlauber auf den Weg in ihre Hotels oder Ferienappartements gemacht haben, trinken mein Kollege Jannis, der in der kleinen Hütte den Tag über Speisen zubereitet hat, und ich ein eiskaltes Feierabendbier. Dann sitzen wir schweigend nebeneinander und schauen hinaus aufs Wasser. Anschließend schicke ich ihn nach Hause zu seiner Frau und den Kindern. Denn die letzten Minuten eines jeden Tages soll der Strand wieder ganz allein mir gehören.

III

Und schon ist es wieder so weit, es ist Abend geworden. Die Vorräte für die nächsten Tage sind verstaut. Über Mittag haben Jannis und ich die Reste von dem eingesammelt, was das Wintermeer an Land gespült hat. Jetzt ist wieder alles sauber und bereit für eine neue Saison. Die Sonnenliegen stehen, auch Tische und Stühle warten auf Gäste. Gerade will ich die Hütte abschließen und Feierabend machen, als ich einen lauten Knall im Berg höre. Dann herrscht urplötzlich Stille. Ich schaue die Straße hinauf und tatsächlich, da kommt jemand den Berg hinuntergerollt. Und scheint dabei reichlich verzweifelt. Ich gehe dem Fahrer entgegen und sehe, dass es Sephi ist. Sie sitzt verkrampft auf dem Gefährt, das immer schneller rollt. Erst auf unserem Parkplatz kommt sie mit Mühe zum Stehen und springt ab.

„So ein Mist!“, schimpft sie, wenn ich ihre Worte richtig übersetze. Dann erst bemerkt sie mich.

„Zum Glück, hier ist jemand“, ruft sie erleichtert aus.

„Was ist los, es hat einen lauten Knall gegeben? Ist der Motor hin?“

„Ich weiß es nicht. Er hat schon die ganze Zeit so komische Geräusche gemacht, aber das machen ja alle Roller hier…“

„Lass mal probieren, die Mühle wieder zu starten!“ Ich schwinge mich auf ihren Roller, trete, trete noch einmal – und nichts. Nicht einmal ein müdes Röcheln entfährt dem alten Ding, als ich es starten will. „Der ist hin", sage ich und zucke entschuldigend mit den Schultern.

„Und nun? Wie komme ich wieder weg?"

„Jetzt bekommst du auf den Schreck erst einmal ein Bier von mir und dann bringe ich dich nach Hause. Die Mühle lassen wir hier stehen, da kümmern wir uns später drum!"

„Okay." Sie schaut noch immer ängstlich und sorgenvoll, aber auch ein wenig beruhigter drein.

„Komm mit!", sage ich, zeige auf die Hütte und gehe voraus. Ich höre ihre Schritte auf dem Schotter, als sie mir folgt. Dann verschwinde ich in dem dunklen Häuschen, der Kühlschrank brummt fröhlich, als erwartet er uns. Und das Bier ist zum Glück bereits eisgekühlt. Mit zwei Flaschen trete ich zurück ins schummriger werdende Licht. Und da sehe ich sie. Mit ihren Schuhen in der Hand läuft sie im Wasser auf und ab, den Blick in die Ferne gerichtet, die untergehende Sonne taucht sie in dieses rote Licht. „Ist das schön hier!", ruft sie laut, als sie mich an der Hütte entdeckt. Ich stelle die Flaschen ab und krame in meinem Rucksack nach der Kamera. Ich kann nicht anders. Ich fotografiere sie, den Strand, die glutrote Sonne und ihre Silhouette vor der Szenerie. Wie sie die Arme ausbreitet, wie sie sich dreht. Dann öffne ich die beiden Flaschen und gehe zu ihr, eine davon drücke ich ihr in die Hand.

„Auf den Schreck!"

„Auf den Schreck!", antwortet sie.

„Was machst du überhaupt hier, bist du gar nicht in der Küche?"

„Ich habe heute meinen freien Tag. Und ich habe noch viel zu wenig von der Insel gesehen..."

„Was machst du sonst, wenn du frei hast? Er gibt dir doch öfter mal frei, oder?"

„Ja, das tut er! Meist bin ich in der Stadt oder lerne Vokabeln...", sie rollt die großen Augen zum Himmel. „Oder ich schlafe! Die Arbeit im Stehen ist echt ungewohnt und anstrengend für mich, damit musste ich in den letzten Wochen erst lernen, klarzukommen."

„Du hast wirklich Glück, dass ich hier bin, in den vergangenen Tagen und Wochen war abends niemand mehr am Strand. Wir machen gerade erst alles fit für den Sommer, die Saison läuft ganz langsam an."

„Und du arbeitest hier?"

„Ja, ich bin für alles am Strand verantwortlich. Sorge dafür, dass alles läuft..."

„Das ist ein toller Ort zum Arbeiten!" Sie strahlt über das ganze Gesicht und lächelt mich zum ersten Mal richtig an.

„Wollen wir uns setzen?"

„Klar, ich störe dich doch nicht, oder?"

„Nein, ich wollte gerade abschließen und los. Aber jetzt kann ich mein Feierabendbier ja auch mit dir trinken!"

Sephi

I

Ilias' rostiger Roller trägt schwer an uns beiden. Er qualmt und hustet, während er sich röchelnd den Bergpfad hinauf quält. Ich klammere mich mit geschlossenen Augen leicht panisch an Ilias, während er die Kurven schräg nimmt und dabei gekonnt allen Schlaglöchern ausweicht. Kein Vergleich zu meinem Versuch vor einer Stunde, heil den steil abfallenden Weg hinunterzukommen. Ich fühle noch immer den Schreck, der durch meine Knochen fuhr, als ich mitsamt meinem Gefährt durch einen dieser Krater holperte, abhob und beinahe ins Fliegen gekommen wäre. Ich klammere mich bei der Erinnerung gleich fester an ihn. Dann frage ich mich, wie ich mich wohl bei der Rückfahrt angestellt hätte, hätte ich sie aus eigener Kraft bewältigen müssen. Alles Schlechte hat eben auch immer etwas Gutes, denke ich und öffne vorsichtig meine Augen. Nach ein paar Minuten gewöhne ich mich an die Fahrt und den Wind, der unablässig über mein Gesicht streift. Mit einem letzten, tiefen Röhren aus dem Auspuff gelangen wir oben am Berg an. Wir biegen auf die gewundene Straße ein. Ilias nimmt jetzt richtig Fahrt auf. Die Landschaft rauscht schnell an uns vorbei. Sträucher, Felder, uralte Bäume, ein paar Pferde auf einer Koppel. Alles ist nur noch als Schatten zu erkennen. Die frühe Nacht mit ihrem Grau ist längst über uns hereingebrochen, Straßenlaternen gibt es kaum. Und deren Schein ist so matt und sanft, dass er alles in ein unheimliches, gespenstisches Geisterlicht taucht. Am Himmel über uns zeigen sich die ersten Sterne.

Langsam entspanne ich ein wenig. Ich beobachte, wann Ilias Gas gibt, wann er, wenn auch selten, abbremst. Auch wenn mir mein Gefühl mit jedem Tag sagt, dass ich etwas besser auf dem Roller werde, wenn ich selbst fahre, bin ich noch immer viel zu ängstlich. Ich traue mich nicht, die Umgebung während der Fahrt genauer zu betrachten. Viel zu unsicher hocke ich auf den zwei motorisierten Rädern. Dabei hat Apoll sich redlich Mühe gegeben, mir das Rollerfahren beizubringen.

Ach, denke ich, ach Apoll. Seit diesem Beinahe-Kuss ist er mir gegenüber irgendwie distanziert. Zwar lachen wir viel und singen laut in der Küche - keine Frage. Aber er achtet immer peinlich genau darauf, mir nicht zu nahe zu kommen. Mich nicht zufällig zu berühren. Nach Feierabend verabschiedet er sich neuerdings immer viel zu schnell. Ich höre ihn dann, wenn er mitten in der Nacht nach Hause kommt und an meiner Tür vorbeischleicht, um mich nicht zu wecken. Morgens ist er dafür schon vor allen anderen auf den Beinen, verhandelt mit den Fischern, kauft Gemüse oder backt Brote, die im ganzen Haus zu riechen sind und uns alle aus den Betten und an unsere Arbeitsplätze zu locken scheinen.

Wie ich so meinen Gedanken nachhänge, fühle ich erst jetzt, dass Ilias seine Hand auf mein Knie gelegt hat. Ein fester, warmer Griff, der mir, die ich mich immer noch an ihn klammere, mehr Sicherheit geben soll. Oder ist es nur ein neuer Versuch, mich anzugraben? Als wir mit Höchstgeschwindigkeit in die nächste Kurve brettern, entscheide ich mich für ersteres und bin froh, dass ich nicht vom Sitz fliege und im Straßengraben oder auf einem mächtigen Felsbrocken lande. Wir sprechen auf der ganzen rasanten Fahrt kein Wort miteinander, der Wind macht es uns unmöglich einander zu verstehen. Laut und unerbittlich bläst er uns um die Ohren. Irgendwie schafft er es, sich meine trüben Gedanken zu schnappen, er trägt sie mit sich fort. Ich bin hier. Ich bin frei. Ich bin lebendig.

II

Unruhig laufe ich in meinem kleinen Zimmer auf und ab. Die Stehlampe brennt und erleuchtet den Platz rund um den Sessel, alles andere liegt im Schatten. Der Versuch, es mir mit einem Buch darauf gemütlich zu machen, ist kläglich gescheitert. Es ist jetzt eine halbe Stunde her, dass Ilias mich vor der Taverne abgesetzt hat, unter den Augen der versammelten Familie. Ich habe mich für die Hilfe bedankt, er grinste frech wie immer. Doch in seinen grünen Augen sah ich zum ersten Mal noch etwas anderes, eine Wärme, die ich bisher dort nicht entdeckt hatte.

Diese grünen Augen! „Diesen Augen sind schon ganz andere Frauen verfallen", macht sich meine innere Stimme bemerkbar. Und diesmal gebe ich ihr recht. Nichts, was ich bisher über Ilias erfahren hatte, passt zu dem, was ich insgeheim für mich und mein Leben suche. Bisher ist er für mich der unzuverlässige Draufgänger, der lieber seine Liebschaften pflegt, als zur Arbeit zu erscheinen. Heute hat sich das Bild ein wenig verschoben, zu seinen Gunsten. Aber dennoch! Ich bin nicht hier auf der Insel, um direkt in die nächste Liebes-Katastrophe zu schlittern. Und wenn schon Liebe, dann für jemanden, mit dem ich meine Leidenschaft fürs Kochen teile. Jemand, der zu einer liebevollen Familie gehört, der sich um andere sorgt und sich um sie kümmert. Jemand, der außerdem zielstrebig ist und nicht seine Tage vertrödelt. Jemand wie Apoll. Ach, denke ich, ach Apoll.

III

Ich halte es in meinem Zimmer nicht mehr länger aus. Es ist spät geworden und die Nacht senkt sich immer tiefer über die Insel. Trotzdem laufe und laufe ich, bis ich am Fährhafen zum Stehen komme. Ein paar Menschen studieren die Tafel mit den Abfahrtszeiten, Taxifahrer lehnen gelangweilt an ihren Wagen und warten auf Kundschaft. In den Tavernen der Stadt sitzen Freunde und Familien zusammen. Laute Rufe hallen über den Platz. Autos hupen. Auf der Bank gegenüber dem Anleger sitzt ein alter Mann, das Licht einer Laterne umschmeichelt ihn. Ich kenne ihn. Er hat schon auf diesem Platz gesessen, als ich mit der Fähre aus Piräus angekommen bin. Zu seinen Füßen liegt die dicke, rotbraune Katze, die nur ein Auge hat. Auch sie war damals da, ist irgendwie immer da, wo ich bin. Der alte Mann sieht zufrieden mit sich und der Welt aus, wie er da so sitzt und aufs andere

Ufer schaut, denke ich mir, und gehe zu ihm. Ich lasse mich neben ihm auf der Bank nieder. Wir schauen einander an, er lächelt so sehr, dass sich sein weißer Schnurrbart hebt. Der ist so imposant, dass er die Augen des Mannes fast verdeckt, die von zahlreichen zarten Fältchen umrandet sind. Seine Haut erscheint mir dort wie dünnes Sandpapier. Etwas porös vom Lachen, porös von einem langen und erfüllten Leben. Ich schließe für einen Moment meine Augen, atme tief die salzige Seeluft ein. Und dann traue ich mich.

IV

Ich begrüße den alten Mann und frage ihn, wie es ihm heute geht. Er lächelt weiterhin und erzählt mir, dass es ein guter Tag für ihn gewesen sei. Wir kommen ins Gespräch. Und wie durch ein Wunder fällt es mir leicht, die richtigen Worte in der fremden Sprache zu finden. Sie fließen durch meine Gedanken, hinaus aus meinem Mund, ganz so, als hätte ich in meinem Leben nie eine andere Sprache gesprochen. Ich frage ihn, warum er immer dort auf dieser Bank sitzt. Und er erzählt mir, dass sie sein Lieblingsplatz sei. Dass er gerne die Menschen beobachte, die von der Fähre steigen. So wie er auch mich beobachtet hat. Er frage sich dann, was sie wohl vorhaben, ob sie bleiben oder gleich weiterfahren würden. „Alles ist heute so schnell. Niemand nimmt sich mehr die Zeit, um einen Ort in Ruhe zu betrachten, seine Seele zu erkunden." Ich stimme ihm zu. Jedermann scheint nur noch von Hotspot zu Hotspot zu eilen. Dort schießen er ein

Foto, legen einen Filter darüber und veröffentlicht es auf Instagram. Und dann geht es gleich weiter! Nicht, dass ich es nicht auch schon genauso gemacht habe…

„Instagram", wiederholt der alte Mann langsam, Silbe für Silbe. „Wir haben früher auch Fotos gemacht. Da hat es eine oder zwei Woche gedauert, bis wir sie uns ansehen konnten." Und dann beginnt er, mir seine Geschichte zu erzählen. Dass auch er einst aus der Fremde auf diese Insel gekommen war. Als nicht mehr ganz junger Soldat, der bereits ein paar Karrierestufen erklommen hatte, wurde er auf das Eiland beordert. Er sollte junge Matrosen ausbilden, sie auf den drohenden Krieg vorbereiten.

„Ich sah damals sehr stattlich aus. Wie ich so in meiner Ausgehuniform auf dem Deck des Schiffes stand, das hier anlegte und mich in mein neues Leben brachte. Und in diesem Moment habe ich sie zum ersten Mal gesehen. Dunkles, kurzes Haar, schmale Taille. Sie trug ein blaues, langes Kleid mit weißen Punkten. Als ich näher kam, bemerkte ich ihre Augen. Diese großen, dunklen Augen, die mich nie wieder losgelassen haben." Während er leise spricht, schaut mir der alte Mann direkt ins Gesicht, direkt in meine dunklen Augen. „Bitte, erzählen Sie weiter", sage ich zu ihm. Und er erzählt, dass sie sich immer wieder auf der kleinen Insel begegnet seien. Dass sie in der Taverne ihrer Eltern half, in der er an seinen freien Tagen zu Mittag aß. „Das Essen war nicht besonders gut, aber ich wollte sie sehen, wollte in ihrer Nähe sein!"

Es sollte noch über ein Jahr dauern, bis sie sein Werben erhörte. Immer wieder ließ sie ihn abblitzen. „Sie dachte, ich sei ein Draufgänger. Ein Mann, der in jedem Hafen eine andere Braut hat. Irgendein Mädchen hatte ihr erzählt, dass sie mich mit einer anderen, einer älteren Frau beim Tanzen gesehen hat. Ich wusste nicht, wie ich ihr beweisen sollte, dass das nicht stimmte. Dass ihre Freundin mich verwechselt haben musste oder sich alles nur ausgedacht hatte. Also schluckte ich meinen Zorn über die erfundene Geschichte hinunter, vergrub ihn tief in mir und ließ mich nicht abweisen. Immer, wenn ich konnte, war ich in der Taverne, brachte ihr Blumen mit oder die Schokolade, die sie so gerne mochte. Ich nahm sie mit dem Auto mit, wenn ich sie den langen Heimweg mit den schweren, auf dem Markt gefüllten Körben zu Fuß laufen sah. Nach und nach wurde sie weicher, öffnete sich mir. Wir unterhielten uns viele Stunden lang. Und ich konnte ihr endlich zeigen, was für ein Kerl ich wirklich bin. Und dann, eines Tages, fühlte ich, dass ich nicht länger warten konnte. Also bat ich ihren Vater um ihre Hand. Ich erinnere mich noch, als ob es heute gewesen wäre: Am Himmel türmten sich viele dunkle Wolken auf, es regnete schon seit Tagen Bindfäden. Als ihr Vater sich zu ihr umdrehte und sie sachte nickte, riss die Wolkendecke auf und die strahlende Sonne brach hindurch. Ab diesem Tag schien für mich jeden Tag die Sonne. Bis vor zehn Jahren. Da zogen erstmals wieder dunkle Wolken über mir auf, da wurde sie krank, sehr krank."

Ich fühle heiße Tränen in meinen Augen aufsteigen. Ich lege meine Hand auf die faltige, warme Hand des alten Mannes. Er legt die andere darüber, hält mich fest. Und dann beendet er seine Erzählung: „Ich habe meine Frau ein Jahr lang gepflegt. Ihr versprochen, dass alles gut werden wird. Es war die erste Lüge, die ich bewusst in all den Jahren ihr gegenüber ausgesprochen habe. In ihren Augen las ich jeden Tag, dass sie selbst keine Hoffnung mehr hatte. Das wollte ich nicht wahrhaben. Ich wollte, dass sie lebt, mit mir. Doch sie hat sachte den Kopf geschüttelt, mich ein letztes Mal mit diesem warmen, liebenden Blick angesehen, in den ich mich gleich bei unserer ersten Begegnung verliebt habe. Und dann schloss sie ihre Augen. Schloss die geliebten Augen für immer." Die tiefe Stimme des alten Mannes klingt gefasst, doch seine blauen Augen werden hinter dem Tränenschleier, der sie benetzt, noch blasser.

„Nicht immer ist alles so, wie es auf den ersten Blick erscheint. Nimm dir die Zeit, mein Mädchen, um hinter die Gesichter und Geschichten der Menschen zu schauen! Sie zu ergründen." Der alte Mann streicht mir mit seinem rauen Daumen eine Träne von der Wange, er nickt mir zu, erhebt sich und geht ganz langsam und auf seinen derben Holzstock gestützt davon. Die rotbraune Katze, die nur ein Auge hat, folgt ihm.

JUNI

„Bedenke stets,
dass alles vergänglich ist,
dann wirst du im Glück
nicht zu fröhlich und im Leid
nicht zu traurig sein."

Sokrates (469 – 399 v. Chr.)

Apoll

I

Meine Freunde sind wieder alle in der Bar versammelt. Ich bin auch dabei und habe gute Laune! Ich winke ihnen zu und mache mich auf den Weg zum Tresen. Dort hebe ich die Hand und zeige Alex einen Finger. Er schiebt mir das Bier zu und sagt: „Denk dran, dein Deckel muss bezahlt werden.“ Es ist mir ziemlich peinlich, also zücke ich meinen Geldbeutel und lege ihm einen Schein auf den Tresen. In den letzten Wochen war ich mit meinen Gedanken viel zu oft woanders, wenn ich mich mit den Jungs traf. Ich blieb still und stieg nur selten in ihre Scherze ein, die sich zugegebenermaßen seit Jahren kaum verändert hatten. Und auch sonst war ich nicht richtig bei der Sache.

Wenn ich mit Sephi in der Küche war, wollte ich nichts wie weg von ihr. War ich ohne sie dort oder mit meinen Freunden unterwegs, dann wollte ich nichts anderes, als sie endlich wiedersehen und in ihrer Nähe sein. Sie ist so aufmerksam, sie lernt jeden Tag etwas Neues dazu, sie saugt alle Informationen in sich auf wie ein Schwamm. Wenn es stressig ist, bleib sie die Ruhe selbst. Dieses leicht schusselige und schüchterne, dass sie so liebenswert macht, zeigt sie in der Küche nie. Wenn ich ihr etwas vormache, kann sie es in dieser Sekunde umsetzen und selbst ausführen. Ich muss ihr nie etwas zweimal erklären. Mein Lehrherr hätte gesungen und getanzt, wenn ich damals nur annähernd so gut gewesen wäre wie Sephi! Hinzu kommt diese Wärme, die sie ausstrahlt. Sie kann genauso gut mit den Nachbarskindern Scherze machen und sich ernsthaft unterhalten, wie sie es immer mit Papa tut. Sie weiß, wie sie Mama zu nehmen hat. Sie lacht mit Tante Maria. Und sie gibt mir immer das Gefühl, dass sie mich in jeder Lebenslage achtet und mir in der Küche folgt, weil ich der Chef bin. Sie nimmt jeden in ihrer Umgebung für sich ein. Warum sie Hals über Kopf aus ihrem Zuhause geflohen war, um bei uns zu leben, wo ihre Lieben sie doch schmerzlich vermissen müssen, verstehe ich mit jedem Tag weniger. Dort müssen Hunderte Menschen sein, die sich nach ihr sehnen. Spreche ich sie darauf an, sagt sie immer, dass alles ganz anders ist, als ich es mir vorstelle und dass sie sehr froh sei, ihre Zeit mit uns zu verbringen. Und dann wechselt sie schnell das Thema. Inzwischen war sie wirklich zu einem Teil der Familie geworden, sie ist wie eine Schwester für mich. Oder mehr? Ist sie inzwischen mehr für mich? Ist sie es, die mich aus der selbst gewählten Askese befreien soll?

II

Ich setze das kalte Glas der Bierflasche an meine Lippen und nehme einen kräftigen Zug. Vielleicht sollte ich es doch bei ihr versuchen? Und wenn das alles nur dazu führt, meine Eltern glücklich zu machen. Ihre Hoffnung auf Sephi und mich höre ich inzwischen jeden Tag. Oder es führt endlich dazu, wieder Ruhe in meinen Kopf zu bringen. Auf keinen Fall will ich den ganzen Sommer wie ein verwirrter Gockel durch die Gegend laufen, meine Freunde machen sich schon lustig über mich. Aber was ist mit Sephi, was will sie? Was, wenn ich zu spät merke, dass das alles zu nichts führt? Während ich meinen wirren Gedanken nachhänge, checke ich die Tanzfläche ab. Und da ist sie auch schon. Das grüne Kleid umschmeichelt ihre Hüften, die Augen hält sie beim Tanzen geschlossen. Auch wenn wir zuletzt wenig Zeit außerhalb der Küche miteinander verbracht haben, ist mir aufgefallen, dass sie sich dem Inselleben geöffnet hat. Sie brütet abends nicht mehr ausschließlich über den Rezepten oder ihrem Vokabelheft. Seit wir den kaputten Roller vom Strand abgeschleppt und repariert haben, ist sie an ihren freien Tagen wieder viel öfter unterwegs. Abends erzählt sie Papa bei einem Glas Wein, was sie alles entdeckt hat.

Ich werfe erneut einen Blick auf die Tanzfläche. Die Menge umschließt sie jetzt völlig. Hin und wieder sehe ich einen Zipfel ihres grünen Kleides. Alle bewegen sich im Rhythmus der Musik. Sie lässt sich von ihr treiben, achtet gar nicht darauf, was um sie herum geschieht. Mein Blick bleibt an Ilias hängen, der auch da ist. Natürlich! Er steht auf der anderen Seite des Raumes und beobachtet Sephi ebenfalls. In den letzten Tagen habe ich ihn öfter in unserer Gegend gesehen, als es sonst üblich ist. Öfter, als es mir lieb ist! Wann immer er nicht am Strand ist, drückt er sich in Sephis Nähe herum. Oder kommt mir das nur so vor? Doch sie ist zu klug, um auf seine billige Masche anzuspringen. Selbst als er sie vom Strand heimgebracht und ihr so einen langen, ungemütlichen

Fußmarsch erspart hatte, bedankte sie sich freundlich, aber knapp. Dann verschwand sie direkt auf ihrem Zimmer. Der Blick, den er ihr an diesem Abend nachgeworfen hat, macht mir große Sorgen. Er kann sich jede Touristin holen, die er will und die Lust auf ein Abenteuer hat, aber er soll seine schmierigen Finger von Sephi lassen. Groll steigt in mir auf und ich würde am liebsten über die Tanzfläche stürmen und ihm eine reinhauen. Was ist nur los mit mir?

„Was ist nur los mit dir?", ruft Alex über den Tresen und schaut mich kopfschüttelnd an.

„Was denn?"

„Das ist viel zu viel Geld. Oder willst du schon mal, was bei mir anlegen, damit du jetzt jedes Mal einfach aufspringen und abhauen kannst?" Ich winke entnervt ab und stecke reichlich Wechselgeld in meine Hosentasche. Wenn nicht jetzt, wann dann, denke ich, und mache einen Schritt in Richtung Sephi. Doch da sehe ich etwas, das mich irritiert und erst einmal innehalten lässt.

Ilias

I

Ich stehe allein in einer Ecke, die dröhnende Box verdeckt mich halb. Außerdem ist es in der Bar so dunkel, dass sie mich sowieso nicht sofort entdecken wird. Die hellen Blitze der Lichtanlage zucken quer durch den Raum, erhellen für Sekundenbruchteile die Tanzfläche. Sephi ist mit Eva und Vanessa da, kaum ist sie zur Tür reingekommen, hat sie sich der wogenden, schwitzenden Masse in der Mitte des Raumes angeschlossen. Die Luft hier drinnen ist unterirdisch, schmieriges Kondenswasser tropft von der Decke. Sephi scheint das nicht zu stören, sie hält die Augen geschlossen und bewegt sich geschmeidig zum Rhythmus der Musik. Sie verschwindet hinter anderen Tanzenden, taucht wieder auf, verschwindet. Sie beachtet die anderen um sie herum kaum.

Ich habe mir einen Plan zurechtgelegt. Zu viel Offensive schadet in diesem Fall nur. Ich will sie unbedingt haben, aber ich will es richtig anstellen. Der Sommer ist lang. Mir bleibt noch genug Zeit. Es sei denn… Mein Blick schweift ab zum Tresen. Apoll. Lässt er wieder seine Tante Maria in der Küche aufräumen? Oder warum drückt er sich so früh in der Bar herum? Er hält sein Bier in der Hand, seine Finger krampfen sich um das kalte Glas der Flasche. Es sieht so aus, als wolle er einen Schritt in Richtung Tanzfläche machen. Dieser ernste, fest entschlossene Ausdruck in seinem Gesicht ist mir gänzlich neu. Was hat der Typ vor? Doch plötzlich stoppt er mitten in seiner Bewegung und schaut noch einmal genauer auf die Tanzfläche. Was um alles in der Welt sieht er dort? Was hat ihn innehalten lassen?

Ich folge Apolls Blickrichtung und sehe Sephi. Kommt er jetzt doch aus der Hüfte? Aber warum sieht er aus, als sei der Teufel in ihn hineingefahren? Da erkenne ich, was Apoll aus dem Konzept gebracht hat. Und werde augenblicklich wütend! Gleich neben Sephi tanzt ein Bär von einem Typ. Ich kenne ihn nicht, habe ihn noch nie gesehen. Also kann er nicht von hier sein, er ist keiner von uns. Er tanzt Sephi an. Berührt sie erst am Arm, dann an ihrer Hüfte. Sie öffnet ihre Augen und blickt verwirrt um sich. Klar stößt man schon mal mit anderen Tanzenden zusammen, aber der Typ fasst direkt zu. Sie erkennt die Situation, das sehe ich in ihren Augen. Sie blitzen ihn wütend an, sie sagt etwas. Wenn sie mich so anschauen würde, würde ich schnell das Weite suchen, denke ich noch, als der Typ sie erneut am Arm berührt. Anschließend wanzt er sich mit seinem massigen Körper von hinten an sie ran, legt einen Arm um ihre Taille. Sephi wird stocksteif.

Apoll steht wie angewurzelt an der Bar. Wenn ich mich jetzt nicht beeile, löst er sich aus seiner Starre und ist mit ein paar Schritten bei ihr. Dann spielt er sich als Retter in der Not auf. Ich stürme augenblicklich los. Remple Tanzende an, trete jemandem auf den Fuß. Es ist mir ganz egal. Ein Schritt, drei. Nach fünf Schritten bin ich bei ihr, mit einer Drehung und meinem ausgefahrenen Ellenbogen quetsche ich mich zwischen sie und den Bären. Das Überraschungsmoment ist zum Glück auf meiner Seite. Der Bär stolpert ein paar Schritte zurück, einige Leute geraten ins Schwanken.

„Da bist du ja", rufe ich laut, nehme Sephi in den Arm und küsse sie. Auf den Mund. Fest und intensiv. Es muss so aussehen als seien wir ein Paar. Zunächst bewegt sie ihre Lippen gar nicht. Ihre Augen sind weit aufgerissen und schauen direkt in meine. Ich hoffe inständig, dass sie mir keine klebt, sondern darin liest, dass ich ihr Retter bin. Ihr Körper wird langsam weicher in meinem Arm. Ihre Lippen öffnen sich leicht. Und ich nehme die Einladung an. Ich küsse sie, erkunde mit meiner Zunge ihren Mund und halte sie für ein paar Sekunden länger fest an mich gezogen, als es nötig gewesen wäre. Sie löst ihre Lippen von meinen, schnappt nach Luft und lässt sich erleichtert in meinen Arm fallen. Ich kann ihren pochenden Herzschlag fühlen. Und während ich sie festhalte, sehe ich aus den Augenwinkeln gleich zwei angepisste Typen. Ein schmaler mit Hosenträgern über dem Hemd, der noch immer sein Bier in den verkrampften Fingern hält. Und ein riesiger, dessen wütender Blick Bände spricht. Ich merke, wie sich mein Gesicht zu einem Grinsen verzieht. Diese Schlacht habe ich gewonnen. Und zwar eindeutig!

II

„Jetzt hast du mich schon zum zweiten Mal gerettet", sind ihre ersten Worte, nachdem wir den Lärm und die Hitze der Bar hinter uns gelassen haben. Nachdem sich ihr Herzschlag ein wenig beruhigt hat, nehme ich sie bei der Hand und führe sie zu einem der bequemen Sofas am Wasser. Alex bringt uns auf den Schreck etwas zum Trinken. Etwas stärkeres als Bier diesmal. Ihre Augen sind noch immer weit geöffnet, aber sie beruhigt sich schnell und kann bald darauf wieder lachen. „Lass uns von hier abhauen!" Es ist an der Zeit, mein Glück zu versuchen.

Es ist kalt auf dem Roller, sie schmiegt sich an mich, um etwas von meiner Körperwärme abzubekommen. Heute Nacht fühlt sich ihre Nähe anders an als vor ein paar Tagen, als ich sie am Strand eingesammelt und nach Hause gebracht hatte. Jetzt sitzt sie ganz nah an mir dran. Ich kann ihre weichen Brüste in meinem Rücken spüren. Heute fühlt sich ihr ganzer Körper weich an, nicht so angespannt und verkrampft wie damals, als ich dachte, wir würden aus der Kurve fliegen, weil sie wie ein Stock hinten auf meinem Roller saß.

Wir brausen über die Insel. Der Wind bläst heftig, zerrt an uns. Mir ist auch kalt, denn ich sitze nur im T-Shirt auf dem rostigen Gefährt, das sich plötzlich wie eine Kutsche anfühlt. Meinen Hoodie trägt sie. Ich lege meine linke Hand auf die Stelle über ihrem Knie. Heute trägt sie ein Kleid. Ich spüre ihre zarte Haut unter meinen rauen Fingern. Sofort friere ich nicht mehr so sehr. Hinter meinem Ohr klemmt eine Zigarette, in der Tüte am Lenker baumeln zwei Bierdosen. Ich wollte weg von den Menschenmassen, ihr etwas zeigen.

Nach ein paar Minuten erreichen wir den Ort. Tagsüber kann man ihn leicht verfehlen, dann ist von hier aus nicht genau zu erkennen, was da in der Ferne liegt. Aber jetzt im Dunkeln ist es ein schier atemberaubender Anblick. Ich stoppe den Roller und drehe mich zu Sephi um.

„Siehst du das? Da hinten?"

„Lichter, ich sehe viele Lichter."

„Dahinten in der Ferne ist der Hafen von Piräus, von dem du mit der Fähre hergekommen bist.

Die Stadt schläft niemals. Wenn hier schon längst alle im Bett sind, leuchten dort noch immer Tausende kleine Lichter, Menschen kommen und gehen." Das Flimmern in der Ferne ist deutlich zu erkennen, denn um uns herum ist es stockfinster, nur die Sterne und der Mond über uns geben Orientierung. Ich stelle den Roller auf seinen Fuß und wir lehnen uns dagegen. Wir stehen eng beieinander, unsere Arme und Beine berühren sich sachte. Sie zittert. Ich lege einen Arm um sie, ziehe sie zu mir und gebe ihr etwas mehr von meiner Körperwärme ab. Sie legt ihren Kopf an meine Schulter. Und ich kann ihren tiefen und gleichmäßigen Atem hören. Das ist gut, sie ist entspannt. Sie hat keine Angst mehr.

Ich öffne eine der gekühlten Bierdosen, wir teilen sie uns Schluck für Schluck. „Jetzt ist mir noch kälter", lacht sie. Es fühlt sich richtig gut an, sie lachen zu hören. Zum ersten Mal denke ich, dass sie mich nicht abschätzend beobachtet, nicht herausfinden will, wo ich meine Leichen vergraben habe. Zum ersten Mal scheint sie gern und entspannt in meiner Nähe zu sein. Sie kuschelt sich ein wenig näher an mich, ich streichle mit meiner Hand über ihren Arm und so sitzen wir da auf dem Roller. Einfach so. Sitzen da, trinken Bier und schauen auf die Lichter von Piräus. In Seemeilen sind sie gar nicht so weit weg, aber Lichtjahre entfernt von uns, von unserem Leben auf der Insel. Ich muss vorsichtig sein, ich darf nichts überstürzen, denke ich.

Sephi

I

Was für ein fantastischer Ausblick! Ich liege in meinem Bett und bekomme den Anblick der flackernden Lichter in der Ferne nicht mehr aus meinem Kopf. Und auch nicht seine Hand, die erst mein Knie und dann meinen Arm berührt hat. Konnte das sein? Fühle ich mich zu Ilias hingezogen? Zu ihm, der ständig Frauen abschleppt und ein Leben voller Geheimnisse führt?

Seit heute Nacht bin ich mir sicher, dass ich längst nicht alles über ihn weiß. Oben auf dem Aussichtspunkt bin ich näher an ihn herangerückt, als ich es gewollt hatte. Doch es fühlte sich gut an und vertrieb die Kälte der Nacht, die uns umfing. Gleichzeitig war ich mir sicher, dass er die Situation ausnutzen würde, dass er versuchen würde, mich ein weiteres Mal zu küssen. Doch das tat er nicht. Er hielt mich sachte in seinem Arm, sorgte dafür, dass ich nicht zu sehr fror und brachte mich anschließend nach Hause. Vor der Tür verabschiedete er sich mit einem Kuss auf die Wange. „Du weißt ja, wo du mich findest, wenn du deinen freien Tag hast", rief er noch und brauste auf seinem knatternden Roller davon. Und nun? Bin ich enttäuscht? Hätte ich ihn gern noch einmal geküsst, seine weichen Lippen auf meinen gespürt? „Oh je…", prompt meldet sich meine innere Stimme.

Ich kuschle mich in die weichen Kissen, umschlinge mich selbst mit meinen Armen und bemerke, dass ich noch immer seinen Pullover trage.

Er riecht gut und fühlt sich so warm wie seine Umarmung an. Ganz langsam fallen mir die Augen zu. Während ich in den Schlaf gleite, höre ich die Musik aus der Bar. Wie jede Nacht begleitet mich der Rhythmus der Bässe, der leise aber beständig bis in mein Zimmer reicht. Während ich sonst darüber schmunzle, dass ich zu Hause unter diesen Umständen niemals einschlafen könnte, schiebt sich heute ein anderes Bild hinter meine geschlossenen Augenlider. Ich tanze. Jemand nähert sich mir, tritt mir zu nahe. Doch da ist er, mein Retter, mein Beschützer. Er küsst mich vor den Augen der anderen. Dieser Kuss. Diese grünen Augen. Sie sind so nah wie noch niemals zuvor.

II

Am nächsten Morgen komme ich in die Küche und fühle mich ein bisschen zittrig auf den Beinen. Die Nacht war viel zu kurz. Und weil ich ins Bett gefallen und direkt eingeschlafen bin, habe ich die Kälte unserer Fahrt durch den Wind erst während der Morgendusche restlos aus meinen Knochen vertreiben können. Das extra heiße Wasser und ein richtig starker Kaffee aus dem Filter haben zwar keine Wunder bewirkt, mich aber aufgeweckt. Apoll werkelte in diesem Augenblick schon in der Küche. Ich konnte ihn bis nach oben hören. Und jetzt sehe ich, dass auch Christos am Herd steht. Er kümmert sich heute persönlich um die Tomatensoße und um den Bakalarios, den gesalzenen und gebratenen Kabeljau. Er ist eines der Lieblingsgerichte der Einheimischen, obwohl der Fisch aus dem hohen Norden stammt und ich ihn bereits aus der Ostsee kenne. Doch was die Wikinger einst auf ihren Tellern mochten, schmeckt ganz offensichtlich auch den Leuten am Mittelmeer.

„Du machst heute das Skordalia und dann zeige ich dir, wie wir den frischen Kabeljau zubereiten, den Bakalarios kennst du ja bereits", Christos sprüht förmlich über vor Energie.

„Ja, Chef", antworte ich, um genauso viel Elan bemüht. „Ja, Chef" ist eigentlich meine zackige Standardantwort für Apoll. Heute rutscht sie mir bei Christos raus. Und als ich in Apolls verwunderte Augen blicke, tut es mir ein bisschen leid.

Ja, er ist der Chefkoch, der Boss. Er ist der, der die Richtung vorgibt. Ich respektiere das, aus vollem Herzen. Aber dennoch macht es mir besonders viel Freude, wenn Christos mich unter seine Fittiche nimmt. Er gibt sich immer große Mühe, ein strenger Lehrer zu sein. Aber seine warmen, leuchtenden Augen verraten seine gutmütige Seele und seine Liebe für noch besseres Essen. Das folgt stets festgelegten Rezepten, aber eine Zutat braucht es mehr als Regeln: ein gutes Herz.

Ich schnappe mir den Weidenkorb mit den Kartoffeln, mein Job für heute ist mir sonnenklar. Ich kenne das Rezept für die deftige Kartoffelcreme inzwischen in- und auswendig. Meist bereite ich sie als eine der Vorspeisen vor, aber diesmal soll sie als Beigabe zum Hauptgericht serviert werden. Und ich werde sie genauso zubereiten, wie es die beiden Köche, die mich bei jedem Handgriff aufmerksam beobachten, von mir erwarten.

SKORDALIA & KABELJAU

Zutaten für 4 Portionen

700 g mehlig kochende **Kartoffeln** | Salz
7 Knoblauchzehen | 1 Bio-Zitrone
100 ml Olivenöl | 200 ml Gemüsebrühe | Pfeffer

150 g Mehl | 120 ml Bier | 1 TL Zucker
1 EL Olivenöl | Salz | Pfeffer
500 **Kabeljau** | Pflanzenöl zum Frittieren

So geht's

Kartoffeln schälen und vierteln, in Salzwasser weich kochen. Durch die Kartoffelpresse drücken. Knoblauch mit Salz zu einer Paste zerdrücken, ins Püree geben. Zitrone auspressen. Saft, Öl & Brühe nach und nach unter die Masse rühren, bis eine geschmeidige Konsistenz erreicht ist. Mit Salz & Pfeffer abschmecken.

Mehl, Bier, Zucker, Öl & Gewürze zu einem zähen Teig verrühren, etwas mehr Mehl hinzu, falls die Masse zu flüssig ist. **Kabeljau** portionieren, salzen. Fisch durch Mehl ziehen, abklopfen, in den Teig. Pflanzenöl erhitzen. Fischstücke hineingeben und leicht braun ausbacken. Mit Skordalia servieren.

Alternativ: Bakalarios statt frischen Fisch benutzen. Den getrockneten & gesalzenen Fisch vorm Kochen für 48 h in Wasser einlegen, welches 4 - 5 Mal gewechselt werden muss (Foto: Seite 178).

Januar, Fasolada (S.21)

Februar, Chirinó me sélino (S.35)

März, Lagana (S.93)

April, Briam (S.111)

Mai, Saganaki (S.143)

Juni, Skordalia & Kabeljau (S.177)

Juli, Schokotraum (S.200)

Okt., Moussaka (S.292)

August, Gemista (S.231)

November, Oktopus Stifado (S.308)

September, Papoytsakia (S.266)

Dezember, Zitronen-Huhn & Bohnen (S.324)

JULI

Augen, die sich nicht sehen,
vergessen sich schnell.

Griechisches Sprichwort

Sephi

I

Inzwischen ist es schon frühmorgens heiß. Die Sonne scheint seit kurz nach 6 Uhr mit all ihrer Kraft auf mein Zimmerfenster. Die Läden aus Holz sind geschlossen, aber ich kann die Hitze durch sie hindurch spüren. Der leichte Vorhang vor meinem Fenster bewegt sich schon seit Wochen nicht mehr im Wind. In der Küche ist es untertags schier unerträglich. Sobald ich sie betrete, steht mir der Schweiß auf der Stirn, er rinnt mir über den Rücken und hinterlässt auf meinen T-Shirts hässliche Flecken unter den Achseln. Die gestärkte Leinenschürze, auf die ich beim Arbeiten nicht verzichten kann, macht es nicht besser. Normalerweise bin ich um diese Zeit schon seit mindestens einer Stunde unten. Wir versuchen, so viel Arbeit wie möglich in die ganz frühen Morgenstunden zu legen. Unsere Tage werden dadurch noch länger, denn die Urlauber genießen lange Abende auf unserer Terrasse, bei einem guten Essen und viel kühlem Wein – und die zu nächtlicher Stunde erträglicher werdenden Temperaturen. Sie kommen spät und bleiben so lange es geht, denn auch sie wollen nicht in die Hitze zurück, die sich in ihren kleinen Hotelzimmern über den Tag angestaut hat.

Läuft irgendwo eine Klimaanlage, dann bringt diese wunderbare, erfrischende Erleichterung. Doch tritt man anschließend in den Sonnenschein hinaus, schlägt die Hitze mit noch mehr Erbarmungslosigkeit zurück. Ich dusche bestimmt dreimal am Tag und fühle dennoch ständig diesen klebrigen Film auf meiner Haut. Es ist mir unangenehm, wenn Apoll sich meinem verschwitzten Körper nähert, was er inzwischen wieder häufiger tut. Er selbst und auch Christos scheinen von der Hitze völlig unbeeindruckt. Nie steht einem von beiden eine Schweißperle auf der Stirn. Nur manchmal bekommt Apoll einen roten Kopf, wenn er mit dem Grill um die Wette glüht. Ich habe fünf Kilo abgenommen, ich merke es daran, dass der Bund meiner Hose rutscht. Als ich zuletzt mit meiner Freundin daheim telefoniert habe, seit langer Zeit einmal wieder, hat sie darüber gelacht. Ich finde es auch lustig, ausgerechnet während ich Stunde um Stunde koche, koste und probiere, verliere ich die Pfunde, die mir schon immer so unliebsam waren. Aber seit die Hitze angekommen ist, ist mein Appetit wie verflogen.

Ich schiebe das dünne Laken von mir, alles ist mir zu viel auf der Haut, selbst dieses leichte Stück Stoff. In der Wohnung ist es ruhig. Costas ist bestimmt an den kleinen Strand gelaufen, etwa einen Kilometer von hier entfernt, und schwimmt vor Dienstbeginn seine Runden. Er sagt, es sei Erfrischung und ein Ausgleich zu den vielen Kilometern, die er täglich zwischen Tischen, Küche und Bar hin und her läuft. Außerdem ist um diese Zeit niemand außer ihm dort. Er genieße die Ruhe. Die Tür zum Flur steht offen und ich höre Apoll, der bereits in der Küche werkelt. Schüsseln und Töpfe werden hin und her geräumt. Musik klingt leise herauf. Ich habe heute einen meiner wenigen freien Tage und möchte eigentlich nur schlafen. Aber das erscheint mir bei der Hitze völlig unmöglich. Außerdem bin ich zu einem Ausflug eingeladen. Ilias hat mich über Facebook kontaktiert. Ich war ganz verwundert über die Anfrage, da ich das Netzwerk seit ich auf der Insel bin gar nicht mehr nutze. Überhaupt verbringe ich viel weniger Zeit an meinem Handy als früher, meist weiß ich nicht, wo ich das Ding gerade wieder abgelegt habe. So ist mir vor ein paar Tagen fast die wenig charmante Nachricht meiner Ex-Affäre entgangen.

Bist du abgehauen? Hast du nen Knall,
mir nichts zu sagen? Ich stehe hier und
so ein komischer Student macht mir die
Tür auf und sagt, du wohnst gar nicht
mehr hier. Jedenfalls nicht im Moment…
Weißt du, wie peinlich das war?!?

Ich musste lachen, als ich die Nachricht schließlich las. Kein Groll, keine Wut. Nicht einmal mein zerquetschtes Herz schmerzte mehr. Ich hatte ihn einfach vergessen! Und seine Nachricht bestimmt erst eine Woche nach Eintreffen gelesen. Ich löschte sie und seine Nummer gleich mit…

II

Wir brausen auf seinem rostigen Roller durch den Morgen. Der Wind, der immer dabei ist, fühlt sich gerade wahnsinnig belebend an. Mein Kleid weht in alle Himmelsrichtungen, seine Hand liegt auf ihrem Platz oberhalb meines Knies. Ich könnte einfach immer so weiterfahren. Niemals irgendwo ankommen. Diesmal sind zwei Kaffeebecher in der Tüte, die am Lenker des Rollers baumelt. „Schwarz und bitter für dich. Weiß und süß für mich“, hat er gesagt, als er mich vor ein paar Minuten vor der Taverne eingesammelt hat.

Wir erreichen den Tempel des Poseidon - oder besser das, was davon noch übrig ist –, nach viel zu kurzer Zeit. Die Tore der geologischen Stätte stehen weit offen, aber außer uns ist zu dieser frühen Stunde niemand da. Vor uns erstreckt sich weitläufig die Tempelanlage, ein paar Steine nur, wenige Mauern; Tafeln, auf denen der Ort näher beschrieben ist. Das Gras ist in der Hitze des frühen Sommers verdorrt, braune Spitzen schauen schüchtern aus der Erde. Einige standhafte Blumen haben sich ihren Weg durch den trockenen, rissigen Boden gebahnt, blühen sogar in der prallen Sonne. Wenige uralte Bäume mit ihren grünen Kronen spenden uns Schatten. Wir überqueren den großzügigen Platz, auf dem einst das Heiligtum stand. Vor uns eröffnet sich ein traumhafter Ausblick: Tiefblaues Wasser, immer wieder durchbrochen von den kargen, runden Hügeln der Insel, die viele kleinere und größere Landzungen hat, die ins Meer ragen. In das Meer, über das Poseidon mit seinem Dreizack herrscht.

„Irgendwo da unten in der Tiefe steht sein Palast, der nur aus Kristallen gebaut wurde.“ Während Ilias mir von dem glitzernden Gebäude und den Fähigkeiten des mächtigen Gottes berichtet, funkeln seine grünen Augen. Doch sie verdunkeln sich, als er mir die Sage über ihn und die Göttin

Athene erzählt. Wie beide einst um die Vorherrschaft über Attika kämpften. Ein Kräftemessen ohne echten Sieger, das erst durch den König Kekrops I. ein Ende fand. Der König, der von der Erde geboren war, legte fest, dass beide den Menschen ein Geschenk machen sollten. Der mit dem besseren Geschenk würde ein für alle Mal der Sieger und damit der Schutzpatron der gesamten Region sein. Der Wettbewerb wurde auf einem Felsen ausgetragen. Auf dem Felsen, auf dem sich bis heute die Akropolis über Athen erhebt. Als Poseidon seinen Dreizack in diesen Felsen rammte, sprudelte dort eine Quelle - sein Geschenk. Die Göttin entschied sich, den Menschen einen Baum zu schenken. Also pflanzte sie den allerersten Olivenbaum. König Kekrops I. wählte die Olive als das bessere Geschenk aus. Und darum gilt Athene bis heute als Siegerin, sie ist die Schutz- und Namenspatronin der Stadt. „Poseidon wurde gelinkt, und ich gleich mit! Denn ich stehe noch heute mit den blöden Olivenbäumen da…", beendet Ilias seine Erzählung. Zwar lacht er dabei, aber sein Lachen klingt alles andere als fröhlich.

Es gibt da allerdings das eine oder andere, was er mir über den mächtigen Gott Poseidon, mit dem er so sehr mitfühlt, lieber verschweigt. Aber ich weiß es dennoch, denn ich habe vor unserem Treffen eher zufällig davon erfahren: Poseidon führte, wie die meisten der zwölf griechischen Götter, ein mehr als wildes Liebesleben - oder sollte man besser Sexleben sagen? Er war zwar mit der Amphitrite, einer wunderschönen Gottheit, verheiratet und zeugte mit ihr vier Kinder, darunter ein Wunderpferd. Doch das reichte dem mächtigen, muskulösen Gott längst nicht aus. Zahlreiche Meernymphen, die Medusa, eine weitere Göttin und zwei sterbliche Frauen gebaren ihm viele, viele weitere Nachkommen. Und wahrscheinlich hatte ich mir nur die Hälfte seiner Liebschaften merken können, während ich im Unterricht mit Eva Vokabeln lernte, die sie mir anhand eines niedlichen Kinderbuches über griechische Mythologie näherbrachte. Schon während dieser Stunde habe ich mich darüber gewundert, wie ungezwungen in dem Buch über das wilde Treiben der zwölf Götter berichtet wird. Aber so sind sie nun einmal, schließlich sind sie die Götter - und wir nur der sterbliche Rest.

III

Ich erzähle Ilias nicht, dass ich ahne, warum er den mächtigen Poseidon tatsächlich so sehr verehrt. Denn ich möchte die entspannte Stimmung zwischen uns beiden nicht verderben. Außerdem gefällt es mir wie er erzählt, wie er seine Worte wählt und dabei alles mit passender Stimme, Mimik und wilden Gesten untermalt. Es ist zauberhaft, ihn dabei zu beobachten.

„Und dann hat man hier einen Tempel gebaut, Poseidon zu ehren. Wie du sehen kannst, zeugt der Umriss davon, dass der Tempel echt mächtig groß war", Ilias breitet die Arme aus, um mir klarzumachen, wie groß der Tempel gewesen ist. „Doch dann, es ist noch gar nicht so lange her, hat irgendjemand beschlossen - ähnlich selbstherrlich wie

König Kekrops I. –, dass es Tempel in Griechenland gibt, die bedeutender sind als unserer hier auf der kleinen Insel. Und so wurden die Säulen und Steine nach und nach abgetragen und an andere Orte gebracht, um dort Tempel, die weniger gut erhalten waren, neu aufzubauen. Jetzt gibt es dort falsche Tempel und hier fast nichts mehr von unserem. Und ehrlich gesagt, finde ich das ziemlich schäbig."

Ilias

I

Gerade habe ich Sephi vor der Taverne abgesetzt, diesmal mit einem richtigen Abschiedskuss. Sie hat ihn erwidert, auch wenn sie sich vorher umgeschaut hat, ob wir vielleicht beobachtet werden. Anschließend bin ich zurück über den Kanal gefahren, am Café vorbei. Denn auf einen mit fragenden Blicken garnierten Kaffee bei Vanessa habe ich heute wirklich keine Lust. Nach Hause wollte ich aber auch nicht. Ich hatte keine Ahnung wohin.

Und jetzt sitze ich ausgerechnet zwischen unseren Olivenbäumen, um über Sephi nachzugrübeln, über unsere Gespräche, den Kuss. Er hat sich total gut angefühlt, so als sei es nur eine Frage der Zeit, bis ich sie endgültig geknackt habe. Am Morgen war ich noch überrascht, dass sie mit mir auf diesen Ausflug kommen wollte. Ich hatte vermutet, dass ich sie viel öfter nach einem Date wie diesem fragen müsste. Aber sie scheint sich jetzt in meiner Gegenwart wohler zu fühlen, sich besser entspannen zu können.

Ich will sie noch immer haben. Aber irgendetwas an mir hat sich verändert. Irgendwas passiert da gerade mit mir und ich bin nicht sicher, ob mir das gefällt. Irgendwas an ihr ist auch anders als zuvor. Sie schafft es, mich einzufangen. Sie drückt die richtigen Knöpfe, macht unbewusst das, was ich eigentlich die ganze Zeit bei ihr versuche. Ganz ohne es zu wollen, habe ich ihr darum von unserem Olivenhain erzählt. Und davon, wie schwer es mir fällt, meinen Eltern den Gefallen zu tun, mich in jedem Jahr aufs Neue darum zu kümmern. Diesen Gefallen, der mich viel Kraft kostet und mich hier an sie und die kleine Insel bindet. Ehrlich gesagt, hatte ich nicht einmal darüber nachgedacht, wie diese Worte bei ihr ankommen würden. Ich hatte mich geöffnet und es ihr einfach erzählt.

„Willst du denn weg von hier?“, hat sie mich daraufhin gefragt und ihre Augen waren voller Wärme und Mitgefühl. Kein Schimmer von Ablehnung oder Missfallen. „Ich weiß es nicht“, hatte ich geantwortet. Und das ist die schlichte, unbefriedigende Wahrheit. Es gibt für mich keinen schöneren Ort auf dieser Welt. Und gleichzeitig weist mich die Insel immer wieder in meine Schranken, sie hält mich klein, gibt mir kaum Raum, um zu atmen oder selbst zu wachsen. Ich kenne jeden, jeder kennt mich - oder denkt es zumindest. Dass ich diese negativen Gefühle in mir selbst zu verantworten habe, habe ich Sephi dann doch lieber nicht erzählt. Ich habe keine Ahnung, ob ich es jemals tun werde.

Einträchtig nebeneinandersitzend haben wir unseren Kaffee ausgetrunken. Den ich schon zuvor bei Vanessa besorgt hatte, denn ich wollte nicht, dass sie uns zusammen sieht. Oder wollte ich lieber nicht, dass sie mich im Umgang mit Sephi sieht? Vanessa und ich kennen uns bereits seit Kindertagen, sie hat diese unheimliche Gabe, in meinem Gesicht zu lesen wie in einem Buch. Und ich bin mir nicht sicher, ob mir gefällt, was sie aktuell darin liest. Schnell dränge ich die Gedanken zurück in einen hinteren Winkel meines Gehirns. Ich krame lieber nach meiner Kamera und mache noch ein paar Aufnahmen von den Oliven. Im Sommer bin ich so selten hier, ich habe kaum Fotos, auf denen man die Bäume in diesem Flimmerlicht sieht, das die erbarmungslose Mittagshitze erzeugt. Es ist kaum auszuhalten heiß zwischen den Bergen. Es ist ein Ort, den selbst der Wind in den Sommermonaten meidet. Ich wische mir den Schweiß von der Stirn, steige auf den rostigen Roller und mache mich auf den Weg zum Strand. Meine Schicht fängt gleich an, vielleicht schaffe ich es vorher noch, für einen kurzen Augenblick ins kühle Meer zu springen.

II

Am Strand ist es besser auszuhalten. Die Luft ist viel angenehmer. Ich nehme ein erfrischendes Bad im Meer. Danach bleibe ich noch ein paar Minuten im Wasser stehen, bis es mir tatsächlich zu kalt an den Füßen wird. Unsere Liegen sind so ziemlich alle von Touristen belegt, ein paar Leute kenne ich bereits, sie sind zum zweiten oder dritten Mal in dieser Woche hier. Einige sind neu, gerade erst in ihre Ferien gefahren.

„Wie kommst du darauf, dass ich gerade erst angekommen bin?", fragt mich die Rothaarige, während sie kurz nach meinem Sprung ins Meer einen Frappé bei mir bestellt.

„Deine Haut ist so weiß, die hat in diesem Sommer noch nicht viel von der Sonne gesehen. Du solltest also vorsichtig sein!"

„Viel mehr Farbe bekomme ich nie, nur meine Sommersprossen vermehren sich", sagt sie, deutet auf ihre zierliche Nase und lächelt mich verführerisch aus ihren Katzenaugen an. Ich ziehe mich leise lächelnd zurück und bereite den kalten, kräftigen Kaffee zu, den alle so sehr lieben, ich aber niemals trinken würde. Genauso wie ich keinen Fisch esse, denke ich und schüttle den Kopf über mich selbst.

Am Nachmittag gibt es allerlei zu tun, es bleibt kaum Zeit, viele Worte mit den einzelnen Gästen zu wechseln. Ich laufe unablässig von einem zum anderen, von einer Sonnenliege zur nächsten. Ich serviere Kaffee, Bier und bringe den Kindern ein Eis. Ich kassiere die Gäste ab und freue mich über den guten Umsatz, meinem Chef wird das auch gefallen. Am Abend verabschiedet sich die Rothaarige extra bei mir, sie gibt mir ein ordentliches Trinkgeld und steckt mir dabei ihre Nummer zu. Ich bin schon gespannt, ob ich sie in den nächsten

Tagen wieder hier antreffen werde, denn ich werde sie nicht kontaktieren. So leicht mache ich es den Touristinnen nun auch wieder nicht, außerdem bekommen sie niemals meine Telefonnummer! An diesem Grundsatz hat sich nichts geändert. Aber sie wird schon wieder am Strand auftauchen, da bin ich mir sicher. Als wäre Poseidon den Frauen nachgelaufen, den menschlichen oder den göttlichen, denke ich und lache, während ich die Hütte für die Nacht vorbereite und abschließe.

Apoll

I

Zum Glück macht mir die Sommerhitze nichts aus. Also gönne ich mir eine kleine Pause, bevor das Mittagsgeschäft richtig losgeht, und ziehe mich in mein Zimmer zurück. Darin steht schon am Morgen die Luft. Ich öffne das Fenster einen Spalt. Es hat keinen Sinn, denn draußen weht nicht der Hauch eines Lüftchens. Und doch setze ich mich auf den Boden davor und lege mir den Gurt der Gitarre um die Schulter. Die Kopfhörer lasse ich diesmal weg, da um diese Zeit niemand mehr schläft. Sephi ist heute Morgen schon abgedüst, ohne dass ich sie zu Gesicht bekommen hätte. Und Costas räumt unten auf der Terrasse herum, wenn ich angestrengt lausche, kann ich ihn dabei hören. Die Noten fließen aus meinem Kopf, in meinen Arm, in meine Hand. Über meine Finger gelangen sie an die Saiten und als laute Töne wieder an meine Ohren - zurück in meinen Kopf. Ich liebe diesen stetigen Kreislauf. Die Melodie, die ich spiele, ist irgendwie abgehackt, andere würden sagen, dass sie unrhythmisch ist. Und doch fühle ich sie genauso. Der Klang erfüllt das ganze Zimmer, die ganze Wohnung, das gesamte Haus. Ich spiele und spiele.

Ein lauter Knall bringt mich zurück in die Realität. Meine Finger rutschen ab, ein hoher, schräger Ton fährt mir mitten in meinen Kopf. Was war das denn? Wahrscheinlich ein altes Auto. Ich nehme die Gitarre ab, hänge sie an ihren Platz an der Wand und will die Fensterläden schließen. Da knallt es erneut, dann faucht und knattert es. Ein Roller wird unter meinem Fenster gestartet. Jemand fährt los, wird schneller und immer kleiner. Ich könnte schwören, dass es Ilias auf seinem rostigen Vehikel gewesen ist. Doch was sollte der um diese Uhrzeit hier bei der Taverne machen? Ich schüttle die Gedanken an ihn ab, verschließe die Fensterläden und steige hinunter in die Küche.

II

Wir stehen zu dritt in dem aufgeheizten Raum, Papa ist auch da, er kann es nicht lassen! Der Gästestrom hält seit dem Mittag den ganzen Tag über beständig an. Tellerweise gehen die Mezze aus der Küche, der gegrillte Fisch und die Fleischspieße. Immer weiter, immer weiter. Ich liebe das. Keine Zeit, um sich mit unnötigen Gedanken die Laune selbst zu vermiesen. Keine Zeit, um ins Grübeln über andere Leute zu geraten.

Sephi arbeitet still neben mir, hat keine Fragen. Keine Ahnung, woher sie das Wissen und das Können nimmt, aber sie ist seit dem ersten Tag ein vollwertiges Mitglied unseres kleinen Teams. Sie erledigt alles, ohne zu zögern, macht nie Fehler, steht nie im Weg herum oder drückt sich vor irgendwelchen Arbeiten. In den kurzen Pausen, wenn die Gäste über ihren vollen Tellern sitzen, holt sie ein kleines Büchlein aus der Tasche ihrer Schürze, macht sich Notizen, schreibt alles auf, was ich oder Papa ihr in den letzten Minuten gesagt und gezeigt haben. Kommt ein neues Gericht dazu, fotografiert sie es mit ihrem Handy. Von Eva weiß ich, dass sie sich die Fotos bei ihr ausdruckt und sie dann in dieses Büchlein klebt.

Ich beobachte Sephi, die gerade geschnittene Tomaten, Gurken und Paprikaringe in tiefen Tellern schichtet. Oben drauf legt sie große Scheiben vom salzigen Schafskäse. Olivenöl aus der Flasche und etwas Oregano, aus dem Handgelenk geschüttelt, runden die Teller ab. Jeder von ihnen ist haargenau gleich, ist genau mit der Menge gefüllt, die ich ihr vorgegeben habe. Sie sieht konzentriert aus, viel zu konzentriert für diese einfache Aufgabe, die sie seit dem ersten Tag in unserer Küche ohne nachzudenken, erledigt. Ich tauche einen Löffel in die Zitronensoße auf dem Herd vor mir, rieche daran, koste. Dann nehme ich einen neuen Löffel, beuge mich zu Sephi und schiebe ihr die Köstlichkeit zwischen ihre zarten, rosigen Lippen, die sich heute immer ein wenig bewegen, so als würde sie mit sich selbst im Dialog stehen. In den letzten Tagen war ich nicht besonders nett zu ihr – ich weiß das. Und doch kommt sie mir ungewöhnlich still vor. Sie singt nicht einmal die Texte der Songs mit, die ich immer laut laufen lasse. Die sie zwar nicht mag, aber inzwischen auswendig kann. Sie scherzt nicht mit Papa, sie stellt heute kaum Fragen.

„Koste mal, irgendetwas fehlt noch…“, sage ich.

„Findest du?“

„Komm, probiere noch mal!“ Sie öffnet ihren Mund, schließt die Augen und lässt die sahnig-fruchtige Soße zwischen Zunge und Gaumen fließen. Ich lege meine Hand an ihre Hüfte, drehe sie ein wenig zu mir. Ich möchte nicht, dass sie böse auf mich ist.

„Es tut mir echt leid, dass ich in den letzten Tagen so doof war.“

„Ist mir gar nicht aufgefallen…“ Endlich lacht sie wieder. Ich nehme sie in den Arm, obwohl ich weiß, dass ihr das bei der Hitze am Herd unangenehm ist. Es gibt aber keinen Grund dafür, sie fühlt sich großartig an!

Sephi

I

Es ist viel stiller als sonst in der Küche der Taverne. Oder bin nur ich es, die nicht spricht? Ich bin mit meinen Gedanken an einem ganz anderen Ort. Zum ersten Mal, seit ich hier koche, bin ich nicht richtig bei der Sache. Die Arbeit läuft mir einfach so von der Hand, aber ich habe heute auch keine schwierige Aufgabe zu bewältigen, den Salat richte ich inzwischen mit angelegter Augenbinde an. Da ich aber sehen kann, bemerke ich Apoll, der Stück für Stück näher rückt.

„Die Soße ist perfekt!", sage ich zu ihm und lecke mir die Reste von den Lippen. Dann wende mich wieder meiner Aufgabe zu. Tomate, Gurke, Paprika - ich arrangiere weiter das frische Gemüse auf den großen Tellern, nicht zu viel, nicht zu wenig. Und hübsch aussehen soll es auch.

Was war denn das gerade? Ich bemerke, wie mein Herz einen kleinen Hüpfer macht, wie sich ein winziges Lächeln in meinem Gesicht ausbreitet. Ach, denke ich, ach Apoll. Und schon schwappt meine Gefühlswelt von fröhlich zu ein wenig schwermütig. Denn da sind wieder diese grünen Augen, sie platzen ohne Vorwarnung in meine Gedanken, schauen sich dort ausgiebig um und lassen mich einfach nicht mehr los. Und dann noch dieser wundervolle Kuss. Zum Glück hat uns niemand dabei beobachtet, denke ich. Aber ich hätte diesen Kuss auch um nichts in der Welt verpassen wollen.

Und jetzt? Jetzt würde ich gerne jemandem davon erzählen. Doch wem sollte ich, ohne mich in Grund und Boden zu schämen, berichten, dass ich den größten Schwerenöter von Poros geküsst hatte und es einfach unwiderstehlich gut fand? So unwiderstehlich gut, dass ich mich kaum von ihm lösen konnte. So unwiderstehlich gut, dass ich auf eine schnelle Wiederholung hoffte. Was ist nur los mit mir? Und was ist ausgerechnet jetzt mit Apoll los, der sich die letzten Tage immer von mir ferngehalten hatte? Männer, denke ich, ich werde sie nie verstehen und enträtseln können.

II

Und doch bemerke ich eine Veränderung im Raum. Die Stimmung in der Küche löst sich merklich, alles fühlt sich leichter an. Sogar die Hitze ist auf einmal besser zu ertragen. Wir legen zum Arbeiten eine andere Musik auf, diesmal sind es Christos' Lieblingslieder, die durch den Raum hallen. Und auch wenn er es nicht gerne hört, die schwermütigen griechischen Klänge sind so übertrieben schwülstig, dass ich davon schon fast wieder fröhlich werde. Niemand kann so sehr leiden wie griechische Musiker. Nicht einmal ich, denke ich, und schütte den Rest meiner trüben Gedanken mit dem Spülwasser in den Abfluss.

Wir singen jetzt alle laut mit, lachen und füllen Teller um Teller. Costas kommt kaum hinterher damit, all die Köstlichkeiten an unsere Gäste zu verteilen. Inzwischen hat sich tiefe Nacht über die kleine Insel gesenkt, ein winziger Lufthauch streicht durch die Küche. Oder bilde ich mir den jetzt ein? Draußen ist es stockdunkel, die Menschen sitzen bei Kerzenschein auf der Terrasse, genießen eines von Apolls atemberaubenden Desserts und einen letzten griechischen Mokka aus einem der alten Kupferkännchen. Die Stimmung ist friedlich und heiter. Von einem Boot schallt Party-Gelächter zu uns herüber und auch in der Bar von Alex sind die Lautsprecher voll aufgedreht. Es ist Sommerzeit, die Nächte sind jetzt heiß und kurz – und zum Feiern da!

III

Ich springe unter die Dusche, zum dritten Mal heute. Dass mir meine Haare bei dieser Hitze immerzu nass am Kopf kleben, daran habe ich mich längst gewöhnt. Es stört mich nicht einmal mehr. Doch dieses Gefühl, nicht atmen zu können, weil die Luft im Zimmer wie eine undurchdringliche Wand steht, wird wohl nie vergehen. So schnell wie möglich verlasse ich also die aufgeheizte Wohnung wieder. Auch, weil ich noch etwas vorhabe heute Nacht.

Ich bin mit Eva und Vanessa verabredet, wir treffen uns vor der Bar. Gerade wird ein kleiner Tisch frei, wir setzen uns, bestellen eiskalten Weißwein und stoßen miteinander an. Es ist zu unserer lieb gewonnenen Sommerroutine geworden, den Abend gemeinsam ausklingen zu lassen. Für Eva hatten längst die langen Sommerferien begonnen. Sie hilft ein wenig im Laden einer Tante aus und übt mit mir fleißig Konversation, ansonsten genießt sie ihre freien Sommertage. Ich hatte ein wenig gehofft, dass sie auch mir Ferien gönnen würde. Doch daraus wird wohl nichts, denke ich und muss lachen. Vanessa ist weiterhin tagsüber im Café am Kanal. Die Nachmittage und Abende verbringt sie mit ihrem kleinen Sohn, manchmal schauen die beiden dann in der Taverne für einen kurzen Besuch vorbei. Wenn seine Mama arbeitet, vertreibt Spiro sich die Zeit mit seinen fünf Cousinen bei der Oma. Er spielt, badet mit ihnen im Meer und bringt jede Menge Steine, Stöcke und Muscheln mit nach Hause. „Hier, ein Geschenk, das soll ich dir von einem jungen Verehrer überreichen", Vanessa grinst und reicht mir einen vom Wasser blank polierten, grauen Stein, der die Form eines Herzens hat.

Gegenüber von unserem Tisch setzen sich drei Männer hin. Erst auf den zweiten Blick bemerke ich, dass Ilias unter ihnen ist. Er nickt mir zu, lächelt mich gutgelaunt an. Im Licht der Kerzen wirken seine Augen viel dunkler, irgendwie unergründlich. Am Haus, dessen Fenster eine direkte Verbindung zum Tresen im Inneren der Bar darstellt, lehnt Apoll. Er schaut weg, als ich mich zu ihm umdrehe und tut so, als hätte er sich schon die ganze Zeit über mit Alex unterhalten, der von der anderen Seite im Fensterrahmen lehnt und auf die Straße blickt.

Ich versuche, mich auf das Gespräch mit meinen beiden Freundinnen zu konzentrieren. Es will mir nicht gelingen. Immer wieder hüpfen meine Gedanken von dem einen Mann zu dem anderen. Vom hell scheinenden, fröhlichen Apoll hin zum geheimnisvollen, düsteren Ilias. Fast kann ich die unterschiedliche Aura der beiden um sie herum erkennen. Okay, jetzt spielt mir meine Fantasie einen Streich! Doch in mir kribbelt alles, während Kopf und Bauch einen wilden Kampf austragen, für den es keine Lösung geben kann: Ilias, der ganz offensichtlich irgendwie Interesse an mir hat, steht für alles, vor dem ich zu Hause weggelaufen bin. Für die Sehnsucht, den Herzschmerz, für das Leid, das ich gerade erst überwunden hatte. Apoll hingegen, ja Apoll? Habe ich seine Annäherungen der vergangenen Stunden richtig gedeutet? Gibt es eine Chance für uns? Er ist genau, was ich suche, doch seine Zurückhaltung in den letzten Tagen lässt mir kaum noch Hoffnung auf ein gemeinsames Happy End. Aber was wäre, wenn es eine gemeinsame Zukunft für uns gäbe? Kann ich dann mein altes Leben in Deutschland ganz zurücklassen? „Du machst schon wieder den zweiten Schritt vor dem ersten", meine innere Stimme meldet sich genervt zu Wort, aber diesmal hat sie recht. Und doch beruhigt sich mein Herzschlag kaum. Mein Herz klopft wie wild in meiner Brust, während ich die beiden Männer beobachte. Und ich kann einfach nicht ausmachen, für wen es heftiger schlägt.

Ich verabschiede mich von Vanessa und Eva, es gibt nur eine Möglichkeit, wie ich heute noch Ruhe und inneren Frieden finden kann. Ich winke meinen beiden Freundinnen zu und mache mich auf den Weg in die Küche. Die liegt inzwischen ganz verlassen und dunkel da.

SCHOKOTRAUM

Zutaten für 12 Stücke

200 g Zartbitterschokolade | 300 g Zucker
5 EL Kakaopulver | 4 Eier | 1 Prise Salz
120 ml Pflanzenöl | 100 g Weichweizengrieß
70 g Mehl | 2 TL Backpulver | 200 g Schlagsahne
1 TL grobes Meersalz

So geht's

Sirup: 50 g Schokolade hacken. 250 ml Wasser mit 200 g Zucker 3 Min. kochen lassen, dann die Schokolade und 2 EL Kakaopulver darin auflösen. Zum Abkühlen zur Seite stellen.

Kuchen: Backofen auf 180 Grad vorheizen. Eier, 100 g Zucker, Salz schaumig schlagen. Öl hinzugeben, gut verrühren. Grieß, Mehl, 3 EL Kakao & Backpulver verrühren. Mischen. Teig in eine gefettete Form geben. Verteilen und für 25 Min. backen.

Mit einem Messer Löcher in den noch warmen Kuchen stechen und den Sirup großzügig darüber verteilen. Für etwa 1 h auskühlen lassen.

Guss: Restliche Schokolade hacken, Sahne aufkochen und darüber gießen, auflösen. Dann auf dem Kuchen verteilen. Abkühlen lassen, mit etwas Meersalz bestreuen. Wer mag, serviert den Kuchen mit etwas griechischem Joghurt. Die feine Säure passt ganz wunderbar (Foto: Seite 179).

Apoll

I

Im Haus ist es noch ruhig. Obwohl ich meine Augen kaum aufhalten kann, versuche ich, nirgendwo dagegen zu stoßen, um so wenige Geräusche wie möglich zu machen. Ich möchte niemanden aufwecken. Ich ziehe Hose und Kochjacke über und laufe die Treppe hinunter. Als ich die Tür zu unserer Tavernen-Küche öffne, schlägt mir der süß-herbe Duft von dunkler Schokolade entgegen. Es ist der Duft von Schokoladenkuchen, erkenne ich. Denn vor mir auf dem Tisch steht eine große, vollgefüllte Backform. Wo kommt denn der so überraschend her? Ich schaue mich um und kann niemanden entdecken. Ich kann nicht widerstehen und schneide mir ein großes Stück davon ab.

„Hey!", ruft es hinter mir. Ich drehe mich ertappt um. Antworten kann ich nicht, denn ich habe den Mund voller Kuchen. Es ist Costas, puh, der hat ihn bestimmt nicht gezaubert! Der kann ziemlich viel, aber Kuchen backen, das ist nicht sein Ding. Ebenfalls angelockt von dem betörenden Schokoladenduft ist er viel früher hier unten als gewöhnlich.

„Eigentlich wollte ich zum Schwimmen gehen. Aber was duftet denn hier so geil?"

„Kuchen", nuschle ich mit vollem Mund.

„Hast du den gebacken?"

„Nein, der stand heute Morgen einfach hier."

„Einfach?!“, er lacht schallend. „Und da hast du ihn ‚einfach‘ aufgegessen?“ Costas grinst über das ganze Gesicht, sein Silberblick irrt dabei umher.

„Gar nicht! Ich habe ihn nicht ‚ganz‘ aufgegessen. Ich habe nur ein winziges Stückchen probiert! Willst du auch mal kosten?“

„Klar will ich!“

Wir machen es uns mit Kaffee und Kuchen auf der Terrasse gemütlich. Die Kuchenstücke sind schnell in unseren Mägen verschwunden, der Kaffee dampft noch in den großen Tassen. So könnte jeder Tag starten!

„Euch geht es wohl zu gut hier am frühen Morgen!“, Papa ist der nächste, der auf der Terrasse auftaucht, sein Blick straft seinen tadelnden Ton Lügen. Und auch, dass er selbst einen Teller mit einem ziemlich großen Stück Schokoladenkuchen in seiner Hand hält.

„Setz dich, Boss!“

„Den musst du unbedingt probieren, Papa“, stöhne ich noch immer ganz verzückt. Süße Speisen sind meine heimliche Liebe in der Küche, aber so einen Kuchen habe ich selbst noch nicht hinbekommen. Da bemerke ich eine weitere Person, die im Halbschatten steht und uns drei beobachtet. Es ist Sephi. Sie hebt gespielt streng den Zeigefinger und schimpft uns alle aus. Die ganze Nacht hätte sie Kuchen gebacken und dann ist ruckzuck fast alles davon weg, noch bevor die Sonne richtig aufgegangen ist. Dabei strahlt sie über das ganze Gesicht. „Den musst du ab jetzt jede Nacht backen“, rufen wir drei wie aus einem Munde. Sephi lacht, schnappt sich die Reste vom Kuchen und verschwindet in ihren freien Vormittag. Sie sagt nicht, wohin sie geht. Und da spüre ich sie, die nagende Eifersucht, die sich langsam einen Weg von meinem Magen in mein Herz bahnt. Für wen hat sie mitten in der Nacht Kuchen gebacken?

Sephi

I

Da hat Ilias ja gerade noch einmal Glück gehabt, denke ich mir. Es sind genau zwei große Stücke vom Schokoladenkuchen übrig geblieben. Ich packe sie vorsichtig ein und mache mich auf den Weg zum Strand. Ich habe nicht sehr viel Zeit heute Morgen, aber ich möchte ihn zu seinem Namenstag überraschen.

Während der Fahrt habe ich keine Augen für die wunderschöne Landschaft um mich herum, auch wenn die Aleppo-Kiefern mich mit ihrem Duft locken. Diesmal brause ich in Windeseile über die Insel, über den Kanal, vorbei an Vanessa, die im Café arbeitet. Ich nehme den Weg ins Inselinnere, immer den Berg hinauf, um ein paar Kurven herum, dann passiere ich eine kleine Kapelle. Hier muss ich höllisch aufpassen, dass ich nicht zu früh abbiege, sonst lande ich wieder bei Poseidon, aber ich möchte ja zu Ilias an den Strand. Da ist es. Ich biege scharf rechts ein. Kurz darauf holpere ich mit dem Roller den steilen Pfad hinab ans Meer. Gleich bin ich da, gleich bin ich bei ihm. Vor mir erkenne ich schon die traumhafte Bucht. Das Wasser ist heute ganz seidig glatt und tiefblau. Ich parke den Roller und schnappe mir den Kuchen, wühle nach der kleinen Kerze, die sich irgendwo in meiner Tasche versteckt hat. Langsam schleiche ich über den Parkplatz, der bis auf Ilias' und meinen Roller völlig leer ist, dann umrunde ich die kleine Hütte, die ihm und seinen Kollegen als Bar und Küche dient. Da ist er. Er wischt gerade über die Tische, räumt die Reste von gestern weg. Noch hat er mich nicht bemerkt.

II

„Hi." Mehr bekomme ich in diesem Augenblick nicht heraus. Was ist, wenn er es doof findet, dass ich überraschend hergekommen bin? Ilias schaut irritiert auf, Verwunderung spiegelt sich in seinem Gesicht.

„Guten Morgen. Was machst du denn hier?"

„Ich, ich habe Kuchen für dich..."

„Für mich?" Jetzt strahlen seine grünen Augen.

„Zum Namenstag..."

„Echt? Das ist ja toll. Zeig her!"

Ich öffne die Dose, die Stücke sind von der rasanten Rollerfahrt etwas zerquetscht. Wie passend, denke ich, alles in meinem Leben ist früher oder später zerquetscht. Ilias scheint das gar nicht zu stören. Er rückt mir einen Stuhl zurecht und verschwindet in der kleinen Hütte. Ich höre ihn darin rumoren. Dann zischt es. Wenige Minuten später kommt er mit zwei Tellern, zwei Löffeln und zwei Tassen voller dampfendem Kaffee zurück zu mir.

„Schwarz und bitter für dich", er zwinkert mir zu, als er die Tasse vor mich auf den Tisch stellt. „Das ist mal eine tolle Überraschung."

Ich verteile die beiden Kuchenstücke auf die Teller, auf seines stecke ich die kleine Kerze, die sich endlich angefunden hat. Ilias zückt sein Feuerzeug und zündet sie an. Und so sitzen wir da, schauen uns in die Augen. Keiner sagt ein Wort, die Wellen, die gemächlich an Land rollen, sind unsere Musik. Irgendwo in der Ferne singt ein Vogel sein Morgenlied. Ilias nimmt den Löffel und probiert den ersten Bissen vom Schokoladenkuchen: „Mhm, Schokolade und Meersalz. Diese Mischung mag ich am liebsten." Er verdreht die grünen Augen zum Himmel. Diesmal aus einem anderen Grund als sonst, diesmal ist sein Blick schwärmerisch und voller Genuss. Auf diese Art habe ich ihn noch nie zuvor gesehen. Und ich meine, eine andere Person zu erkennen. Einen Ilias, den es vielleicht einmal gegeben hat.

Uns bleiben nur wenige Augenblicke der Zweisamkeit, denn schon treffen die ersten frühen Gäste am Strand ein. Sie breiten ihre Handtücher auf den Liegen aus, schlüpfen in ihre Badesachen. Ein Vater bläst ein überdimensionales, pinkes Einhorn auf. Seine kleine Tochter hüpft währenddessen um ihn herum und kann kaum erwarten, dass ihr verrücktes Spielzeug einsatzbereit ist. „Ich muss jetzt leider arbeiten...", sagt Ilias. Und ich nicke, auch mir bleibt keine Zeit mehr, ich muss zurück in die Küche. Er bringt mich zu meinem Roller. Als wir dort stehen, streiche ich ihm durch den Bart, der ein wenig gestutzt aussieht.

„Was ist denn mit der Wolle passiert?"

„Zum Namenstag. So sehe ich wieder ein wenig mehr wie ein Mensch aus..." Er nimmt mich fest in den Arm, „danke für die schöne Überraschung", flüstert er. Er küsst mich. Dann dreht er sich langsam um, hält noch einen Moment lang meine Hand und verschwindet zu seinen Gästen, die ihn sehnsüchtig erwarten. Als ich mich auf meinen Roller setze und ihn gerade starten möchte, biegt ein Auto auf den Parkplatz ein. Es ist Eva, sie hat ihre kleine Nichte dabei.

„Was machst du denn hier?", ruft sie mir aus dem geöffneten Fenster zu.

„Ich bin schon wieder auf dem Sprung. Ich habe nur Kuchen vorbeigebracht."

„Kuchen?" Inzwischen hat sie das Auto eingeparkt. Die Kleine schnappt sich ihren Rucksack und ist längst auf dem Weg zum Wasser, als wir noch kurz ein paar Worte wechseln.

„Ilias hat heute seinen Namenstag", sage ich und merke, wie mir die Röte ins Gesicht schießt.

„Und da bringst du ihm Kuchen?"

„Ich habe eh gebacken..."

„Ah, so ist das. Sieh dich vor Ilias vor, Sephi. Bitte! Aber lass uns später darüber sprechen, ich muss los, sonst ertrinkt mir das Kind noch..." Eva schaut besorgt aus. Ob wegen der kleinen, süßen Tochter ihres Bruders Alex oder wegen mir und Ilias, das kann ich nicht so genau aus ihrem Gesicht ablesen. Jetzt ist sie es, die mich fest in den Arm nimmt. Dann dreht sie sich um und läuft mit schnellen Schritten auf den Strand zu, kurz darauf winkt sie noch einmal. Schließlich ruft sie der

Kleinen etwas zu, spricht kurz mit Ilias. Doch die beiden sind viel zu weit weg, als dass ich hätte verstehen können, was sie miteinander zu reden haben. Ich schmeiße meinen Roller an und brause los, den steilen Berg hinauf.

AUGUST

„Die Hoffnung ist ein Wachtraum."

Aristoteles (384 – 322 v. Chr.)

Sephi

I

Niemals hätte ich geglaubt, einmal in diese eigenartige Lage zu geraten. Ausgerechnet ich, die die meisten Männer nach dem ersten Date nicht wiedersehen wollten. Und jetzt: Zwei Männer – und ich habe die Qual der Wahl. Zwei Männer, beide sind so verschieden wie Sommer und Winter. Beide sind auf ihre Art besonders. Doch so funktioniert das mit der Liebe nicht, so darf das nicht sein. Niemals würde ich einem von beiden das antun, was mir zu Hause angetan wurde. Doch welcher ist denn nur der Richtige? Welcher ist der für die eine wahre Liebe?

„Autsch!"

„Was ist passiert?", Apoll schaut mich erschrocken an.

„Ich habe mir in den Finger geschnitten, wie blöd von mir!"

„Zeig her!" Er nimmt ganz vorsichtig meine Hand zwischen seine Hände, begutachtet den Schnitt genauer.

„Er ist zum Glück nicht sehr tief. Ich glaube nicht, dass du damit zum Arzt gehen musst." Wir laufen gemeinsam hinüber zum Waschbecken, noch immer ruht meine kleine Hand zwischen seinen großen. Er dreht den Wasserhahn auf und lässt kühlendes Nass über meinen Finger fließen. Während ich ihn schließlich abtrockne, holt er das Desinfektionsspray aus dem Schränkchen und ein Pflaster. Es sind kleine Einhörner darauf abgebildet. Und obwohl der Finger noch höllisch schmerzt, muss ich lachen. Apoll stimmt mit ein: „Die sind von Alex' kleiner Tochter. Die hat sie mir geschenkt, als ich einmal keine hatte… Ich habe ganz vergessen, dass ich noch ordentliche Pflaster kaufen muss."

„Es wird schon gehen", antworte ich, „wer hätte nicht gerne ein Einhornpflaster um den Finger."

„Ist alles in Ordnung mit dir?"

„Ja, es ist alles in Ordnung…" Wie könnte ich ihm auch sagen, dass mir die letzten gemeinsamen Tage in der Küche sehr gut gefallen haben, ich aber trotzdem immer an Ilias und seine grünen, mich durchdringenden Augen denken muss. Hinter diesen Augen ist eine Geschichte verborgen, die ich nicht kenne, die er mir noch nicht erzählt hat, während es mir gleichzeitig so vorkommt, als könne er in meinem Gesicht wie in einem Buch lesen.

Apoll und ich waren zuletzt viel allein in der Küche. Für Christos ist es zu heiß und zu anstrengend inzwischen. „Koritsi mou, ich bin dir so dankbar. Wie kann ich dich je wieder gehen lassen?", hat er mich gestern Abend gefragt. Ich kann noch immer kaum glauben, dass ich inzwischen ein Teil dieser großartigen Familie bin. Dass ich von so vielen Menschen geliebt werde. Umso schlimmer ist es für mich, Apolls zarten Annäherungen ausweichen zu müssen, weil ich ihn nicht verletzen möchte. Weil ich weiterhin ein Teil seiner Familie bleiben möchte. Es fühlt sich wieder an, als würde ich in das Dunkel hinabsteigen müssen, aber diesmal bin ich es, die den Schmerz für den andern mitbringt. Das ist kein angenehmes Gefühl.

„Komm, mach Schluss für heute. Es ist eh nicht viel los. Ich kümmere mich um den Rest", Apoll beobachtet mich, wie ich mit meinem verletzten Finger tapfer weiter hantiere, und hat Mitleid.

„Bist du sicher?"

„Klar! Genieß den Sommerabend, du schuftest eh viel zu viel bei uns."

„Du weißt, dass ich es liebe. Und dass es mir gar nicht zu viel ist."

„Natürlich weiß ich das", Apoll lächelt milde.

II

Hast du Zeit? Willst du zum Strand kommen? Es ist ruhig heute Abend, wir könnten ein bisschen reden…

Ich bin keine Sekunde aus der Küche raus, da vibriert mein Handy. Es ist Ilias. Soll ich? Kann ich? Ausgerechnet jetzt, wo Apoll mich von der Arbeit befreit hat und er allein in der Küche schuftet? Der Widerstreit in meiner Brust ist kaum zu ertragen, doch ganz tief in mir rührt sich etwas. Es ist diese Sehnsucht nach Wärme, nach Nähe. Sie wurde neu entfacht durch einen Kuss…

Ich komme!

Es fühlt sich an wie eine Ewigkeit, dabei sind es nur ein paar Minuten, bis ich umgezogen bin und losfahren kann. Nur noch ein paar weitere Minuten bis ich an der richtigen Abzweigung bin, und dann holpere ich in totaler Finsternis den Pfad hinunter. Ich muss den Roller zügeln. Ich muss mich selbst zügeln, damit ich nicht immer schneller werde. Damit ich vorsichtig genug fahre, um sicher um die Kurven zu gelangen und den gemeinen Schlaglöchern auszuweichen. Auf halbem Wege kommt mir ein Auto entgegen, seine Scheinwerfer blenden in meinen Augen, es folgen drei Roller, dann noch ein Wagen. Als ich unten ankomme, packen gerade die letzten Gäste zusammen, lachend schwingt sich ein Paar auf ein imposantes Motorrad, eine Gruppe Jugendlicher steigt in einen offenen Jeep. Der Platz wird von lauten Stimmen und noch lauteren Motorengeräuschen überflutet. Menschen und Maschinen umschwirren mich wie die Motten das Licht. Blitzende Scheinwerferkegel irren durch die Dunkelheit, um Kurven und über Kuppen. Dann, ganz plötzlich, ist alles still. Nur das leise Rollen der Wellen an den Strand dringt bis zu mir vor. Ich stehe wie angewurzelt auf dem staubigen Parkplatz. Bin allein, über mir sind nur der Mond und die Sterne. Die Nacht ist wunderbar warm. Da bewegt sich ein Schatten, gleich drüben bei der Hütte. „Habe ich doch richtig gehört, dass du gekommen bist." Ilias tritt ins fahle Licht des Mondes. Ich kann ihn kaum erkennen. „Komm her!" Ich löse mich aus meiner Starre, laufe die wenigen Schritte zu ihm, fliege förmlich in seine Arme. „Es ist so schön, dich zu sehen", flüstert er rau, bevor seine Lippen nach meinen suchen.

Wir setzen uns auf eine der Sonnenliegen am Strand, zunächst nebeneinander. Unsere Beine berühren sich, er nimmt meine Hand. Dann lehnt sich Ilias an die hochgestellte Lehne, hebt ein Bein hinüber auf die andere Seite der Liege. Ich mache es ihm nach, rücke ein wenig nach hinten und schmiege mich mit dem Rücken an seine Brust. Seine Arme umfangen mich, halten mich an der Taille fest. In einem kleinen Eimer, der neben uns am Boden steht, liegen Bierflaschen auf Eiswürfeln. Ein paar dicke Kerzen stecken im Sand und werfen geisterhafte Schatten. Wir bemerken es kaum, wir mögen auch nichts trinken. Wir sitzen einfach nur da, ganz nah beieinander und schauen aufs Meer. Da draußen ist es furchtbar dunkel, der schmale Ausgang der Bucht ist nur mit Mühe und Not zu erkennen. Kann es sein, dass in der Ferne eine kleine Yacht im Wasser schaukelt?

„Kannst du dort etwas erkennen?", ich flüstere, obwohl niemand hier bei uns ist, und zeige dorthin, wo ich das Schiff vermute. Der Berg in unserem Rücken und die steilen Felsen, die die Bucht umrunden, beschützen uns, trennen uns ab von allen anderen Menschen. Trennen uns ab von der ganzen Welt. Hier sind wirklich nur wir zwei. „Ich glaube, das ist nur der Mond, der sich im Wasser spiegelt. Bei Vollmond könnte man mehr erkennen, aber dann wäre hier auch mehr los."

„Möchtest du lieber, dass mehr los ist?", frage ich und kann das ängstliche, zweifelnde Mädchen in mir nur mit großer Mühe in Schach halten. Ich dachte, ich hätte sie längst hinter mir gelassen, ich hatte sie tatsächlich fast vergessen.

„Nein, Sephi, das will ich nicht. Ich bin froh, dass du nicht arbeiten musst, es ist ja nicht dein freier Tag. Ich bin froh, dass du zu mir gekommen bist."

„Ich habe mir in den Finger geschnitten und wurde in den Feierabend geschickt", ich halte ihm den Finger dicht vor die Augen, damit er überhaupt etwas erkennen kann und lache.

„Habe ich ein Glück!" Ilias nimmt meine Hand, pustet auf meinen verletzten Finger und zieht mich dann noch ein wenig näher zu sich heran. Es fühlt sich gut an, und so als würde ich ihn schon ewig kennen, als gäbe es keinen Menschen auf der Welt, mit dem ich hier sonst so nah sitzen könnte. Keinen, denke ich. Dabei spüre ich ein bisschen Wehmut in meinem Herzen. Kann ich Apoll wirklich aus meinen Gedanken gehen lassen? Kann ich meine Gefühle für ihn vergessen, sind diese Gefühle stärker, die ich jetzt gerade in mir habe? Ich schmiege meine Wange an seine, Ilias Bart kitzelt mich leicht am Ohr. Es fühlt sich unglaublich an. Und da weiß ich, für wen mein Herz schlägt.

„Sephi?"

„Ja?"

„Ich muss dir etwas sagen."

„Ja?"

„Du bist nicht die erste Frau, mit der ich hier am Strand bin…"

„Ich weiß, ich wurde gewarnt", es ist nur ein Flüstern, das aus meinem Mund kommt.

„Ja, ich weiß. Und sie haben mit allem recht, ganz egal, was sie dir über mich und die Touristinnen erzählt haben."

„Was einmal war, ist mir nicht wichtig. Dass du mich richtig verstehst, es ist mir nicht völlig egal, was für ein Leben du führst. Aber ich würde gern verstehen, warum du so bist. Und warum du heute mit mir hier bist, außer um...", die letzten Worte bleiben in meinen Gedanken stecken. Denn Ilias unterbricht mich, er hält mich noch ein bisschen fester.

„Ich habe dich gefragt, ob du kommen möchtest, weil mir dieser Ort viel bedeutet und weil ich dir etwas erzählen will. Etwas, das außer meiner Familie niemand so genau weiß, die allermeisten haben gar keine Ahnung davon. Ich bin mir nicht sicher, ob es dir ausreichend erklären kann, warum ich so bin, wie ich bin. Oder ob es ein Grund sein kann. Aber es ist der Grund dafür, dass ich nicht mehr ans Glück glaube, dass ich nicht mehr an die Liebe glaube."

„Aber ich glaube an die Liebe..."

„Ich will dir nicht wehtun, wie ich anderen Frauen schon wehgetan habe. Und ich weiß genau, dass du nicht für diese eine Art von Spaß zu haben bist."

Mein Herz schlägt mir bis zum Hals: „Erzähl mir deine Geschichte! Erzähl mir bitte von dem Geheimnis hinter deinen grünen Augen, bitte!"

„Das kann aber etwas dauern... Wir werden verhungert sein, bis ich mit meiner Vergangenheit fertig bin!"

„Dann lass mich etwas für uns kochen, während du mir deine Geschichte erzählst. Ich kann eh viel besser denken und fühlen, wenn meine Hände beschäftigt sind, wenn ich koche..."

„Okay, gut. Aber ich weiß gar nicht, was wir gerade noch in der Küche haben?!"

„Komm", sage ich und richte mich von der Sonnenliege auf, „lass uns nachschauen!"

In der kleinen Hütte ist es sehr viel enger als in der Küche der Taverne. Aber es gibt alles, was man so braucht, um gut zu kochen: einen Herd, eine Arbeitsfläche, Töpfe, Messer und einen Stuhl an einem kleinen Tisch. Während ich Kühl- und Vorratsschrank durchforste, gießt Ilias uns eisgekühlten Weißwein in Gläser mit einem grob geschliffenen Muster ein. Dann setzt er sich an den Tisch, räuspert sich und beginnt, mit leiser, rauer Stimme von seiner Vergangenheit zu erzählen:

„Ich war so jung damals. Voller Energie und Lust aufs Leben. Und völlig unbedarft. Während der Schulzeit tat ich mich schwer mit Mädchen, nur mit einer habe ich geknutscht, ein bisschen gefummelt. Aber nicht mehr. Mein Kopf war voller Flausen, Mädchen hatten eigentlich gar keinen Platz darin. Einmal sind meine Freunde und ich abgehauen, wir sind heimlich nach Athen gefahren. Wir wollten endlich Fußball in einem richtigen Stadion anschauen, auf ordentliche Partys gehen und endlich Alkohol trinken, ohne die strengen Blicke unserer Eltern auf uns zu fühlen. Für Mädchen wäre ja später immer noch Zeit, irgendwann, wenn wir erwachsen sind. Erwachsen. Das klang für mich wie das Ende meines Lebens.

Nach der Schule kam der Militärdienst, da wurden uns die Flausen ausgetrieben. Als ich nach diesen harten Monaten wieder hier auf der Insel ankam, dachte ich, ich sei endlich ein Mann geworden, nichts konnte mich jetzt mehr aufhalten. Meine Zukunft lag vor mir, alles war möglich für mich. Und ich hatte einen Plan! Ich wollte studieren, am liebsten Fotografie. Ich erinnere mich wie heute an die Gespräche mit meinen Eltern, den Streit, die Angst, dass ich als armer Künstler enden würde. Dass sie mich für den Rest ihres Lebens durchfüttern müssten. Wir einigten uns schließlich auf die Technische Universität in Chania. Ich würde zwar die Insel verlassen und studieren, aber so hatte ich mir das ganz und gar nicht vorgestellt. Meine Eltern, eigentlich meine Mutter, einigte sich mit sich selbst auf ein sinnvolles Studium, ich hatte gar keine Chance auf einen Widerspruch…"

Kreta, 10 Jahre zuvor

Er steht in der winzigen Küche hinter dem strahlend weißen Vorhang, den seine Mutter genäht und für ihn aufgehängt hat. Wie sie überhaupt alles für ihn organisiert und vorbereitet hat, damit er sorgenfrei in sein Studium auf der Insel Kreta gehen kann. Auch diese winzige Wohnung in der Altstadt von Chania hat sie ihm besorgt, irgendeine alte Freundin, die in Iraklion eine Cousine hat, die jemanden kennt... Er weiß es nicht mehr so genau und es interessiert ihn eigentlich nicht besonders. Die ganze Wohnung ist winzig, die einzigen zwei kleinen Fenster - eines in der Küche, eines im Wohnraum - zeigen in einen düsteren Hinterhof. Man kann das Meer von hier aus nicht sehen, aber den Hafen schon riechen. Kaum ein Sonnenstrahl dringt hinein, erhellt den düsteren Hof, wahrscheinlich noch nicht einmal im Hochsommer, denkt er und verdreht die Augen.

Doch dann verdrängt er die Gedanken an seine Mutter und sein Elend und richtet seinen Blick wieder auf die schöne Blonde, die in der Wohnung gegenüber lebt. Sein kleines Küchenfenster mit dem weißen Vorhang liegt vis-à-vis von ihrem Schlafzimmer, das ganz ohne Sichtschutz auskommt. Ihr Anblick macht ihn sofort scharf, lässt seine Hormone in Wallung geraten. Seine Erektion ist auf den Punkt da und reibt sich am rauen Stoff seiner Jeans. Zuvor auf seiner kleinen Heimatinsel hatte er nur einmal mit einem Mädchen geknutscht. Sie hatten etwas gefummelt, unbeholfen und nichts, was ihm lange in Erinnerung geblieben war. Aber sie, sie würde ihm bestimmt für immer in Erinnerung bleiben.

Plötzlich steht sie an ihrem Fenster, streckt sich. Präsentiert ihm ihre vollen Brüste, die mühsam vom Stoff ihres hellen Kleides verhüllt werden und sagt: „Warum schaust du immer nur? Willst du nicht hinüberkommen?“ Aus ihrer rauchigen Stimme spricht die pure Verheißung. Doch erst einmal werden nur seine Ohren heiß, seine Erektion löst auf der Stelle auf. Sie hat mich gesehen, heute zum ersten Mal, schon die ganze Zeit? Der Schreck fährt ihm in alle Knochen.

Er erholt sich ziemlich schnell von dem Schreckmoment, alles an ihm erholt sich. In den kommenden Tagen und Wochen verbringt er sehr viel Zeit mit ihr in ihrer ebenfalls kleinen Wohnung. Sie bringt ihm bei, was sich Frauen von Männern wünschen. Wie man sie richtig berührt – mit Worten, mit Händen, mit Lippen. Er genießt es, ihre weiche Haut mit seinen Fingerspitzen sanft zu streicheln. Die Hitze zwischen ihren Schenkeln mit ihnen zu erkunden. Er küsst sie an ihrem ganzen Körper. Ein Geschmack, den er für immer und einen Tag auf seinen Lippen schmecken würde.

Und sie führt ihn noch in etwas ganz anderes ein. Nach dem Sex, wenn er sich entspannt auf den Rücken rollt, wenn sein Herz von der Anstrengung rast und sein Atem schnell geht, dann setzt sie sich im Bett auf, zündet sich einen Joint an, zieht gierig daran und lässt den Rauch durch ihren ganzen Körper strömen. Er selbst raucht auch. Zigaretten, natürlich. Aber mit Drogen - welcher Art auch immer - hat er bis zu diesem Tag noch keine Erfahrungen gemacht. Auf der kleinen Insel sind die nicht so leicht zu bekommen. Und die wenigen Male, die er mit seinen Freunden durch Athen gestromert war, hatten sie andere Sachen im Kopf. Dann folgte seine Militärzeit. Sein Vorgesetzter hätte ihn in die Isolationszelle der Kaserne gesteckt, hätte er so etwas mitbekommen.

Sie ist es, die ihn auf den Geschmack bringt. Erst zieht er nur einmal probeweise. Der Hustenanfall, der folgt, ist überwältigend. Dann teilen sie sich den Joint jedes Mal, nachdem sie miteinander geschlafen haben. Später besorgt er ihr und sich das Gras an der übelsten Straßenkreuzung der kleinen Stadt, an der er auf dem Weg zur Universität vorbeigeht. Wobei er meist nicht viel weiter als bis an genau diese Straßenkreuzung und in das Café gegenüber kommt. Hier trinkt er erst einen süßen, starken Kaffee, später kauft er gleich noch ein paar Flaschen Bier dazu. Er kratzt für sie die Reste des Geldes zusammen, das ihm seine Eltern für den Lebensunterhalt in die Fremde schicken, um den Stoff zu bezahlen und den Alkohol. Und nach einiger Zeit versorgt er sie komplett damit. Sie hingegen bezahlt ihn mit ihren Reizen dafür. Ein ziemlich guter Deal, wie er denkt. Wenn er keine Verabredung mit ihr hat, dann liegt er allein auf seinem Bett, verzehrt sich nach ihr, ihrem weichen Körper und malt sich in den schönsten Farben aus, wie ihre Zukunft aussehen wird. Ein Rausch der heißen Gefühle, der niemals endet.

Allerdings kommt es jetzt immer häufiger vor, dass er allein in seinem Bett liegt. Sie schickt ihn weg, wenn er bettelnd an ihrer Tür erscheint. Sie erzählt ihm von wichtigen Terminen oder sagt ihm ganz offen, dass sie keine Lust auf ihn hat. Ein Tag ist für ihn zu dieser Zeit wie der andere. Er schwankt zwischen Euphorie und Düsternis. Alles verschwimmt im Rausch ihrer Sexualität und der Drogen, die jetzt immer häufiger auch stärker ausfallen, je nachdem, was der Dealer an der Ecke für ihn dabei hat. Er weiß nicht mehr was letzte Woche war oder gestern erst, doch diesen einen Mittwochnachmittag, den wird er niemals in seinem Leben vergessen.

Er ist nervös, sein Atem geht schnell, als er heftig und laut an ihre Tür klopft. Sie muss ihn einfach einlassen! Er schaut sich vorsichtig um, vielleicht ist ihm doch jemand hierher gefolgt? Es ist nicht so easy, den Stoff zu besorgen. Die Polizei macht ordentlich Jagd auf Verkäufer und Käufer. Auch diesmal musste er den Dealer erst suchen, da er sich nicht an der gewohnten Straßenecke aufhielt. Gerade als er die Scheine übergeben will und den Stoff einsteckt, hört er in seinem Rücken eine laute Sirene aufheulen. Wie ein angeschossenes Reh sprintet er los. Er springt über Mülltüten, die vor einer Tavernentür liegen, biegt von einer kleinen, schmutzigen Gasse in eine andere ab. Dann läuft er in eine weitere und über die nächste Kreuzung. Als er sich umdreht, vorsichtig schaut, bemerkt er, dass er ganz alleine ist. Niemand ist hinter ihm, niemand ist ihm gefolgt. Kein Dealer. Keine Polizei. Der Schweiß rinnt ihm über den Rücken, tränkt sein T-Shirt mit dem Logo seines Lieblingsfußballvereins. Er nimmt nun den schnellsten Weg zu ihr und blickt sich dabei immer wieder ängstlich um. Ist er den Bullen wirklich entkommen? Langsam fühlt er sich etwas sicherer. Da öffnet sie ihm die Tür. Lässt ihn herein, bleibt aber mit ihm in dem kleinen, vollgestellten Flur stehen. Versperrt ihm den Weg zu ihrem Schlafzimmer mit ihrem großen, weichen Bett.

„Hast du was bekommen?"

„Ja." Er holt das kleine, dicht gepresste Päckchen aus der Hosentasche und zeigt es ihr.

„Gut", sie nimmt ihm das Päckchen aus der Hand, steckt es in die Tasche ihres Kleides, das seine Sehnsüchte, die darunter durchscheinen, nur wenig verbirgt. „Ich habe heute leider gar keine Zeit für dich. Du musst direkt wieder abhauen!" Ihr Ton wirkt angespannt, aber bestimmt. Sie drängt ihn mit ihrer weichen Hüfte, die von dem seidigen, dünnen Stoff umhüllt ist, in Richtung der Tür, hinter der er wieder nur alleine sein würde. Sie öffnet diese und schiebt ihn mit einer schnellen Bewegung hinaus. Die Tür fliegt vor seiner Nase mit einem lauten Knall ins Schloss. Er steht in dem miefigen Hausflur wie ein begossener Pudel. Ohne das Gras. Ohne sein Geld. Ohne den Sex, den er so dringend brauchte. Auf dem Treppenabsatz kommt ihm der schwammige Hausmeister entgegen, sie haben selten miteinander zu tun, doch diesmal schaut der ihn durchdringend, fast wütend aus seinen winzigen Schweineaugen an.

Wie ein geprügelter Hund schleicht er in seine winzige, düstere Wohnung. Als Erstes duscht er sich den Angstschweiß von seinem Körper, dabei wird er immer wütender. „Was ist denn mit der Alten los? Warum lasse ich mich von der so behandeln? Und warum zur Hölle nimmt die mir mein Gras ab, für das ich fast im Knast gelandet wäre?“, schimpft er laut vor sich hin. Dann kommt er in seine enge Küche, schaut durch den weißen Vorhang, der inzwischen gar nicht mehr weiß ist, direkt in ihr Schlafzimmerfenster. Was er dort sehen muss, lässt sein verliebtes Herz in tausend Teile zerspringen.

Sie ist gerade in vollem Gange, ihr ganzer Körper zittert und bebt. Das seidige Kleid nachlässig nach oben geschoben, kniet sie auf ihrem Bett. Ein schwerer, dunkler Typ mit haarigem Rücken kniet hinter ihrem prallen Hintern und stößt wuchtig und anhaltend in sie hinein. Sein wabbeliger Hintern wackelt bei jedem Stoß. Ihre lustvollen Schreie sind in dem kleinen, düsteren Hof mehr als deutlich zu vernehmen. „Ich komme, ich komme, ich komme“, schreit sie und er stöhnt derweil wie ein röhrender Hirsch. Als die beiden endlich fertig sind und der Typ sich umdreht, erkennt er in ihm den schwammigen Hausmeister. Als der Hose und Unterhemd anzieht und geht, liegt sie in ihrem großen Bett und zündet sich eine riesige Tüte an.

Zwinkert sie ihm etwa durch das geöffnete Fenster hindurch zu? Klar zwinkert sie! Er weiß genau, dass sie ihn hinter dem Vorhang, den seine Mutter am Tag des Einzugs aufgehängt hatte, schon längst vermutet, schon längst entdeckt hat. Mit einem lauten Knall zieht er die Fensterläden zu, trocken gewordene Farbe blättert dabei von ihnen ab und schwebt vor ihm zu Boden. Er rutscht an der Wand hinunter auf den kalten Fliesenboden, der schon ewig nicht mehr gewischt worden war. Sein Gesicht ist binnen Sekunden tränennass. Sein Herz wummert gegen seine Brust und die Wut, die er fühlt, ist überwältigend groß.

In den nächsten Tagen verkriecht er sich in seiner stickigen Studentenbude. Die Fensterläden hält er rund um die Uhr geschlossen. Durch ihre Ritzen fällt hin und wieder ein dünner Lichtstrahl in die winzige Küche. In ihm tanzt der Staub. Er trinkt das letzte Bier, findet im Küchenschrank zwischen den unbenutzten Töpfen ein paar Pillen, die er dort ganz vergessen hat. Er duscht nicht mehr und kämmt sich auch nicht die struppigen, schwarzen Haare. Sein voller Bart sprießt und sprießt und steht ihm in alle Himmelsrichtungen ab. Bald würde man gar nichts mehr von seinem zuvor so sanften und liebevollen Gesicht erkennen können. Gut so! Wie weit er mit seiner Naivität gekommen ist, weiß er ja jetzt! Das Selbstmitleid kriecht aus allen seinen Poren und verpestet die Luft in der Wohnung: „Was habe ich mir nur dabei gedacht? Was sollte so eine Frau von einem wie mir wollen? Warum bin ich nur so bescheuert und gebe ihr meinen ganzen Stoff?" Auch wenn er die Fragen laut in die Küche ruft, bekommt er auf keine eine Antwort zurück. Sein Kopf ist leer, sein Herz weint bittere Tränen.

Als es zunächst zaghaft an seiner Tür klopft, reagiert er nicht. Doch der Klopfer bleibt hartnäckig, schlägt jetzt immer fester an. Und so rafft er sich auf, geht zur Tür und lässt er seinen Kumpel hinein, der eine Etage über ihm in dem Haus wohnt und sich wohl seit einigen Tagen Sorgen um ihn gemacht hat.

„Was ist denn mit dir los?", sein Freund verzieht das Gesicht, als er ihn so ungewaschen und ungekämmt sieht und den durchdringenden Mief in der verdunkelten, dreckigen Bude riecht.

„Nichts."

„Du bist ja eh nicht so wahnsinnig oft an der Universität, aber jetzt habe ich dich schon seit einer ganzen Woche nicht gesehen. Und Blondie von gegenüber hat im Hausflur nach dir gefragt..."

Er reißt die grünen Augen, unter denen tiefe Schatten liegen, weit auf. Konnte das wirklich sein? Sie hat nach ihm gefragt? Ein bisschen Leben kehrt in seinen schlaffen Körper zurück.

„Sie wollte wissen, ob du letztens genug von der geilen Show gesehen hast...", sein Freund lacht schallend, denn auch er erinnert sich lebhaft an die spitzen Lustschreie, die aus dem offenen Fenster quer durch den Innenhof gedrungen waren. Die junge Mutter, die ihm gegenüber wohnt, hatte ihrer kleinen Tochter vor Schreck beide Ohren zugehalten.

Und dann kommt nach und nach ans Licht, was er längst hätte ahnen müssen. Was er sich in den letzten Tagen allein im Dunkeln sitzend in seinem Kopf so düster und niederschmetternd ausgemalt hat. Nur ist alles noch viel schlimmer. Seine sexy Nachbarin hatte bereits seit Jahren ein Verhältnis mit dem Schwamm mit den Schweineaugen, für ihre Miete. Doch der Hausmeister wurde ein wenig zu besitzergreifend. Er wollte mehr für sein Geld, als sie zu geben bereit war. Also forderte er dies mit einem Schlag in ihr süßes Gesicht ein. Fast eine Woche lang lief sie mit einem Veilchen unter der riesigen Sonnenbrille umher. Doch das ließ sie sich nicht so einfach gefallen. Sie nutzte lieber die Gelegenheit, sich den unbedarften Jungen anzulachen, der gerade erst gegenüber eingezogen war, sich dabei von seiner Mama helfen ließ - und von all dem, was im Haus bisher vorging, noch keine Ahnung hatte. Mit ihm wollte sie den Hausmeister richtig eifersüchtig machen. Doch als er ihr dann auch noch das Gras kostenlos bis nach Hause, bis in ihr Schlafzimmer, in ihr Bett lieferte, steckte sie in einem Dilemma. Sie entschied sich dafür, ihn noch ein wenig länger, als ursprünglich beabsichtigt unter ihre Decke zu lassen. Es ist ja nicht so, dass sie keine Freude an seinem jungen, muskulösen Körper hatte. Ganz im Gegenteil! Doch als der Hausmeister dann wieder auf ihrer Matte stand, sich reumütig zeigte und sie es langsam mit der Angst zu tun bekam, dass sie ihre kostengünstige Wohnung verlieren würde, wenn sie ihm weiterhin so unverschämt Hörner aufsetzte, musste der junge Kerl augenblicklich weichen. Da kannte sie kein

Pardon. Im Haus hatten das längst alle Mieter gewusst. Sie alle hatten die Dreiecksgeschichte aufmerksam aus ihren Fenstern zum dunklen Hof beobachtet. Die alten Damen aus dem Erdgeschoss hatten sich im Hausflur das Maul über das Flittchen und den dummen Studenten zerrissen. Doch niemand hatte ihn gewarnt, nicht einmal sein sogenannter Freund.

Für ihn bricht eine Welt zusammen - und seine Zukunft, auch wenn er das in diesem Moment noch nicht ahnen kann. Er lässt sich nun gar nicht mehr an der Universität blicken. Er zieht mit üblen Typen um die Häuser, die er beim Graskaufen kennengelernt hat. Sie rauchen zusammen, trinken schon am Mittag, werfen Pillen ein und feiern bis in die frühen Morgenstunden. Danach legt er sich in sein seit Ewigkeiten ungewaschenes Bettzeug und schläft den ganzen Tag. So geht es einige Wochen lang, entweder schläft er oder feiert in dunklen Clubs. An Weihnachten, ein Fest, das ihm bisher immer viel bedeutet hat, fährt er nicht nach Hause zu seiner Familie. Dort denken alle, er hätte so viel zu lernen, dass er auf Kreta von seinen Studien festgehalten wird. Doch da er nie in der Universität erscheint, verpasst er nicht nur den Stoff, sondern gleich auch noch die Prüfungen am Ende des ersten Semesters. Die Post, die daraufhin aus dem Büro des Rektors kommt, lässt er ungeöffnet auf dem klebrigen Küchentisch liegen. Darüber stapelten sich schon bald Zeitungen und Tüten aus dem Supermarkt, leere Bierdosen und schmutzige Kaffeetassen.

Die täglichen Anrufe seiner Mutter ignoriert er schon seit einer geraumen Weile. Bis zu dem Tag, an dem sie plötzlich und unerwartet wie eine Erscheinung in seinem dunklen Flur steht. Er kommt gerade von einer Party heim, es ist bereits 11 Uhr morgens. Er ist betrunken und an seinen roten Augen kann man deutlich erkennen, dass er einmal mehr Gras geraucht hat. Sie sind trübe und die riesigen Pupillen wirken träge. Er braucht ein bisschen Zeit, bis er das Schloss an seiner Wohnungstür trifft und sie aufschließen kann. Und da steht sie. Seine Mutter hat ihre dünne Jacke noch an, die schwarzen Schuhe mit dem kleinen Blockabsatz, die ebenfalls schwarze Handtasche mit der goldenen Schließe hängt über ihrer Schulter. Seit Stunden wartet sie dort schon in dieser Position auf ihn. Ihr Blick, der ihn kalt und abschätzend trifft, beendet auf einen Schlag alles. Seine Zeit auf Kreta, seine nicht vorhandene Universitätslaufbahn und sein eigenständiges, wenn auch dem Untergang geweihtes Leben. Sie packen noch an diesem Tag seine sieben Sachen zusammen, sprechen dabei kaum ein Wort und gehen zurück auf die kleine Insel, seine enge Heimat.

Er ist eine Schande für seine armen Eltern, das sehen sie so und er auch. Er ist ein Loser. Ein süchtiger Dummkopf, der sich den Weg zu einem guten Job, von denen es eh schon kaum welche im Land gibt, völlig verbaut hat. Seine Eltern lassen ihn in die Wohnung über der ihren einziehen. Die Mutter, um ihn unter Kontrolle zu behalten. Der Vater, um ihm ein Heim zu geben. Sie sprechen nicht über das, was auf Kreta vorgefallen ist, auch die Nachbarn oder entfernte Verwandte erfahren nichts, die Lippen seiner Mutter sind versiegelt, genau wie ihr Herz. Von nun an überwacht sie ihn ganz gewissenhaft. In den ersten Monaten ist es wie in einem Gefängnis. Und auch heute, wo sich die Gemüter längst ein wenig beruhigt haben, fühlt er sich noch immer gefangen und kontrolliert. Die Mutter schickt ihn jedes Jahr aufs Feld zu den Oliven, wo er körperlich hart arbeiten muss und so, auch wenn er die Arbeit nicht mag, wenigstens einen Teil seiner Schuld an den Eltern wiedergutmachen kann - und die Sucht überwindet. Das alles liegt inzwischen eine Dekade zurück. Doch er hat nicht das Gefühl, dass die Schuld beglichen ist, dass er wieder gänzlich selbst über sich und sein Leben entscheidet.

III

„Ich weiß genau, dass meine Mutter mir noch immer nicht vertraut", schließt Ilias seine Erzählung. Die ganze Zeit habe ich ihn wie in einem Film vor meinen Augen gesehen. Jünger, irgendwie anders. Er erzählte von dieser einschneidenden Zeit, als sei es ein anderer Mann gewesen, der das alles erlebt und gefühlt hat. Als existiere dieser Kerl von davor nicht mehr, als sei er ausgelöscht. Inzwischen stehe ich bei ihm am Tisch, drücke fest seine Hand. Ich suche in seinen grünen Augen nach etwas, womöglich nach der Wahrheit. So viel wurde mir schon erzählt, so viel habe ich geglaubt. Aber ich bin nicht gut im Zweifeln an anderen, denke nie schlecht über sie. Und so bin ich mir auch jetzt sicher, dass er mir alles erzählt hat. Dass er in seiner Vergangenheit feststeckt, nicht weiß, wie er sie bewältigen soll. Doch mit wem soll er darüber sprechen? Mit der kaltherzigen Mutter? Mit den Freunden, deren Urteil er fürchtet?

Der Raum ist erfüllt von einem herrlichen Duft. Im Topf schmort gefülltes Gemüse, Brot backt im Ofen auf. Das Essen ist fast fertig. Schweigend mache ich mich daran, die Speise zu vollenden und sie für uns auf die Teller zu füllen. Essen ist gut für die Seele. Ilias hilft mir und trägt alles nach draußen an die frische Luft. Als ich zu ihm komme, brennt eine Kerze auf dem kleinen Tisch, der Wein in unseren Gläsern ist nachgefüllt. Musik spielt leise im Hintergrund. „Wenn du jetzt noch mit mir essen möchtest, dann soll es sich wenigstens so anfühlen wie bei einem richtigen Date…"

GEMISTA (vegetarisch)

Zutaten für 4 Portionen

4 große Paprika | 4 große Tomaten | 200 g Pilze
2 Schalotten | Olivenöl | 2 EL Tomatenmark
100 ml Weißwein |1 TL frischer Oregano | Salz | Pfeffer
Paprikapulver, rosenscharf | 200 g Reis
(5 Min. vorkochen) | 300 g Dosentomaten
2 TL frische Petersilie

So geht's

Paprika & Tomaten waschen, den Deckel abschneiden. Paprika vom Innenleben befreien, Tomaten aushöhlen und das Fleisch grob hacken. Pilze & Schalotten putzen und würfeln.

Olivenöl in einer Pfanne erhitzen, Pilze & Schalotten kräftig anbraten, Tomatenmark dazu, rösten. Tomatenfleisch dazu, kurz schmoren. Mit Wein ablöschen, kräftig mit Oregano, Salz, Pfeffer & Paprikapulver würzen. Den vorgekochten Reis unterrühren.

Paprika & Tomaten in eine Auflaufform stellen, mit der Reismasse locker füllen. Wer mag, kann zwei oder drei Kartoffeln in Spalten dazugeben. Dosentomaten, 200 ml Wasser, etwas Öl, Salz, Pfeffer & die frische Petersilie verrühren. Die Gemüse damit angießen. Bei 180 Grad ca. 60 Min. im Ofen backen (Foto: Seite 179).

IV

Die angespannte, traurige Stimmung löst sich in der kühler werdenden Nachtluft auf, obwohl wir noch immer kaum ein Wort über das gesprochen haben, was er mir gerade berichtet hat.

„Du sagst gar nichts...", ich bemerke die große Unsicherheit in seinen Worten.

„Sie haben dir übel mitgespielt, alle. Aber..."

„Sag ruhig!"

„Aber du hast es ihnen auch ziemlich leicht gemacht... Ich kenne das, man denkt, man liebt und der andere fühlt haargenau dasselbe. Und man verschließt jeden Gedanken daran, dass es nicht so sein könnte, irgendwo ganz tief in sich. Wenn er dann doch ans Licht kommt, und das geschieht mit diesen Gedanken immer, dann tut es nur umso mehr weh. Meine Entscheidung fiel in diesen Momenten bisher immer auf Flucht, nicht auf Selbstzerstörung...", ich traue mich kaum, die Worte auszusprechen. Viel zu sehr fürchte ich mich davor, ihn noch mehr zu verletzen. Vor ein paar Monaten hätte ich es niemals gewagt, den Mann, für den ich etwas empfinde, auf diese Art zu kritisieren. Was wäre, wenn er daraufhin geht - und nie wiederkommt? Doch diese Art der Fragen belastet mich heute nicht mehr. Vielmehr ist es die Sorge ihm, der sich mir so sehr geöffnet hat, einen letzten tödlichen Stoß zu versetzen. Ihn noch tiefer in seinen selbst gewählten Abgrund zu reißen.

Doch meine Angst ist unbegründet. Ilias macht nicht den Eindruck auf mich, als würde er an meinen Worten zerbrechen oder gar wütend auf mich sein. Er nickt ganz sachte: „Und diese Flucht, die hat dich hierhergeführt, zu mir…“ Während er diesen letzten Satz sagt, nimmt er meine Hand. Er zieht mich sachte von dem Stuhl hoch, schließt mich in seine Arme. Wir küssen uns, es ist unser dritter Kuss. Erst ganz sanft, dann fordernder. Heute würde es nicht beim Küssen bleiben, viel zu sehr sehnte ich mich nach mehr.

V

Um uns herum ist es noch immer stockdunkel. Wir laufen eng umschlungen zurück zu der Sonnenliege, dort wo der Abend so innig begonnen hatte. Ich lege mich darauf, Ilias kniet neben mir, streichelt mein Gesicht, meinen Hals, meine Schulter. Seine Lippen berühren meine, seine Zunge spielt sanft mit meiner, während seine Hand tiefer gleitet, fordernder wird. In mir bekommt das Feuer, das ich längst erstickt glaubte, neue Nahrung. Ich schlinge meine Arme um ihn, ziehe ihn näher an mich heran. Ich möchte ihn ganz nah bei mir fühlen. Ich streife ihm das Shirt über den Kopf, um seine Haut zu spüren, die viel weicher ist, als ich es gedacht habe. Das dunkle Haar auf seiner Brust ist dicht und kraus, meine Fingerspitzen verfangen sich darin. Ich richte mich ganz auf, als er mir das Kleid über den Kopf ziehen möchte. Wir stehen uns jetzt gegenüber, nackt. Seine rauen Hände gleiten über meinen Rücken, massieren meinen Po. Ich schiebe die Hand über seinen Bauch etwas tiefer, fühle seine Erektion zwischen meinen Fingern. Er stöhnt auf und ein schwaches Zittern durchfährt seinen starken Körper.

Die dunklen Berge, das leise Meeresrauschen, der kühle Wind auf unserer Haut. In diesem Moment gibt es nur uns beide auf dieser Welt. Tief vergraben geglaubte Sehnsüchte brechen sich Bahn, lassen mein Herz mit seinem im selben Takt schlagen. Mein Atem geht immer schneller. Ilias setzt sich auf die niedrige Sonnenliege, lehnt sich mit dem Rücken an das aufgerichtete Kopfteil, sucht dort Halt. Ich stelle mich über ihn, will mich auf ihn gleiten lassen, doch er packt meinen Po, zieht mich näher an sein Gesicht heran. Seine Zunge ist kühl und feucht, als sie mich das erste Mal dort berührt, meine anderen Lippen liebkost, tief in sie eintaucht. Jetzt bin ich es, deren Körper zittert. Die Glut in mir lodert inzwischen heiß. Ich drücke meine Scham fester in sein Gesicht, will, dass er mich schmeckt und es nie mehr vergisst. Dass er dabei den Geschmack der anderen Frau, die ihn so benutzt hat, ein für alle Mal vergisst. Sein Bart kitzelt mich und facht das Feuer in mir nur umso stärker an. Ich kann jetzt nicht mehr länger warten, sage ihm, dass ich ihn will, aber… Er nickt wissend, greift nach seiner Hose und zieht ein Kondom aus der Tasche. Nachdem er es übergestreift hat, lasse ich mich auf ihm nieder. Zögere den Moment ein wenig hinaus, genieße ihn in vollen Zügen, als ich ihn langsam, Millimeter für Millimeter in mich aufnehme – bis wir eins sind.

Ilias

I

Sie liegt in meinen Armen und ich spüre, dass sie zittert. Gerade wurden wir noch von der Hitze unserer Begierde geflutet. Haben weder den kühlen Nachtwind gefühlt noch die Wellen rauschen gehört. Es gab nur uns, vereint. Es hat mich so heiß gemacht, wie sie sich ganz langsam auf mich gesetzt hat. Sie hat die pure Gier in mir geweckt. Ihr Gesicht hat mir währenddessen gezeigt, dass es da wohl mehr gibt als wilde, animalische Triebe, während sie sich ohne Hast auf und ab bewegte, ihn immer wieder ganz tief in sich aufnahm, um ihn dann wieder fast herauszulassen an die kühle Luft der Nacht. Nach einer Weile konnte ich dieses Spiel nicht länger mitspielen. Meine Füße suchten Halt auf dem steinigen Boden, ich überließ ihr jetzt nicht mehr die alleinige Führung, ich stieß in sie, kräftig. Ihr Stöhnen verriet mir ihre Lust. Sie küsste mich, dann lehnte sie sich auf meinem Schoß zurück, umfasste meine Oberschenkel und überließ es mir, uns in den längst unabwendbaren Höhepunkt zu treiben. Als ich in ihr explodierte, dachte ich, dass sich das Meer öffnen müsste, um uns in sich zu verschlingen. Nichts auf der Welt würde diesen Moment übertreffen können. Niemals zuvor hatte ich so viel Ekstase erlebt, zusammen mit diesem Gefühl…

Die Nacht fühlt sich verdammt kalt an. Wir haben nichts hier, um uns zu wärmen, außer unsere eigenen, nackten Körper. Sie liegt jetzt auf mir, ihr

Kopf an meiner Brust. Ich umschlinge sie noch ein wenig fester und komme mir dabei selbst wie ein Ertrinkender vor, der sich festhalten muss. Mein Herz hämmert. Ich habe immer noch dieses Gefühl, das ich nicht kenne. Ein Gefühl, das ich auch vor zehn Jahren nicht gespürt habe, als ich dachte, die Liebe meines Lebens gefunden zu haben. Auch bei keiner Frau danach hatte ich so etwas je gespürt. Kann es sein, dass sie es ist, die mich, anstatt mich weiter und weiter in die Tiefe zu reißen, aus dem tosenden Sturm retten soll? Ich will nicht länger darüber nachdenken, mir nicht selbst den Moment verderben, denn ich weiß, dass so etwas für mich in diesem Leben nicht mehr vorgesehen ist. Jetzt möchte ich sie nur festhalten, sie wärmen, den Augenblick auskosten, bis er verklingt und nie mehr wiederkehrt.

„Es ist zu kalt“, sage ich, „du wirst dich erkälten, wenn wir länger hier so liegen.“ Sie murmelt etwas, dass ich nicht verstehe, und kuschelt sich noch näher an mich heran, verkriecht sich fast in mir. Kuscheln, am liebsten würde ich die Augen verdrehen, doch die Vollkommenheit des Augenblicks, sie in meinem Arm, verbieten es mir. „Du musst dir wirklich etwas anziehen!“

„Mein Kleid ist so dünn, das macht keinen Unterschied“, sie klappert mit den Zähnen. Und auch mir ist inzwischen richtig kalt. Aber ich habe nichts dabei, was ich ihr geben kann. Wir stehen uns nun wieder gegenüber, ich streiche über ihre Arme, fester jetzt. Ich kann nicht widerstehen und küsse sie erneut, sie lässt sich völlig in diesen Kuss, in meine Arme fallen. Sie öffnet ihre samtigen Lippen und lässt mich ihren Mund noch einmal erforschen. Unsere Zungen spielen miteinander, so wie wir kurz zuvor miteinander gespielt haben. „Ich bringe dich nach Hause“, flüstere ich, als ich mich widerstrebend von ihr löse.

Die Fahrt auf dem Roller ist kurz, doch der Wind rupft unerbittlich an unseren Haaren, fährt uns in die eh schon klammen Knochen. Ich lege meine Hand auf ihr Knie, wenigstens ein wenig Wärme möchte ich ihr abgeben. Als wir vor der Taverne ankommen, ist dort bereits alles dunkel. Auch auf den Booten, die davor im Meer dümpeln, brennt kein Licht mehr. Tiefer Schlaf hat sich über die gesamte Insel gesenkt. Ich nehme sie noch einmal fest in den Arm, gebe ihr einen Abschiedskuss und beobachte, wie sie hinter der schweren Tür verschwindet, die die Treppe verbirgt, die sie nach oben bringt. Dorthin, wo auch er wohnt. Wo er die ganze Nacht über auf sie gewartet hat?

Die drei Fenster in der Wohnung über der Taverne sind dunkel, erst jetzt flammt im mittleren ein zarter Lichtschein auf. Sie ist angekommen. Ich hoffe, sie kuschelt sich in ihr Bett, wärmt sich auf und denkt wie ich an die vergangenen Stunden, an den Moment, als alles um uns herum explodiert ist. Ich werfe meinen rostigen Roller an, ein lauter Knall durchschneidet die Stille der Nacht. Ich fahre und fahre und würde am liebsten nie heimkommen, denn dann ist dieser Abend unwiderruflich beendet.

II

Ich sitze schon seit über 30 Minuten an meinem Küchentisch in der Wohnung über der meiner Eltern. Im ganzen Haus ist es totenstill, nirgendwo rührt sich etwas. Nur der Kühlschrank hinter mir summt unaufhörlich sein leises, langweiliges Lied. Vor mir auf dem Tisch steht eine kleine, verschrammte Holzkiste, die ich gerade aus dem hintersten Winkel meines Schrankes hervorgeholt habe. Das habe ich lange nicht mehr gemacht, fast hatte ich vergessen, dass sie noch dort steht. Fast!

Ich schaue die geschlossene Kiste an. Ich weiß genau, was sich in ihr befindet. Warum steht sie vor mir, warum sitze ich hier? Doch ich habe mich längst zwischen den Optionen Wegwerfen oder Zum-hundertsten-Mal-öffnen entschieden. Irgendetwas in mir treibt mich an, die Kiste erneut aufzumachen. Ihren Inhalt genau zu studieren, jedes einzelne Teil in die Hand zu nehmen. Jedes einzelne Teil ganz genau zu betrachten. Es sind die kläglichen Reste meines alten Lebens: Mein noch immer strahlend weißer Studentenausweis, den ich nie wirklich benutzt habe, auf ihm das Bild eines Fremden. Das Fußball-Trikot meines Lieblingsvereins, ein braunes Lederarmband, das sie mir einst geschenkt hat. Und Fotos. So viele Fotos. Porträts von Freunden aus der Schulzeit, erste Versuche, das Licht und die Farben der Natur perfekt einzufangen - hier und auch auf Kreta. Dazwischen liegen ein paar abgegriffene Bilder, auf denen ich selbst zu sehen bin. Ich nehme sie nacheinander in die Hand, betrachte sie genauer, erkenne mich aber selbst nicht mehr. Auf den meisten Fotos habe ich müde, rot umrandete Augen. Ich liege in irgendeiner Ecke, schlafe halb, halte meist eine Bierflasche in der Hand. Auf anderen wirke ich überdreht, hellwach und zum Sprung bereit. Doch immer habe ich diese glasigen, grünen Augen mit den tiefen, dunklen Schatten darunter.

Ich kann die alte Kiste einfach nicht wegwerfen. Sie ist mein Schatz des Verderbens, ein Mahnmal meiner Fehlbarkeit, meine stetige Erinnerung daran, dass es für mich auf dieser Welt keine Liebe gibt. Dass mich keine Liebe der Welt vor mir selbst retten kann.

SEPTEMBER

„Man schämt sich nur,
wenn man liebt.

Platon (428 – 348 v. Chr.)

Sephi

I

Wir hatten uns seit unserer gemeinsamen Nacht am Strand noch nicht wiedergesehen. Die Tage voller Arbeit lassen uns keine Zeit dafür, abends falle ich todmüde in mein Bett und träume von uns. Und ich hoffe sehr, dass es ihm genauso geht, dass er auch von uns träumt, von dem, was war und von dem, was noch auf uns wartet. Wir schreiben uns hin und wieder kurze Nachrichten. Aus ihnen kann ich nur schwer ablesen, was Ilias wirklich denkt. Doch ich will mir nicht zu viele Sorgen machen. Eigentlich.

Apoll kocht seit ein paar Tagen für ein reiches Touristenpärchen auf einer riesigen Yacht, die ganz in der Nähe vor Anker gegangen ist. Ehrlich gesagt, bin ich ein wenig froh darum, auch wenn ich mit Christos ganz allein in der Küche stehe. Ich erledige viele Arbeiten, die ich bisher noch gar nicht gemacht habe oder zumindest nicht ohne Anleitung. Es ist stressig für mich und gleichzeitig fühlt es sich aufregend an, gibt mir ganz neuen Elan. Denn ich möchte nichts falsch machen, niemanden verärgern, der Familie das Geschäft nicht verderben. Zeit für große Sorgen bleibt mir in diesen Tagen allerdings kaum, aber auch keine Gelegenheit, um den Schmetterlingen in meinem Bauch nachzuspüren. Aber sie sind da.

„Koritsi mou, du strahlst so!“

„Ich bin glücklich, Christos." Viel mehr kann ich dem alten Mann nicht sagen, bisher weiß noch niemand, dass Ilias und ich die Nacht zusammen verbracht haben, dass ich mir mehr davon erhoffe. Dass ich Apoll im Augenblick nicht jeden Tag gegenübertreten muss, macht es mir etwas leichter, mit der Situation umzugehen. Aber ich weiß, dass das klärende Gespräch zwischen uns nur aufgeschoben ist. Inzwischen ist es nach 23 Uhr, die Küche glänzt wieder, unser Tagwerk ist fast getan.

„Mach Schluss für heute, Koritsi mou. Du hast in der letzten Woche mehr als bewiesen, dass ich mich auf dich verlassen kann!" Ich bedanke mich bei Christos mit einer festen Umarmung und einem Kuss auf seine runde, weiche Wange. Er ist inzwischen wie ein Vater für mich, der beste, den man sich vorstellen kann. Ich hänge meine Schürze an ihren Platz und weiß genau, was ich jetzt machen werde. Ich werde Ilias überraschen. Heute ist am Strand eine der Vollmond-Partys, die letzte für diese Saison. Es wird auch um diese späte Stunde noch sehr viel los sein, keine Gefahr, dass ich ihn verpassen könnte. Kein Grund also, sich übermäßig zu beeilen.

II

Ich werde mir an unserem Strand, wie ich ihn inzwischen nenne, und unter dem leuchtenden Vollmond ein großes Glas kühlen Weißwein gönnen. Dort werde ich bestimmt ein paar Leute treffen, quatschen können und dann geduldig darauf warten, bis Ilias mit seiner Arbeit für heute fertig ist. Vielleicht können wir im Anschluss unsere erste ganze Nacht zusammen verbringen, vielleicht zum ersten Mal bei ihm zu Hause übernachten? Dass ich ihn herbringe, in das kleine Zimmer, das direkt neben dem von Apoll liegt, kann ich mir nicht wirklich vorstellen. Noch nicht jetzt. Und vor allem nicht, bevor ich es Apoll gebeichtet habe. Ich schiebe den unangenehmen Gedanken in irgendeinen Winkel meines Gehirns und starte den Roller mit einem kräftigen Tritt. Wenn ich mich beeile, dann bekomme ich vielleicht wirklich noch etwas von der Party mit. Kein so übler Gedanke!

III

Ich flitze mit dem Roller durch die kühle Nacht. Diesmal bin ich besser vorbereitet und habe einen flauschigen Pullover an, den ich seit meiner Abreise aus Deutschland nicht mehr getragen habe. Jetzt ist er genau richtig. In der Dunkelheit ist die Abzweigung zum Strand wie immer nur sehr schwer auszumachen. Doch ich finde sie gleich beim ersten Versuch. Während ich den Berg hinunter rumpele und die Schmetterlinge im Bauch endlich ihre Flügel ausbreiten dürfen, kommt mir ein Scheinwerferkegel nach dem anderen entgegen. Roller, Motorräder, Autos. Alle scheinen die Party bereits zu verlassen. Prima, denke ich, umso schneller können er und ich der Kälte der Nacht entfliehen und uns an einen wärmeren Ort zurückziehen... Der süße Gedanke daran, was dann passieren würde, macht es mir schwer, mich auf die steile Abfahrt zu konzentrieren, die bei dem Gegenverkehr noch schwieriger zu bewältigen ist. Ich gebe mir große Mühe, die Kurven richtig zu treffen und gleichzeitig den mächtigsten Schlaglöchern auszuweichen. Unten angekommen ist mir vor Anspannung heiß geworden, meine Schultern sind verkrampft. Ich lasse sie sinken, hebe sie an, lasse sie sinken und lockere mich selbst ein bisschen auf. Während ich so dastehe, meinen Nacken dehne und die Vorfreude kaum noch aushalten kann, höre ich ein vertrautes Geräusch. Ich höre genauer hin und bin mir nun sicher, dass ich diese Laute kenne, dass ich sie schon einmal vernommen habe.

Ich gehe über den Parkplatz auf die kleine Hütte zu, das Geräusch wird währenddessen immer lauter, immer klarer. Mein Herz rast wie wild, meine Gedanken kreisen, kann das sein? Kann das wirklich sein? Ich biege um die Ecke. Und da steht er. Sein Gesicht zeigt in die Richtung der kleinen Hütte, zwischen seinem Körper und der Wand steht eine rothaarige Frau. Sie ist groß - und hat eines ihrer schlanken Beine fest um seine Hüfte geschwungen, mit ihrem Rücken sucht sie Halt an der Hüttenwand. Seine Shorts hängen ihm in den Kniekehlen, eine Hand ruht an ihrem Knie, mit der anderen stützt er sich neben ihrem Gesicht ab. Ich stehe da, bin wie angewurzelt. Die Schmetterlinge in meinem Bauch sterben einen brutalen, schnellen Tod. Unwillkürlich mache ich einen Schritt zurück, ich will nur weg. Ich möchte von diesem Ort fliehen, der einmal unserer war. „Ich war vor dir schon mit anderen Frauen hier“, hallen seine Worte in meinen Ohren nach. Noch ein Schritt zurück, ich trete auf ein Glas, das irgendwo am Boden liegt, es zerbricht. Es knackt laut. Ich schaue nach unten, dann wieder auf und zu ihm. Auch er hat es gehört. Er unterbricht, was er gerade tut. Und schaut in die Richtung des Geräusches. Unsere Blicke begegnen sich. Das ist der Moment, in dem einmal mehr alles in mir zerbricht.

Ilias

I

Ich höre, wie in der Nähe Glas zerbricht. Und erschrecke heftig, obwohl das Geräusch gar nicht besonders laut ist. Die Rothaarige ist viel lauter und auch meinen schweren Atem kann ich selbst gut hören. Ich schaue zur Seite und blicke direkt in zwei weit aufgerissene, dunkle Augen. Die tiefe Nacht verschlingt den Rest der Person fast, aber ich kann sie erkennen, ihre Silhouette, ihr Haar, das ihr weiches, liebes Gesicht einrahmt. Und ich sehe den Schmerz, der sich über ihr Antlitz legt. Zwei Menschen atmen schwer, zerstören die absolute Stille des Ortes. Sephi hingegen ist ganz leise. Kein Laut kommt über ihre Lippen. Sie schüttelt soeben merklich ihren Kopf, es ist wie in Zeitlupe. Für den Bruchteil einer Sekunde schließt sie ihre Augen. Es ist unmöglich, bei dieser Dunkelheit eine Träne auszumachen, aber ich ahne, wie sie heiß über ihre Wange rinnt. Dann dreht sie sich um und läuft, läuft immer schneller. Ich stehe wie angewurzelt da, eine Hand noch an der Hüttenwand abgestützt. Mit der anderen versuche ich, meine Hose hochzuziehen, ich gerate ins Straucheln.

„Was ist denn los, wer ist sie?", fragt die Rothaarige, deren Namen ich nicht einmal kenne. Die ich jetzt zum ersten Mal richtig ansehe. Ihr Atem geht noch immer schwer: „Mach weiter!"

„Was? Nein. Äh..." Ich stottere, weiß nicht, was ich ihr sagen soll. Ich habe keine Ahnung, was ich jetzt machen soll. Als ich endlich die Hose hochgezogen habe, laufe ich los. Rufe nach ihr. Doch als ich um die Ecke der Hütte biege, liegt der Parkplatz dunkel und verlassen da. In der Ferne knattert wütend ein Roller, dessen Motor immer und immer wieder angetrieben wird. Sein Scheinwerferlicht flackert zwischen den Bäumen auf, verschwindet hinter einer Kurve, taucht wieder auf, verschwindet erneut. Dann erlischt es ganz, auch das Knattern ist nicht mehr zu vernehmen. Neben mir taucht die Rothaarige auf. Sie richtet ihr Kleid, schüttelt das lange Haar. „Wenn du das mit deiner Freundin geklärt hast, kannst du dich ja wieder bei mir melden...", sagt sie achselzuckend. Sie hält ihren Autoschlüssel in der Hand, ein Licht flackert kurz auf, ein dumpfes Plop-Plop folgt. Sie steigt in den Mietwagen, nicht ohne mir noch einmal ihre langen, nackten Beine in voller Pracht zu präsentieren. Ich sehe sie und weiß nicht mehr – ganz im Gegensatz zu heute Nachmittag –, was ich an ihr finden soll. Was mich dazu getrieben hat, mit ihr zu schlafen, ausgerechnet an diesem Ort, der vor ein paar Tagen eine ganz neue Bedeutung für mich gewonnen hatte, gewonnen haben sollte. Dann startet sie ihren Mietwagen und lässt die Räder ordentlich durchdrehen. Ich bleibe allein in der Staubwolke zurück, die der Wagen hinterlässt. Ich huste. Ich schaue den steilen Berg hinauf. Ich hasse mich selbst so sehr.

Die Hütte steht ganz verlassen da. Ich umrunde sie und habe nun genau den Blickwinkel, den Sephi vor vielleicht fünf Minuten hatte. Mehr Zeit ist kaum vergangen. Mehr Zeit habe ich nicht gebraucht, um sie zu verletzen und für immer von mir wegzutreiben. Ich blicke auf die Hütte und sehe das Bild vor mir, ich in der Rothaarigen, die Hose in den Kniekehlen, unser Stöhnen klingt laut und fies in meinen Ohren nach. Schneller, hemmungsloser Sex. Ohne jedes Gefühl. Nur aus animalischem Spaß. Spaß, denke ich, während mir schlecht wird.

II

Ich habe mich übergeben und sitze nun am Strand auf dem Boden. In Wellen steigt mir immer wieder dieser saure Geschmack die Speiseröhre hinauf, mein Magen verkrampft sich und ich kann mich nicht aufrichten. „Es ist die Kiste!", schreie ich in die Nacht. Der Wind trägt die vier Worte raus aufs Meer, hinaus aus der Bucht. Irgendwohin. Irgendwohin, wo ich gerne wäre, nur weg von hier. Ich schäme mich, wie ich mich bisher nur einmal geschämt habe. Und ein Gedanke nistet sich in meinem Kopf ein: Du hast nichts daraus gelernt, gar nichts. Ich sehe mich selbst, wie ich ein paar Tage zuvor vor der alten Kiste hocke, darin krame, all die alten Wunden aufreiße. All meine Emotionen im Widerstreit mit meinem Kopf. Die Wärme, die die Gedanken an Sephi, an unsere gemeinsame Nacht in mir auslöst. Und das Wissen, dass es für mich keine Liebe gibt. „Das Wissen", diesmal flüstere ich. Gar nichts weiß ich! Ich habe die Kiste nicht weggeworfen, ich habe sie behalten und zurück an ihren Platz ganz hinten im Schrank gestellt. Und meine Gefühle für Sephi mit darin eingeschlossen und weggeräumt. Meine Gefühle tief unter all dem alten Plunder vergraben. Sie könnte mich niemals wirklich lieben. Niemand kann das. Also würde ich für uns eine Entscheidung treffen. Ich würde beenden, was noch gar nicht richtig begonnen hat! Ich würde ihr sagen, dass ich nicht der richtige Mann für sie bin, dass sie einen besseren verdient hat. Doch dann hat mich die Arbeit überrollt, wir hatten keine Gelegenheit mehr, um uns zu treffen. „Du warst einfach zu feige, um mit ihr zu sprechen", meldet sich meine innere Stimme zaghaft zu Wort. Selten genug höre ich sie, noch seltener höre ich auf sie. Ich habe die Begegnung Tag für Tag hinausgezögert, nicht damit gerechnet, dass ich sie heute hier treffen würde. Dass sie kommen würde, obwohl sie gerade die ganze Arbeit von Apoll mitmacht. Ich hatte gehofft, dass sie sich nicht so sehr nach mir sehnen würde.

Am Strand war den ganzen Tag über die Hölle los, die Rothaarige war eine der ersten Gäste. Ich kannte sie schon. Ihr Bikini war ein Hauch von nichts, ihre Blicke versprachen dafür alles. Während ich sie und ihre Freundinnen mit Getränken versorgte, hörte ich mich selbst sagen: „Wir haben heute Nacht hier eine Party - und danach könnten wir zwei noch ein bisschen allein weiter feiern..." Bereitwillig und ohne einen Gedanken an Sephi zu verschwenden, bin ich in ihre Falle getappt. War viel eher ein liebestoller Poseidon, der alles mitnimmt, was Brüste hat, als ein Odysseus, der stark genug ist, um den Sirenen und ihren Verlockungen widerstehen zu können.

Ich raffe mich endlich auf. Räume alles weg, was an die vergangene Partynacht erinnert. Dann steige ich auf meinen rostigen Roller, der sich wie immer nur schwer starten lässt. Ich kann Sephis Arme fühlen, die sich um meinen Leib schlingen. Aber sie ist nicht hier bei mir. Zu Hause werde ich die alte Kiste und ihren Inhalt verbrennen - ich werde extra dafür mitten im Sommer ein Feuer im Kamin anzünden!

Apoll

I

Was für eine grandiose Woche auf dem Meer! Gerade bin ich von Bord der vierstöckigen Yacht gegangen, auf der ich die letzten Tage zusammen mit einer kleinen Crew für einen russischen Oligarchen und seine Geliebte gekocht hatte. So ein Angebot bekommt man nicht jeden Tag. Und mir war es gerade recht, denn irgendetwas geht zu Hause vor, etwas, von dem ich nicht weiß, ob ich es entschlüsseln möchte. Sephi ist so komisch zu mir. Ich dachte, wir kämen uns ein wenig näher. Doch kaum gebe ich dem Drängen der Familie nach, zieht Sephi sich von mir zurück. Ich weiß einfach nicht mehr, was meine Gefühle für sie, für uns bedeuten. Mache ich, was ich eigentlich will oder das, was sich meine Eltern wünschen? Oder ist beides dasselbe? Und so war ich froh, der Enge der Familie für eine Weile entfliehen zu können. Mama, die mich inzwischen fast stündlich fragt, ob Sephi noch immer nicht meine Freundin ist. Als wäre ich ein Teenager! Papa, der plötzlich meint, „du denkst immer nur ans Kochen, denk doch mal an die Frauen – und an uns, deine Eltern. Vielleicht wünschen wir uns Enkel." Aber mit Sephi? In der vergangenen Woche hatte ich neben dem Kochen genug Zeit, um darüber zu grübeln. Um meine eigenen Gedanken zu ordnen. Mir ist eines klar geworden: Sephi hat uns der Himmel geschickt, das hat sie auch in der letzten Woche wieder bewiesen! Außerdem sind wir auf eine besondere Weise Seelenverwandte. Aber bedeutet das, dass wir auch ein Liebespaar sein müssen?

II

Ich sitze auf der alten Bank am Hafen, schaue auf das Meer. Und auf die Mega-Yacht, von der ich gerade gekommen bin. Völlig verrückt, was sich Leute leisten können und wollen. Wahrscheinlich habe ich in meinem ganzen Leben zusammen noch nicht so viele teure Produkte verkocht wie in den letzten sieben Tagen. Und dann haben ihnen ausgerechnet die gebackenen Sardinen am besten geschmeckt! Was gut ist, bleibt eben gut, auch wenn es sich die einfachen Leute ebenso leisten können.

Zum ersten Mal in meinem Leben möchte ich nicht nach Hause gehen. Ich drücke mich davor, Sephi und meinen Eltern zu begegnen. Also bleibe ich sitzen und hänge noch ein wenig meinen Gedanken nach. Da setzt sich ein alter Mann zu mir auf die Bank. Er trägt eine Schiebermütze, die fast wie eine meiner Flatcaps aussieht, er stützt sich auf einen derben Holzstab. Kaum ist er da, streicht eine rotbraune Katze, die nur ein Auge hat, um seine Beine. Er lächelt mich aus milden, blassen Augen an, deutet auf meinen Seesack: „Keine Lust, nach Hause zu gehen, Matrose?"

„Sie haben mich durchschaut", sage ich und muss lachen.

„Ist es wegen einer Frau?"

„Ist es nicht immer wegen einer Frau?"

„Es ist lange her, dass ich wegen einer Frau nicht nach Hause gehen wollte, mein Junge. Aber es ging dabei nicht um meine Frau. Die andere hatte etwas so Besonderes, etwas, das mich in ihren Bann zog. Doch mein Herz war schon vergeben. Ich konnte mich selbst nicht verstehen. Und ich wusste schon gar nicht, wie ich mich entscheiden sollte. Aber ich will dich nicht mit alten Geschichten langweilen, Matrose." Der alte Mann atmet tief ein und sackt ein wenig in sich zusammen.

„Woher weiß ich, was Liebe ist? Vielleicht ist sie ja nur meine beste Freundin?"

„Nur? Jeder Mann kann sich glücklich schätzen, wenn er einen besten Freund oder eine beste Freundin hat. Jemand, der auf einen achtet und sich um einen sorgt."

„Aber kann ein Mann wirklich eine beste Freundin haben?"

„Warum nicht? Die Frau, die mich so in ihren Bann gezogen hat, ist noch heute meine beste Freundin."

„Ehrlich?"

„Würde ich dir ein Märchen erzählen, Matrose? Wir lernten uns hier auf der Insel kennen, sie kam von weit her, ich war damals auf dem Militärstützpunkt angestellt. Ich trug immer ein kleines Buch mit mir herum, in das ich Skizzen malte. Wann immer ich ein wenig freie Zeit fand, sah ich mich um und entdeckte etwas, das ich abzeichnen konnte. Meine Frau, die ich über alles geliebt habe, saß mir gerne Modell, aber sonst interessierte sie sich nur wenig für meine große Leidenschaft. Das machte mich manchmal sehr traurig, und doch teilten wir so viel miteinander, dass es eigentlich nicht weiter ins Gewicht fiel."

„Wie haben Sie ihre beste Freundin kennengelernt?"

„Es sollte auf der Insel eine Ausstellung geben, die die schönen Seiten unserer Heimat zeigt. Jeder, der wollte, konnte ein Bild einreichen oder eine Skulptur fertigen, etwas schnitzen oder nähen. Im Museum hat man dann entschieden, welche Werke ausgestellt wurden."

„Hängt heute nicht immer noch das Gemälde dort, das den Wettbewerb gewonnen hat?"

„Ja, das Gemälde hängt wohl immer noch dort. Und ich habe es gemalt", die Stimme des alten Mannes klingt weniger stolz als verlegen. „Als es für die Ausstellung ausgesucht wurde, war ich so aufgeregt und glücklich, dass ich jeden Tag ins Museum gegangen bin. Und da war sie. Sie war auch täglich dort. Eines Tages kamen wir ins Gespräch über Malerei, mit ihr konnte ich über Techniken und Farben und die großen Meister philosophieren. Es war einfach herrlich. Nach einer Weile dachte ich gar, dass ich mich in sie verliebt hätte. Dass ich meine Frau verlassen und ganz neu anfangen müsse. Denn wann würde ich je in meinem Leben wieder so einen Seelenmenschen finden?"

„Haben Sie Ihre Frau verlassen?"

„Siga siga, nicht so hastig, Matrose! Über Wochen habe ich mich mit dem Gedanken gequält, liebte ich meine Frau doch so sehr. Konnte das wirklich vorbei und vergangen sein? Außerdem traute ich mich nicht, meiner Freundin von meinen Gefühlen zu ihr zu erzählen. Sie hielt stets ein wenig Abstand von mir, machte nie ein Zeichen, dass es ihr ähnlich erginge. Als dann der Tag kam, an dem mein Bild zum Sieger erkoren wurde, der von nun an im Museum hängen sollte, konnte ich mich gar nicht richtig darüber freuen. Viel zu sehr quälten mich meine widerstreitenden Gefühle. Und so beschloss ich, meine Freundin einzuweihen. Ihr alles zu erzählen, mich ihr zu offenbaren, auch auf die Gefahr hin, dass ich sie für immer verlieren würde - und meine Frau vielleicht gleich mit. Meine Freundin lächelte sanft, als ich mit meinem schier endlosen Monolog über die Liebe fertig war.

Und dann nahm sie mich fest in den Arm. Vielleicht war es das erste Mal in all der Zeit, dass sie mir so nahekam. ‚Was fühlst du?', hat sie mich in diesem Augenblick gefragt. Ich sah sie an, diese liebenswerte Frau, und musste mir eingestehen, dass das, was ich fühlte, so anders war, als wenn ich meine Frau umarmte. ‚Das ist Freundschaft, tiefe, innige Freundschaft', sprach sie weiter, ohne mich dabei loszulassen. ‚Spürst du es?' Ich sträubte mich, denn ich war so dumm wie du. Ich dachte, dass das niemals gehen würde, dass ein Mann und eine Frau niemals Freunde sein könnten. Doch sie blieb standhaft. Wir setzten uns zusammen auf eine Bank, wir redeten Stunde um Stunde. Vielleicht war ich noch nie so offen zu einem Menschen, nicht einmal zu meiner Frau! Mit jeder Minute sah ich klarer. Der Gedanke gefiel mir. Ja, sie war meine beste Freundin. Und sie ist es bis heute. Die Malerei verbindet uns bis zur aktuellen Stunde, auch wenn ich mir nie wieder mein Bild oder irgendein anderes in unserem Museum angeschaut habe. Sogar meine Frau und sie verstanden sich gut. Sie war mir eine große Stütze, als meine Liebe vor einiger Zeit krank wurde und dann für immer von mir gegangen ist..."

„Und heute?"

„Ob wir heute ein Paar sind? Nein, mein Junge, dafür gibt es keinen Grund. Unsere Freundschaft hält für immer, während die Liebe leicht vergehen kann."

Ich schnappe mir meinen Seesack und verabschiede mich von dem alten Mann, der sich selbst im Sitzen schwer auf seinen derben Holzstock stützt. Konnte er recht haben? Konnte es zwischen Mann und Frau mehr als Liebe geben? Konnte das sein, dass wir unsere Leidenschaft fürs Kochen teilen und darüber hinaus einfach Freunde sein würden? Ich glaube, dass es doch ein wenig mehr zwischen uns ist. Ich empfinde definitiv Liebe für Sephi, in einer reinen Form. Und dann denke ich, dass wohl nicht nur Vater eine verlorene Tochter in Sephi sieht. Ich liebe sie, so wie die Schwester, die ich nie hatte. Und ja, ich werde immer für sie da sein, sie beschützen und mich um sie sorgen.

In diesem Augenblick breitet sich eine Ruhe in mir aus, die ich schon lange nicht mehr gefühlt habe. Wir sind Seelenverwandte, wir sind wie Geschwister! Ich merke, wie ich schneller laufe, der schwere Seesack drückt auf meinen Schultern. Es sind nur noch ein paar Meter, dann bin ich zu Hause. In dem Zuhause, zu dem seit ein paar Monaten ein weiterer wunderbarer Mensch gehört. Das würde Sephi verstehen!

Nach ein paar Schritten erreiche ich die Taverne, sie liegt völlig verlassen im Dunkeln. Man merkt, dass sich die Saison langsam dem Ende neigt. Auch im Haus ist es finster. Alle schlafen wohl schon. Ich schleiche mich nach oben und lege mich ebenfalls ins Bett. Die neue Erkenntnis hat mich müde gemacht und mir fallen die Augen zu.

III

Langsam tauche ich aus einem wirren Traum in die Realität auf. Oder träume ich vielleicht doch noch weiter? Ich glaube, ein Weinen, fast ein Wimmern aus dem Wohnzimmer zu hören. Kann das sein? Wahrscheinlich schlafe ich noch, denke ich, während ich mein Gesicht fester in die Kissen drücke. Da ist es wieder! Das Wimmern hält unvermindert an. Ich öffne meine Augen, es ist stockdunkel, sehr lange kann ich also noch nicht geschlafen haben. Das Aufstehen fällt mir schwer, meine Glieder fühlen sich wie mit Blei gefüllt an. Doch irgendetwas stimmt da draußen nicht. Da weint tatsächlich jemand. Ich öffne die Tür und schaue hinaus. Im Wohnzimmer brennt das Licht der Stehlampe, das erkenne ich an dem schwachen Schein, der den Raum nicht wirklich erhellt. Ich gehe auf das Licht zu.

„Da bist du ja", sie lallt so sehr, dass ich sie nur schwer verstehen kann. Sie sitzt auf dem Fußboden, das Sofa im Rücken, die Beine weit von sich gestreckt. Neben ihr steht eine leere Flasche Rotwein. Eine zweite Flasche, die auch nur noch halb voll ist, hebt sie gerade an ihren Mund. Ihre Haare sind völlig durcheinander, sie trägt nur ihren Rock und einen zartrosa Spitzen-BH. Der Hoodie, der ihr viel zu groß sein dürfte, liegt achtlos und auf links gedreht, auf dem Boden neben ihr. Sie schiebt ihn mit dem Fuß noch weiter von sich weg. Das Teil habe ich irgendwo schon einmal gesehen, denke ich. Und mache zwei große Schritte auf sie zu. Ich will ihr die Flasche abnehmen, aber sie hält sie fest mit ihren kalten Fingern umklammert. Sie brabbelt etwas, das ich nicht verstehen kann, vielleicht weil sie betrunken ist, vielleicht weil sie betrunken ist und zudem vergessen hat, dass ich ihre Sprache nicht verstehen kann…

„Was ist mit dir passiert, Sephi?!" Ich lasse mich neben ihr auf dem Fußboden nieder, versuche erneut, ihr die halb volle Weinflasche abzunehmen. Sie funkelt mich aus ihren glasigen Augen an.

„Mhmmm, du siehst so guuut aus heute."

„Was?" Ich muss lachen, was mir gleich wieder leidtut, denn sie sieht wirklich erbärmlich aus in diesem Moment.

„Apolllll, ohhh." Sie dreht sich zu mir, umarmt mich, hängt sich an mich. Sie küsst meinen Hals, mein Ohr. Dazwischen sagt sie wieder etwas, was ich nicht verstehe. Unsere Gesichter sind weniger als einen Zentimeter voneinander entfernt und dann küsst sie mich auf den Mund.

„Sephi! Nicht!" Ich löse mich von ihr. Packe sie fest an den Armen und schiebe sie ein Stück von mir weg. „Was ist denn mit dir los?!"

„Was ist denn…? Willst du mich nicht? Keiner will mich!" Ich helfe ihr auf, bringe sie zum Sofa. Wir setzen uns. Sie weint jetzt wieder, schluchzt hemmungslos. Es bricht mir fast das Herz, sie so zu sehen. Was ist nur mit ihr geschehen? Ich nehme sie fest in den Arm.

„Apoll, weißt du. Er ist so ein Arsch!" Sie lallt, aber sie spricht inzwischen wieder so deutlich, dass ich sie verstehen kann.

„Erzähl mir, was passiert ist, kleine Schwester!"

„ER. IST. SO. EIN. ARSCH." Und dann fließt sie aus ihr heraus, die ganze üble Geschichte.

Sephi

I

Mein Schädel dröhnt. Das Sonnenlicht, das durchs Fenster fällt, sticht wie tausend Nadeln in meine Augen. Warum ist es so hell? Warum ist mein Fensterladen nicht geschlossen? Ich öffne vorsichtig ein Auge, dann das andere. Wo bin ich? Der kleine Tisch, das Regal – das Sofa. Ich liege im Wohnzimmer auf dem Sofa? Ich bin nicht allein, ich liege mit jemandem unter einer Decke. Unter meiner Wange hebt und senkt sich eine Brust. Ein leises Atmen, dann ein lauteres Grummeln sind zu hören. Mit einem Ruck richte ich mich auf. Und mir ist prompt übel, beinahe muss ich mich übergeben. Ich atme einmal tief durch, sammle mich. Aber da ist nichts als Leere in meinem Kopf. Ich kann mich an nichts von letzter Nacht erinnern. Ich schaue an mir herunter und sehe, dass ich nur meinen BH trage. Oh mein Gott! Ich taste etwas tiefer unter die Decke. Mein Rock? Immerhin! Ich schaue mich ein wenig in dem gleißend hellen Raum um: Zwei leere Weinflaschen stehen auf dem Boden. Ilias' Hoodie, den ich ihm immer noch nicht zurückgegeben habe, liegt zusammengeknüllt in einer Ecke. Auf dem Sofa unter mir bewegt sich jemand. Apoll rollt sich zusammen, er brabbelt etwas im Schlaf. Apoll? Er liegt mit mir auf dem Sofa. Was war letzte Nacht los?

Ich kann nicht länger darüber nachdenken, ich springe auf, renne ins Badezimmer, falle vor dem Klo auf meine Knie und übergebe mich in die

Schüssel. Das Würgen wird mit jeder Sekunde stärker. Heiße Tränen schießen mir in die Augen, Schweiß bildet sich auf meiner Stirn. Und noch einmal. Oh Gott, ist mir schlecht! Und mein Kopf platzt gleich. Das Würgen lässt nach ein paar Minuten etwas nach. Auf zittrigen Beinen komme ich zum Stehen. Ich reiße mir die Klamotten vom Leib, die die ich noch trage, und springe unter die Dusche. Kaltes Wasser läuft über meinen Kopf, meine Gedanken werden etwas klarer. Ich sehe mich am Strand. Ich sehe Ilias, wie er diese Frau fickt. Nur wenn ich das Wort denke, werde ich schamrot im Gesicht. „Sei nicht so scheiß naiv und dumm!" Meine innere Stimme ist wieder da. Und sie hat recht. Ich dachte, ich wäre stärker geworden in den letzten Monaten. Etwas rauer und weniger sensibel. Darüber, dass das offensichtlich nicht stimmt, kannst du dich später ärgern, denke ich. Was um alles in der Welt war passiert, nachdem ich vom Strand geflohen war?

II

Winzige Erinnerungsbruchstücke steigen in meinem Kopf auf: Ich fahre auf dem Roller nach Hause, so schnell wie noch nie. Ich treibe ihn richtig an. Ich rase, hole alles aus dem altersschwachen Ding heraus, was möglich ist. Ich zittere am ganzen Körper wie Espenlaub, doch diesmal hat es nichts mit den Temperaturen um mich herum zu tun oder dem kalten Wind. Ich fahre um ein paar Kurven, über den Kanal. Das Café liegt völlig im Dunkeln. Genau wie die Taverne. Zum Glück sind die letzten Gäste längst nach Hause gegangen, auch Christos und Costas sind nirgendwo zu sehen. Im stockfinsteren Gastraum komme ich am Weinregal vorbei. Ich nehme eine Flasche Rotwein, gehe weiter. Drehe mich noch einmal um, nehme eine zweite Flasche mit - und dann? Nichts mehr. Da ist einfach gar nichts mehr.

Inzwischen rauscht der Strahl der Dusche heiß über meinen Körper. Er spült alles weg, fast alles. Warum? Was habe ich schon wieder falsch gemacht? War alles gelogen? Einmal mehr im Leben frage ich mich, ob die Geschichte, die mir jemand, der mir viel bedeutet, erzählt hat, nur ausgedacht war. Und von irgendwo weiter hinten drängt sich ein anderer Gedanke in den Mittelpunkt, sorgt dafür, dass ich mich gleich wieder schlechter fühle. Die für mich noch immer unfassbare Frage füllt meinen kompletten Kopf aus: Was war gestern Nacht zwischen Apoll und mir geschehen? Immerhin waren wir heute Morgen beide angezogen, zumindest fast. Oder kann es sein, dass ich Rock und BH danach wieder übergestreift hatte? Hat es überhaupt ein „Danach“ gegeben, ein „Davor“? Ich fühle tief hinein in meinen Körper, in meine Seele. Habe ich? Hat er? Oh mein Gott, bitte nicht das auch noch! Ich stelle die Dusche ab, das heiße Wasser wird so schon kaum noch für beide Männer reichen. Ich schlinge mir ein großes, flauschiges Handtuch um und stecke den Kopf aus dem Badezimmer.

Apoll grummelt noch immer leise vor sich hin, er schläft tief und fest. Ich schleiche mich in mein

Zimmer, ich will ihm nicht begegnen. Was habe ich nur getan?

Das Handtuch fällt auf den Boden, ich krame nach etwas zum Anziehen, das nicht gewaschen werden müsste. Mein Gesicht im Spiegel des Schminktischs sieht müde aus, verkatert, verheult. Ich bin so blass, als hätte ich die letzten Monate am Nordpol verbracht oder gleich ganz unter der Erde. Autsch, meine Haarwurzeln schmerzen höllisch, als ich mit der Haarbürste meine Kopfhaut berühre.

III

In der Küche ist es noch ganz still. Nur der riesige Kühlschrank summt sein Lied. Ich nehme meine Schürze vom Haken und suche das Gemüse zusammen, das wir heute verarbeiten wollen. Mir ist immer noch schlecht, aber es hilft ja nichts. Die gewohnte, geliebte Arbeit wird mir helfen, wird mich ablenken, wird vielleicht dafür sorgen, dass ich mich wieder an letzte Nacht erinnern kann. Und Apoll, an dem ich auf Zehenspitzen vorbeigeschlichen bin, schläft noch immer. Was habe ich mit ihm gemacht? Meine Hand, die das scharfe Messer hält, zittert merklich. Mir ist innerlich ganz kalt, mein Magen krampft sich fest zusammen. Ich lege das Messer weg und setze einen der kleinen Töpfe auf, gebe etwas von unserer salzigen Gemüsebrühe hinein. Sie wird meinen Magen beruhigen und alle meine Speicher wieder auffüllen. Im Arztschränkchen finde ich zudem ein Schmerzmittel, das ich mit einem großen Glas Wasser hinunterspüle. Ich muss heftig aufstoßen, aber diesmal bleibt zum Glück alles drin. Das ist ein Fortschritt, denke ich. Die Brühe köchelt, allein ihr Geruch beruhigt meine Nerven und meinen rebellierenden Magen. Ich fülle mir etwas davon in eine Tasse. Der erste Schluck fühlt sich wie ein Geschenk des Himmels an.

Apoll

I

Als ich langsam meine Augen öffne, steht Costas vor mir, aus einem seiner zwei blickt er haarscharf an mir vorbei. Die grelle Sonne, die in seinem Rücken durchs geöffnete Fenster scheint, verfängt sich in seinen schwarzen Haaren, verleiht ihm eine Art Heiligenschein… Natürlich fragt er sich, warum ich hier im Wohnzimmer penne und nicht in meinem Zimmer. Er sagt dazu aber nichts. Nur: „Kaffee ist fertig, Chef.“ Und er hält mir eine dampfende Tasse unter die Nase, dann verschwindet er im Badezimmer. Ich richte mich vorsichtig auf dem Sofa auf und alle Knochen tun mir weh. Auf meiner Brust habe ich eine Stelle, die rot ist und schmerzt. Wie spät ist es eigentlich? Der Blick auf die Uhr zeigt mit, dass ich richtig heftig verschlafen habe, obwohl es so unbequem auf dem Sofa ist!

„Verdammt!“ Sephis traurige Geschichte gestern Nacht war lang, sehr lang. Und manchmal musste ich sie bitten, etwas zu wiederholen, weil ich sie nicht verstanden hatte. Hin und wieder nuschelte sie zu sehr. Manchmal wechselte sie ohne Vorwarnung ins Deutsche. Irgendwann müssen wir wohl völlig erschöpft eingeschlafen sein, zusammen hier auf dem Sofa. Da war es bestimmt schon 5 Uhr morgens. Bei der Erinnerung daran muss ich lachen. Das arme Ding! Wo ist sie eigentlich? Geht es ihr gut? Und dieses Arschloch von Ilias, wenn ich den zwischen meine Finger bekomme, dann gnade ihm Gott! Der Kaffee, den Costas mir gebracht hat, ist stark. Gut so. Ich merke, wie er warm durch meinen Hals und in meinen Magen fließt. Das Koffein gibt mir augenblicklich einen Kick. Den kann ich wirklich gebrauchen!

II

Aus der Küche zieht der Duft unserer würzigen Gemüsebrühe durch den ganzen Flur. Tante Maria ist bereits da, sie redet ununterbrochen. Costas schiebt im Gastraum Tische und Stühle hin und her. „Oh Costas, bitte nicht!", höre ich Sephi laut rufen. Nach den anderthalb Flaschen Rotwein dürfte ihr das Quietschen von Holzbeinen auf Fliesenboden wie tausend Messerstiche in ihr schmerzendes Gehirn vorkommen!

Ich trete durch die Küchentür und sehe, wie sie eine Tasse mit ihren Fingern umklammert, immer wieder kleine Schlucke daraus trinkt. Tante Maria gibt ihr zahlreiche Tipps gegen einen Kater. Nicht dass ich sie jemals betrunken erlebt hätte. „Tantchen, lass das arme Ding doch endlich in Ruhe!", rufe ich und zwinkere ihr zu. Sephi schaut mich ganz verschämt an. Macht doch nichts. Jeder hatte einmal einen Drink zu viel oder zwei oder drei! Und dafür hatte sie schon wieder richtig was an Arbeit vorgelegt. Das Hackfleisch für die „kleinen Schuhe“, wie wir die gefüllten Auberginen nennen, brutzelte bereits in der heißen Pfanne. „Hättest du mich doch geweckt. Du musst doch in diesem Zustand hier nicht alleine schuften. Nach der kurzen Nacht...“, ich lege ihr sachte meine Hand auf die Schulter. Ich will sie umarmen. Doch sie dreht sich weg von mir, tut so, als müsste sie in dem Topf mit der Brühe rühren. Oh je, sie schämt sich wirklich für letzte Nacht. Dabei ist doch gar nichts passiert. Oder weiß sie vielleicht gar nicht mehr, was letzte Nacht genau war? In meinem Kopf arbeitet es unaufhörlich. Aber dafür habe ich eigentlich keine Zeit. Ich ziehe meine Kochjacke über und gehe an die Arbeit. Es gibt viel zu tun. Und ich möchte es nicht noch schwerer für Sephi machen.

Sephi

I

Eine Umarmung? Was hat das nun wieder zu bedeuten? Was um alles in der Welt ist gestern Nacht geschehen, dass er mich in diesem Zustand umarmen möchte? Er sieht, ganz im Gegensatz zu mir, richtig gut aus, irgendwie frisch und erholt.

Also hat er nicht zusammen mit mir den ganzen Wein ausgetrunken. Hat er nicht? Dann habe ich die zwei Flaschen fast alleine getrunken? Mein Magen beantwortet die Frage sofort mit ja, während in meinem Kopf weiterhin gähnende Leere herrscht. Ich werde noch verrückt, wenn mir nicht wieder einfällt, was gestern Nacht passiert ist. Was war los, nachdem ich die zweite Flasche Wein aus Christos' Regal gemopst habe? In meinen Gedanken treten die wildesten Fantasien in einen Wettstreit miteinander. Haben wir miteinander geschlafen? Habe ich Apoll angemacht und er wollte mich nicht? Oder wollte er mich doch? Habe ich mich ihm etwa hemmungslos an den Hals geworfen?

Wie kann ich Apoll oder jedem anderen im Haus je wieder unter die Augen treten? Ich schäme mich. Und ich nehme noch einen Schluck von der warmen, wohltuenden Gemüsebrühe. Dann reiße ich mich ein wenig zusammen und mache mich daran, die Papoytsakia zu vollenden. Zum Glück bin ich heute für die gefüllten Auberginen zuständig und nicht für ein Fischgericht!

PAPOYTSAKIA (gefüllte Auberginen)

Zutaten für 2 Portionen

2 mittelgroße Auberginen
1 EL Olivenöl
Salz | Pfeffer
getrockneter Thymian

Füllung

2 Schalotten | 2 Knoblauchzehen
1 getrocknete Chili | 2 EL Olivenöl
2 TL Zucker | 400 g Hackfleisch (Lamm oder Rind)
2 Nelken | Salz | Pfeffer | 1 Prise Zimt
50 ml Rotwein | 400 g Dosentomaten
50 g geriebener Käse
1 EL frische Petersilie
1 TL frischer Thymian

Béchamel

25 g Butter | 25 g Mehl | Salz | Pfeffer
250 g Milch (Zimmertemperatur)
50 g geriebener Käse | 2 Eigelbe

So geht's

Den Ofen auf 200 Grad vorheizen. Die Auberginen waschen, halbieren. Mit Olivenöl, Salz, Pfeffer und Thymian einreiben. Auf der Schnittfläche in einer feuerfesten Form für ca. 40 Min. backen, bis sie weich sind. Das kernige Innenleben herauskratzen, dabei unbedingt die Schale unversehrt lassen.

Füllung

Schalotten, Knoblauch & Chili fein hacken und in Öl goldbraun anbraten. Den Zucker darüber streuen, das Hackfleisch anbraten, mit Nelken, Salz, Pfeffer & Zimt würzen. Mit Rotwein ablöschen, einkochen. Dann Tomaten dazu, alles für ca. 10 Min. einkochen, bis die Hackfleischmasse nicht mehr flüssig ist. Vom Herd nehmen, etwas abkühlen lassen. Dann den Käse und die frischen Kräuter unterrühren. Die Masse in die ausgehöhlten Auberginen füllen.

Béchamel

Butter und Mehl im Topf verrühren, bis sich die Butter aufgelöst hat, salzen & pfeffern. Zimmerwarme Milch nach und nach (ca. 5 Portionen) eingießen und unterrühren. Wenn die Masse Blasen wirft, vom Herd nehmen. Den Käse einrühren, schmelzen lassen. Dann das Eigelb verquirlen und unter die Masse heben.

Jeweils ein wenig von der Béchamel auf den gefüllten Auberginen verteilen. Alles für ca. 10 Min. zum Gratinieren in den Ofen geben (Foto: Seite 179).

II

Es ist den ganzen Tag über außergewöhnlich still in der Küche. Keine Musik, kein Lachen, es wird nur das Nötigste zwischen uns gesprochen. Ich weiß einfach nicht, was ich zu Apoll sagen soll. Muss ich mich für etwas bei ihm entschuldigen? Oder mache ich damit alles nur noch unangenehmer für ihn? Manchmal schaut er mich so komisch an, als wolle er mir Mut zusprechen, dann nickt er mir zu. Weil er es nicht so schlimm findet, dass ich mich nackt auf ihn geworfen habe? Obwohl ich heute Morgen ja doch einigermaßen bekleidet war. Himmel, ich komme auf keinen grünen Zweig. Mein Gedankenkarussell dreht und dreht sich. Währenddessen fülle ich Salate in Schüsseln und Mezze auf Teller, die Papoytsakia und noch etwas Fisch. Costas trägt alles an den großen Tisch auf der Terrasse, wo sich die gesamte Familie zum Abendessen versammelt. Es ist schon reichlich spät, aber wie immer kommen natürlich erst unsere Gäste dran.

Jetzt gegen Ende September merkt man ganz deutlich, dass der Strom an Besuchern nachlässt, die auch über Nacht auf Poros bleiben. Auf der ganzen Insel wird es irgendwie gemütlicher, familiärer. Zu unserem Essen kommen auch ein paar Kollegen von Apoll aus anderen Restaurants, ein alter Freund von Christos ist da und die zwei Freundinnen von Tante Maria, mit denen ich schon einige lustige Gespräche hatte. Inzwischen allesamt auf Griechisch - und darauf bin ich mächtig stolz. „Hallo Liebes!", Eva steckt ihren Kopf durch die Küchentür. Ich freue mich sehr, dass sie gekommen ist. Denn nur ihr habe ich es zu verdanken, dass ich jetzt nicht mehr so verloren am Tisch sitze, während die anderen unaufhörlich miteinander plappern und sich die lustigsten Geschichten erzählen.

III

Die Runde am Tisch ist wie gewohnt groß und laut. Jeder bedient sich aus den vollen Schüsseln und von den reichlich bestückten Platten. Christos schenkt wie immer ordentlich Wein nach, doch auf den verzichte ich heute lieber. Er zwinkert mir zu, als ich die Hand über mein Glas halte: „Koritsi mou, bei dir ist der Rotwein gelandet, ach so, ach so!" Dann lacht er schallend und meine Ohren werden heiß. Bestimmt können die Schiffsbesatzungen draußen auf dem Wasser sie sehen und denken, sie sind ein Warnsignal. Apoll sitzt neben mir, lässig lehnt er in seinem Stuhl. Taufrisch würde ich sagen! Also getrunken hat er in der letzten Nacht nichts, da bin ich mir inzwischen wirklich sicher. Ich kann seine Blicke förmlich in meinem Rücken spüren. Und ihm auch nicht länger ausweichen. Es gibt keine Arbeit mehr zu tun, die ich vortäuschen könnte.

„Heiß hast du ausgesehen, gestern Nacht..."

„Was? Oh mein Gott!"

„Na ja, als du plötzlich halb nackt in mein Zimmer gestürzt bist..."

„Ich war halb nackt und bin...? Was?"

„Du hast gesagt, ich soll doch mal ins Wohnzimmer kommen, du hättest da eine Überraschung für mich…"

„Oh nein! Bitte nicht…" Mein Kopf glüht.

„Diese giftgrüne Omaunterwäsche… Schade, dass du mir bisher noch nichts davon gezeigt hast…"

„Ja, die grüne Wäsche von meiner Oma!" In dem Moment geht mir ein Licht auf. Apoll macht sich einen Spaß auf meine Kosten! Alles hatte ich gestern Nacht an, aber keine giftgrüne Omaunterwäsche. Niemals! Apoll kann nicht länger an sich halten. Er lacht so laut, dass die Nachbarn bestimmt aus ihren Betten fallen. Er nimmt mich in den Arm und küsst mich auf die Stirn. „Kleine Schwester!", sagt er, „alles ist gut! Du hattest ein bisschen viel getrunken gestern Nacht, als ich dich gefunden habe. Und du hast vielleicht auch versucht, mich zu küssen…"

„Oh nein…"

„Ist doch nicht schlimm! Schlimm ist, dass du geweint hast, dass du wegen diesem Arschloch Ilias geweint hast. Wenn ich den in die Finger bekomme!" Seine sonst so freundlichen Augen überdeckt ein dunkler Schatten, der mir einen gehörigen Schrecken einjagt. „Ich habe mich in ihm getäuscht, nicht auf euch gehört. Es tut weh, aber ich werde es überleben", flüstere ich, um ihn zu beruhigen. Denn im Augenblick sieht er so aus, als würde er Ilias am liebsten erschlagen.

Eva lächelt mir über den Tisch hinweg zu, sie hat unser Gespräch mitbekommen. Auch sie sieht die Wut in Apolls Augen und die Tränen in meinen. Sie steht auf und kommt zu mir, nimmt mich tröstend in den Arm. Sie sagt nichts, lässt mich nur spüren, dass ich bei ihr Trost finde und dass ich geliebt werde. So macht man das, denke ich an meine innere Stimme gerichtet. Doch die bleibt heute ganz und gar still. Denn da sind zwei Menschen, und noch ein paar mehr, die mich auffangen. Die mich nehmen, wie ich bin. Das macht mich unglaublich glücklich. So glücklich, dass mir prompt erneut Tränen in die Augen schießen. „Efcharistó, danke, dass es euch alle in meinem Leben gibt", flüstere ich und klammere mich an Eva.

IV

Später sitze ich zusammen mit Apoll auf meinem Bett, in Klamotten! Wir flüstern miteinander, um Costas nicht zu wecken, der morgen ganz früh die Fähre nach Athen nehmen möchte. Seine Frau hat Geburtstag – und er will sie überraschen. Mein Herz pocht bei dem Gedanken daran, wie liebevoll ich das finde. Da habe ich gerne zugestimmt, morgen die Kochschürze ein wenig früher an den Nagel zu hängen und beim Bedienen zu helfen. Mal sehen, wie ich mich anstelle! Apoll sagt noch einmal „kleine Schwester" zu mir und verabschiedet sich in sein Zimmer. Sein Blick ist wieder weich und freundlich, was mich beruhigt. Wir haben uns ausgesprochen, die ganzen verwirrenden Gefühle der letzten Monate auf den Tisch gelegt. Er hat mir von dem alten Mann erzählt, den er am Hafen getroffen hat. Ich habe das Gefühl, dass ich diesen alten Mann ebenfalls kenne…

Und vielleicht hatte er diesmal recht mit seinem Ratschlag? Obwohl. Eigentlich hatte er mir ja auch nur geraten, hinter die Fassade zu schauen. Dass es dahinter genauso übel aussieht wie davor, das konnte der Fremde nun wirklich nicht wissen! All die Momente mit Ilias haben mir nämlich auch eine wichtige Sache gezeigt: Dass das, was ich für Apoll fühle, keine erotische Liebe ist, das ist etwas anderes, vielleicht sogar etwas, das viel tiefer geht. Und er? Er empfindet zum Glück genauso. Er könne sich nichts Schöneres vorstellen, als mich für immer in seiner Familie zu behalten, als seine kleine Schwester. In seinen Träumen würden wir für immer zusammen kochen. Irgendwann würde gar niemand mehr wissen, dass ich eigentlich nicht aus der Fremde stamme. Ich kann kaum sagen, wie sehr mich seine Worte berühren. Hier auf dieser kleinen Insel habe ich eine Familie gefunden. Eine Familie, die ich so lange vermisst habe. Und das ist mir im Augenblick viel mehr wert als jede Liebe der Welt. Ich kuschle mich in meine weichen Kissen, ziehe mir das Laken bis über den Kopf und schlafe augenblicklich ein.

Apoll

I

Wir singen wieder in der Küche. Es ist so großartig, sie gut gelaunt zu sehen, auch wenn es immer noch diese Momente gibt, in denen sie den

Tränen nahe ist, sich traurig von uns abwendet. Das kann ich genau erkennen. Dieser Ilias! Ich bin so wütend auf ihn. Gleichzeitig strotze ich vor Energie. Ich habe geschlafen wie ein Baby, nachdem Sephi und ich miteinander gesprochen hatten. Keine verworrenen Gefühle mehr. Ich habe mich selbst wiedergefunden. Eine Frage bleibt: Wie konnte ich mich nur so von den anderen beeinflussen lassen? Ich liebe meine Familie, aber manchmal übertreiben sie es echt.

Ich grinse wie ein Honigkuchenpferd, während ich den Fisch ausnehme, den die Fischer heute Morgen frisch gefangen hatten. Was für ein Glück ich habe, dass ich mit all diesen traumhaften Produkten arbeiten kann. Dass ich sie mit meinen Händen greifen, ihre Struktur erfühlen kann. Dass ich genau weiß, wie ich aus ihnen etwas koche, was allen Leuten schmeckt und große Freude bereitet. Ich kann jetzt schon den Duft in der Nase riechen und den Geschmack auf meiner Zunge schmecken. An diesem Ort weiß ich genau, was ich mache. Und das gibt mir dieses Gefühl von Zufriedenheit. Ich bin ganz ruhig, fast ganz ruhig…

Den Mittagsservice bewältigt Papa, der heute den Kellner in unserem Laden gibt, prima ganz alleine. Es ist nicht viel los. Außerdem macht es ihm Spaß, mit den Leuten ein Schwätzchen zu halten. Mit einem Gast aus Deutschland hat er sich besonders lange unterhalten. Die beiden konnten zwar die Sprache des anderen nicht verstehen, aber mit Händen und Füßen ging es dann doch irgendwie. Es war sehr lustig anzusehen. Auch für die Frau des Gastes, die das Treiben die ganze Zeit still und aufmerksam verfolgt hat. Sie hat hin und wieder den Kopf geschüttelt und gelacht. Sie kennt die Art ihres Mannes wahrscheinlich schon eine Weile. Papa jedenfalls war so begeistert, dass er seinen besten Ouzo aus dem Regal geholt und eine Runde nach der anderen spendiert hat. Außerdem wies er mich an, mir besonders viel Mühe mit dem Dessert zu geben, das er den beiden gerne ausgeben würde. Zum Glück kommt Costas morgen wieder, denke ich lachend. Wenn Papa so weitermacht, verschenken wir bald alles!

II

Es ist Abend geworden, ich bin ganz allein in der Küche. Aber wir hatten in den Stunden zuvor alles perfekt dafür vorbereitet. Früher war ich öfter allein in der Küche, ich kann mich kaum noch daran erinnern, so sehr habe ich mich an Sephi und ihre Hilfe gewöhnt. Da steckt sie ihren Kopf durch die Tür und liest eine Bestellung von ihrem Zettel ab. „Wahnsinn, das ist so anstrengend!", schließt sie daran an und ist schon wieder, fünf Teller in der Hand und auf dem Arm balancierend, in unserem Gastraum verschwunden. Klar, dass sie auch das kann, wie sie einfach alles kann. Außer vielleicht Männer gut einzuschätzen. Ich schäme mich umgehend für diesen fiesen Seitenhieb, dabei habe ich ihn nicht einmal laut ausgesprochen.

Plötzlich höre ich Stimmen von draußen, die sich ungewöhnlich anhören. Ihnen fehlt diese Leichtigkeit, die den ganzen Tag um uns herum schwebte. Papa, Sephi, die Gäste – alle waren ausnahmslos gut drauf und freundlich miteinander. So, wie ich es am allerliebsten hatte. Jetzt ist da eine Spannung in der Luft zu fühlen, die knistert so sehr, dass ihre elektrische Ladung bis zu mir in die Küche reicht. Wortfetzen fliegen bis an mein Ohr. Ist ein Gast unzufrieden? Ich wische mir die fettigen Finger an der Kochjacke ab und schaue nach, woher der Unmut kommt. Es sitzen nur noch wenige Leute auf unserer Terrasse, inzwischen ist es dunkel geworden. Keiner blickt auf seinen Teller. Alle schauen auf die Straße, auf das Schauspiel, das da vor sich geht.

III

Ilias steht auf der Straße, Sephi ebenfalls. Er redet unentwegt auf sie ein, hält einen Blumenstrauß in der Hand. Der sieht schon ganz mitgenommen aus, weil Ilias wild mit den Armen rudert, mit den Händen gestikuliert. Sephi sieht verkrampft aus, wie sie dasteht. Ihr Körper ist kerzengerade aufgerichtet, die Arme hat sie um ihren Leib geschlungen. Ihr Gesicht kann ich nicht erkennen. Was will der Typ hier? Die Wut kocht augenblicklich in mir hoch. Niemand hat ihn eingeladen. Niemand möchte, dass er hier erscheint. Nie wieder, auch nicht zum Arbeiten, das steht für mich fest! Das habe ich bereits mit Papa besprochen, ohne ins Detail zu gehen. Der war davon nicht begeistert. Aber diesmal kenne ich kein Pardon. Wir werden jemand anderen finden, er hat hier nichts mehr verloren. Ich überquere die Terrasse in großen Schritten. Nach Sekunden erreiche ich die beiden. Und höre gerade noch, wie Sephi sagt, dass sie ihn nicht mehr sehen möchte. Er bettelt darum, dass sie ihn anhören möge, dass ihm alles so leidtue.

„Dir wird es gleich leidtun!“, rufe ich wütend und stelle mich zwischen die beiden. Ilias schaut mich aus großen, bösen Augen an.

„Misch dich nicht ein, Apoll!“

„Ich kann das alleine.“ Ich höre Sephi leise hinter mir, aber ich sehe das anders. Ich habe sie hierher auf die Insel eingeladen, ich bin verantwortlich dafür, dass ihr bei uns nichts widerfährt. Das ist mir bisher nicht gelungen! Doch von nun an werde ich wachsamer sein. Und Ilias, den habe ich sowieso gefressen. Dieser unpünktliche, unzuverlässige Typ. „Von dir habe ich mir lange genug auf der Nase herumtanzen lassen. Und jetzt noch das, jetzt ist das Fass endgültig übergelaufen, mein Freund!“

„Ich bin nicht dein Freund!“

„Da hast du recht“, sage ich und schlage ihm mit der Faust unters Kinn. Es knackt gewaltig. Ilias stolpert rückwärts, überrascht von meinem Blitzangriff.

„Niemand tut ihr weh!“, rufe ich, zeige auf Sephi und gehe gleich wieder auf ihn los. Inzwischen hat er offensichtlich den ersten Schreck überwunden. Er feuert die Blumen auf die Straße und fängt meinen zweiten Schlag geschickt mit der Hand ab. Aber ich bin noch längst nicht fertig. Kurz darauf wälzen wir uns auf der schmutzigen Straße. Ich schlage ihn, er versucht, mir auszuweichen. Sephi ruft etwas, will zwischen uns gehen, doch ich kann sie nicht verstehen, blinde Wut macht mich rasend.

„Schluss jetzt!“ Die grollende Stimme von Papa holt mich ins Hier und Jetzt zurück. Zwei Gäste sind aufgesprungen, packen uns an den Armen, ziehen uns auseinander und wieder auf die Beine. Jetzt ist es Papa, der wütend ist. „Vor unseren Gästen?“ Mehr sagt er nicht. Er dreht sich um und nimmt die beiden fremden Männer mit zurück auf die Terrasse. Ich höre, wie er sich bei unseren Gästen entschuldigt. Und allen einen Ouzo auf den Schreck anbietet. Die meisten willigen ein. Die Spannung, die in der Luft lag, hat sich mit einem Schlag entladen. Die ersten Leute lachen schon wieder. Gläser klirren. Ich schaue Ilias wütend an, der drei Meter von mir entfernt steht, zum Sprung bereit oder zur Flucht. Aus seiner Nase tropft Blut. Es färbt die Straße rot. Sephi steht bei ihm, reicht ihm ein Taschentuch. Sie sammelt die zerdrückten Blumen von der Straße auf, schaut erst mich böse an, dann schaut sie ihn böse an und verschwindet im Dunkel der Taverne.

„Hau ab! Für immer“, sage ich zu Ilias.

„Keine Sorge, ich bin schon weg. Ihr seht mich nie wieder!“

Ich schleiche mich an den Gästen vorbei in die Küche, vermeide Blickkontakt, vor allem mit Papa. Wow, was war da bloß in mich gefahren? Im Mülleimer in der Küche steckt kopfüber der zerknickte Blumenstrauß, von Sephi keine Spur. Sie taucht auch den Rest des Abends nicht wieder auf. Die meisten Gäste verabschieden sich schnell, mit ein paar von ihnen trinkt Papa die Flasche Ouzo leer. „So etwas habe ich noch nie erlebt!“, höre ich ihn sagen. Ich putze die Küche, bis sie so sauber ist wie wahrscheinlich noch niemals in ihrem Leben. Ich schrubbe und schrubbe. Als ich dabei in den kleinen Spiegel über dem Handwaschbecken blicke, sehe ich, wie ein Veilchen unter meinem rechten Auge erblüht. Ich werde es mit Stolz tragen, denke ich trotzig und verschwinde auf meinem Zimmer. Dort setze ich die Kopfhörer auf, nehme die E-Gitarre von der Wand und lasse alle rasende Wut raus – bis eine der Saiten reißt und vor mir spitz in die Luft ragt.

Sephi

I

Es wird ganz langsam hell. In meinem Zimmer kann ich gerade so die Umrisse der Möbel erkennen. Ich setze mich auf die Bettkante, stütze mich mit den Armen ab. Ich fühle mich schwach und wie zerschlagen. Ich habe die ganze Nacht kein Auge zugetan. Ilias hatte mir während der letzten Tage immer und immer wieder Nachrichten geschrieben. Er wolle sich entschuldigen. Er wisse nicht, wie das alles geschehen konnte. Er habe ein schlechtes Gewissen. Ich habe sie schweren Herzens ignoriert. Die längst verheilt geglaubte Wunde in mir, die er mit seinen Taten erneut aufgerissen hatte, war einfach noch viel zu frisch. Ich hatte mich einmal mehr von einem Mann blenden lassen. Ich hatte meinen Freunden nicht glauben wollen. Ich hatte mir seine Geschichte angehört, sie ihm geglaubt, ihm trotz all der negativen Stimmen vertraut, mich schutzlos in seine Arme begeben. Doch ich würde diesen großen Fehler nicht noch einmal begehen: Ich werde ihm nicht einfach verzeihen, naiv auf das Beste hoffen und dabei selbst auf der Strecke bleiben! Vielleicht kann ich ihm irgendwann einmal vergeben, aber vergessen kann ich das Geschehene nicht.

Als er plötzlich vor der Taverne aufgetaucht war, ist mir das Herz in die Hose gerutscht. Ich bin direkt raus zu ihm auf die Straße gelaufen. Ich wollte nicht, dass die Gäste etwas von unserer Geschichte, unserem Drama, mitbekommen. Und ich wollte unter gar keinen Umständen, dass er und Apoll sich begegnen.

II

Es ist anders gekommen. Wie sie sich da auf dem Boden gewälzt haben, wie zwei Schuljungen. Die Szene hat sich in mein Gedächtnis eingebrannt. Dass ich jetzt einen „Bruder" hatte, der sich für mich prügelte, darüber konnte ich keine Freude empfinden. Dass Ilias sich nicht vom Fleck bewegte, als ich ihn darum bat, mich allein zu lassen, fühlte sich ebenfalls nicht viel besser an. Christos war geschockt und peinlich berührt. Seine Stimme, die ich niemals zuvor in diesem autoritären Ton gehört hatte, beendete den Spuk schnell. Sogar zwei Gäste hatten sich helfend eingemischt. Ich wollte danach niemanden mehr sehen. Bin direkt in meinem Zimmer verschwunden, in mein

Bett gegangen. Doch an Schlaf war nicht zu denken. Konnte ich hierbleiben? Würde sich so eine Szene - auf offener Straße - wiederholen? Würde beim nächsten Aufeinandertreffen der beiden einer von ihnen ernsthaft verletzt werden? Mir wird schlecht bei dem Gedanken. Es ist besser, wenn ich gehe. Mit diesem Entschluss fühle ich mich traurig, aber wohler. Ich rede gleich heute Morgen mit Apoll und Christos. Die Tage wurden gerade wieder merklich kürzer. Die Touristen wurden weniger. Die beiden würden die Arbeit auch ohne mich bewältigen. Und in ein paar Wochen hätte ich eh zurück nach Deutschland gemusst. Ich hatte dort einen Job, der auf mich wartet, eine Wohnung, die ich wieder bezahlen musste. Lieber ein Ende mit Schrecken als ein Schrecken ohne Ende.

Ich gehe ins Badezimmer, putze mir die Zähne und schaue mich im Spiegel an. Trotz der guten Küche, die ich hier jeden Tag bekomme, sind meine Wangen weniger rund, mein Schlüsselbein tritt viel deutlicher unterhalb des Halses hervor. Aber vor allem meine Gesichtszüge haben sich verändert, selbstbewusster blicke ich mein Spiegelbild an. Ich muss mich nicht verstecken, ich muss nichts tun, bei dem ich mich unwohl fühle.

III

Ich komme vorsichtig aus dem Badezimmer. Es ist ganz still in der Wohnung. Wenn ich mich beeile, kann ich noch einmal einen ruhigen Morgen auf Poros genießen. Noch einmal die Sonne beim Aufgehen beobachten, noch einmal den Charme dieses wundervollen Ortes erleben. Und mir einen Plan für die nächsten Tage und Wochen überlegen, etwas Ordnung in meinen Kopf bringen. Also schleiche ich aus dem Haus, steige auf den Roller und biege nach links in die Straße ein. Sie führt mich am Wasser entlang, immer weiter, immer weiter. Die Häuser werden weniger. Bald gibt es nur noch eine Reihe entlang der Straße, dahinter Felsen und sattgrüne Bäume. Nach der Linkskurve ist es auch damit vorbei. Rechts von mir rollen die Wellen an Land, links von mir erheben sich spitze Felsen und ein paar Büsche, sie ganz braun vom heißen, trockenen Sommer sind. Nach einer Weile erreiche ich eine Kreuzung. Ein Weg zweigt nach links ab, windet sich steil den Berg hinauf, den nehme ich. Oben bei der alten Festungsruine stelle ich meinen Roller ab. Ich genieße für einen Moment die Aussicht über das Meer.

Dann gehe ich zu Fuß weiter, niemand sonst ist hier. Weicher Waldboden dämpft meine Schritte. Die Sonne hat es inzwischen fast geschafft. Ich klettere über ein paar Felsbrocken und erreiche die kleine Kapelle, die hier oben ganz einsam steht. Vor ihr lasse ich mich auf einem Stein nieder, meine Beine baumeln über dem tiefen Abgrund. Unter mir liegt die kleine Stadt, die weißen Häuser mit den roten Dächern, am anderen Ende erkenne ich den Glockenturm. Links und rechts Wasser, dahinter ist auf der einen Seite das griechische Festland ganz nah. Auf der anderen Seite der größere Teil der Insel, der nur durch den Kanal abgetrennt ist. Irgendwo dort weit hinter dem felsigen Berg liegt der Strand. Unser Strand. Von dort aus geht gerade die Sonne auf. Ich schüttele den Gedanken ab und versuche, die letzten Momente des wundervollen Sonnenaufgangs zu genießen, mich nur darauf zu konzentrieren, auf die Stille um mich herum und auf das Zauberlicht.

Meine Gedanken kommen allmählich zur Ruhe. Sie fallen wie Puzzleteile ineinander. Es ist keine Frage mehr, es ist Gewissheit, das Ende meiner Zeit auf Poros ist gekommen. Ich muss jetzt meine Zelte im Paradies abbrechen. Es ist der Moment gekommen, an dem ich sprichwörtlich vom Berg wieder hinunter ins tiefe Tal steigen muss. Es war eine wahnsinnig schöne Erfahrung, aber Apolls Traum vom ewigen gemeinsamen Kochen war eben nur genau das: ein Traum. Und dieser Traum war gestern Nacht auf der Straße vor der Taverne geplatzt.

In der Realität würden wir eine gute Lösung finden, damit es für Christos nicht zu schwer werden wird. Und dann muss ich mir überlegen, was ich mit den restlichen Wochen meines Sabbaticals anstellen wollte. Denn meine Wohnung wird ja noch für eine ganze Weile von einem jungen IT-Studenten bewohnt, den ich ganz sicher nicht wegen meiner Fehlbarkeit vor die Tür setzen wollte.

OKTOBER

„Glück ist Selbstgenügsamkeit."

Aristoteles (384 – 322 v. Chr.)

Ilias

I

Ich sitze auf meinem rostigen Roller, fahre über den Kanal in Richtung Stadt. Irgendetwas hat mich heute Morgen ganz zeitig aufschrecken lassen. Irgendetwas hat dafür gesorgt, dass ich direkt aus dem Bett gestiegen bin. Die Sonne war noch gar nicht richtig aufgegangen, der Berg gegenüber in dunkle Schatten gehüllt. Und doch zog es mich vor die Tür. Raus auf den Roller, hinein in die Stadt. Keine Ahnung, was ich suche. Nicht einmal am Café am Kanal halte ich an. Mein Gefühl sagt mir, dass ich dafür keine Zeit habe. Etwas ist wichtiger. Aber ich weiß auch, dass Vanessa mich mit ihrem vernichtenden Blick anschauen wird, sobald ich das Café betrete. Solange ich meinen Spaß mit den Touristinnen habe, reden sie alle über mich, aber das sind nur Witze. Nun habe ich eine von ihnen, und das ist Sephi inzwischen für sie, betrogen. Und das ist ein Frevel, das wird Vanessa mir für immer vorhalten. Ganz egal, womit ich mich vor ihr verteidigen würde. Nicht dass ich mit ihr darüber sprechen konnte, wenn nicht einmal Sephi auf meine Erklärungsversuche reagiert hat. Sie hat keine meiner Nachrichten beantwortet, sie hat nicht mit mir geredet. Nicht einmal, als sie mir ein Tuch für meine blutende Nase überreicht hatte. Ich werde nie den Anblick vergessen, wie sie sich von mir wegdreht, sich bückt und den zerquetschten Blumenstrauß aufhebt. Wie sie ihn sachte zwischen ihre Hände nimmt. Und geht.

Gleich bin ich am Hafen angelangt. Es sind kaum Menschen unterwegs, der Himmel ist düster, Regen kündigt sich an. Die Sirene der Fähre durchschneidet die Stille. In der Ferne blitzt etwas Pinkes auf. Irgendwie kommt es mir bekannt vor. Was ist das? Der Roller bringt mich näher heran. Jetzt erkenne ich, dass es sich um einen Koffer handelt, einen großen Koffer. Der Kapitän nimmt ihn in die Hand, reicht ihn an den Bootsmann weiter, dreht sich um und reicht seine Hand einer Frau. Er greift nach Sephi. Ich treibe den Roller an. Schneller und schneller, doch scheint er sich kaum vom Fleck zu rühren. Bis ich das Hafengelände erreicht habe, sind ein paar weitere Menschen an Bord gegangen. Die Sirene ertönt erneut. Ich springe vom Roller, laufe die letzten Meter, immer schneller. Ich erreiche das Schiff, als es ablegt. In einem Fenster kann ich Sephi erkennen. Sie sucht sich ihren Platz, wirft keinen Blick zurück. Ich schreie ihren Namen, einmal, zweimal. Sie setzt sich und verschwindet somit aus meinem Sichtfeld. Der Bootsmann glotzt mich interessiert an. Dann winkt er hämisch, die Fähre fährt und kommt nicht für irgendwen zurück, jedenfalls nicht jetzt und nur für mich. Ich sehe, wie sie am Horizont immer kleiner wird. Wie sie irgendwann gänzlich verschwindet.

Wo fährt Sephi hin? Verlässt sie uns? Geht sie nur für ein paar Tage? Ich habe so viel Fragen, doch niemand ist da, der sie mir beantworten kann. Es gibt auch niemanden, den ich fragen könnte, der mir eine ehrliche Antwort geben würde. Sie ist weg. Und ich allein habe das zu verantworten. Wenigstens hat er sie auch nicht gekriegt, blitzt der alte Ilias in meinen Gedanken auf. Ich schäme mich, denn diesmal suche ich die Schuld nicht bei den anderen. Sie liegt allein bei mir. Ich habe mich von meinen trübsinnigen Gedanken, von meinen düsteren Erinnerungen leiten lassen. Ich habe den größten Fehler begangen. Größer noch als damals, als ich in den Strudel aus Alkohol und Drogen eingetaucht bin - und als Wrack vor den Füßen meiner Mutter wieder ausgespuckt wurde. Ich will ihr das alles sagen. Ihr erklären, dass ich endlich verstanden habe, ich will mich entschuldigen, ihr dabei in die Augen sehen. Ihr, die mir gezeigt hat, was Wärme und echte Gefühle sind. Ihr, die sich nicht von den anderen hat einlullen lassen - und die ich dafür umso tiefer verletzt habe.

II

Ich setze mich auf die alte Bank. Noch immer bin ich außer Atem von dem Sprint. Eine rotbraune Katze mit nur einem Auge kommt und streicht um meine Beine. Doch sie interessiert sich nicht für mich, sie verlässt mich wieder. Ich schaue ihr nach, blicke hinüber ans andere Ufer. Ein paar Boote ziehen an mir vorbei. Sie verlassen unsere Insel, brechen zu neuen Ufern auf. Genau wie Sephi zu einem neuen Ufer aufgebrochen ist, weil ich sie von von diesem Ort vertrieben habe. Ich sitze bestimmt eine Stunde lang allein auf der alten Bank, die morsch aussieht, deren Farbe an vielen Stellen bereits abgebröckelt ist. Und doch steht sie noch hier und trotzt allen Bedingungen um sie herum, trotzt Sonne, Regen und Sturm.

Sephi

I

Der Himmel ist wolkenverhangen und grau, die Sonne zeigt sich an diesem Morgen nicht. Als wolle sie sich nicht von mir verabschieden. Der Sommer neigt sich dem Ende und auch ich gehe. Noch nicht zurück nach Deutschland, aber ich verlasse Poros. Ob ich je wiederkehren werde, das weiß ich nicht. Vielleicht sollte man eine Tür, die ins Schloss gefallen ist, nicht erneut öffnen.

Ich habe einen Fensterplatz auf der Fähre gebucht und schaue hinüber auf die Peloponnes. Es ist gut, dass ich Poros in diesem Moment nicht sehen muss, bestimmt würde ich dann weinen. Es fällt mir unglaublich schwer, diesen wundervollen Ort zu verlassen, der mir in den letzten Monaten alles bedeutet hat. Das Gespräch mit Christos und Apoll vor ein paar Tagen war gut verlaufen, Christos ist mir nicht böse, er wusste ja auch gar nicht, was alles vorgefallen war. Apoll mit seinem Veilchen unter dem Auge blickte mich immer nur traurig an. Er bat mich, darüber nachzudenken, es mir noch einmal anders zu überlegen. Doch dazu war ich nicht bereit. Niemals wieder möchte ich jemanden aus seiner Familie in so eine schlimme, peinliche Situation bringen. Alles nur, weil ich nicht in der Lage bin, die Absichten der Menschen um mich herum richtig einzuschätzen.

Als ich ihnen sagte, dass ich nicht genau weiß, wohin ich gehen soll, da zu Hause zu dieser Zeit im Jahr niemand mit mir rechnet, hat Apoll eine Idee. Eine Idee, die mich begeistert - und die dazu führt, dass ich das Land noch nicht sofort verlasse. Ich werde den Rest meines Sabbaticals in Athen verbringen, Apoll hat mir einen Job vermittelt. Freunde von ihm, die ein Koutoukia führen, eine der Kellertavernen, die typisch für die Stadt und gleichzeitig selten geworden sind. Hier kann ich für ein paar Stunden in der Woche arbeiten. Das Geld, das ich dafür bekomme, reicht gerade für das Zimmer, das Tante Maria mir vermittelt hat. Dabei bleibt mir genug freie Zeit, um die Stadt besser kennenzulernen, die mich bei meinem kurzen Besuch vor ein paar Monaten so fasziniert hat.

Also hat es tatsächlich etwas Gutes, denke ich, während die Fähre Athen näher kommt, das nur eine Stunde entfernt liegt und doch eine vollkommen andere Welt verspricht. Verheißungsvoll, chaotisch und laut. Das ganze Gegenteil von allem, was mir in den letzten Monaten so viel bedeutet hat. Mein Herz macht einen kleinen Hüpfer, ich fühle eine zaghafte Vorfreude in mir aufsteigen.

II

In der Athener Markthalle ist es laut. Wasser rinnt über den gefliesten Boden. Hühner hängen an ihren Beinen kopfüber hinter Glas. Riesige Rinderhälften und portioniertes Schweine- und Lammfleisch wetteifern in den Auslagen um die Gunst der Kunden. Tintenfische liegen zusammen mit Brassen, Seebarschen, Muscheln und Garnelen auf Eis. Der Geruch in der Halle ist überwältigend. Nichts für einen schwachen Magen. Gerade ist hier viel los. Hausfrauen und Köche verhandeln mit Metzgern und Fischverkäufern. Einer macht eine abfällige Handbewegung und geht weiter zum nächsten Stand. Zwei andere werden sich einig, Geld und Ware wechseln die Besitzer.

Rund um die Halle bieten Händler Gewürze, Nüsse, Körbe, Töpfe und Pfannen an. In den Geschäften auf der anderen Straßenseite kann man sich nur mit Mühe entscheiden: Welches Stück Feta ist das schönste, salzigste? Der griechische Joghurt wabert in riesigen Behältern, dick und sahnig, manchmal strahlend weiß, manchmal fast schon gelb. Dann ist er extra fett und von Ziege oder Schaf. Der Laden nebenan bietet Oliven, eingelegte Tomaten und alles, was das Herz begehrt.

Obst und Gemüse kauft man ein wenig weiter die Straße hinunter, gleich dort, wo ich vor einer Stunde mein kleines Zimmer bezogen habe. Es ist wirklich winzig, hat nur ein schmales Fenster und ist mit dunklen Möbeln bestückt. Ganz das Gegenteil von meinem Zimmer auf der Insel, wo ich mich so leicht und wohl gefühlt habe. Aber es ist alles sauber und ordentlich und dabei warm und gemütlich. Die Wohnung gehört einer alten Schulfreundin von Tante Maria. Und die ist sehr froh, durch mich ein wenig extra Geld in ihre Tasche zu bekommen. Ich durchquere die Markthalle ein letztes Mal, denn nach meinem Rundgang muss ich auf die andere Seite der Halle wechseln. In der Straße dahinter befindet sich mein neuer Arbeitsplatz. Ich bin aufgeregt, zum Glück verstehe ich die Sprache inzwischen so gut, dass ich mir darum keine Sorgen machen muss.

Ich komme vor einer Treppe zum Stehen. Steil führt sie hinunter zu einer dunklen Holztür. Hier im Kellergeschoss befindet sich die Taverne. Ich steige hinab in die Dunkelheit, und es fühlt sich ein bisschen vertraut an. Hinter der Tür drängen sich viele kleine Tische mit blau-weiß karierten Tischtüchern darauf, an ihnen stehen die typischen wackligen Stühle. In dem gedrungenen Gastraum stapeln sich riesige Weinfässer entlang einer Wand. Noch ein wenig weiter hinten, noch ein wenig mehr in der Dunkelheit befindet sich die Küche. Von dort höre ich die mir wohlvertrauten Klänge, Töpfe und Teller klappern in ihrem ganz eigenen Takt. Die Tür in diese Welt öffnet sich. Eh ich mich versehe, werde ich in eine schwarze Schürze gesteckt und zum Kartoffelschälen abkommandiert. Natürlich wollen sie mich testen. Doch das macht mir nichts aus. Alle Arbeiten in einer Küche müssen erledigt werden, damit der Gast oder auch die Familie hinterher gut speisen kann. Ich bin mir nicht zu schade dafür, nehme das passende Messer aus meiner Lederhülle und lege los.

III

Wow, das war ein Abend! Ich liege auf meinem Bett. Die Geräusche vor dem Fenster hören sich auch nach Tagen noch ungewohnt an, Autos brettern über Straßen, Polizeisirenen heulen auf, irgendwo läuft laute Musik. Ich lege die Beine hoch, schon lange habe ich sie nach einer Schicht nicht mehr so sehr gespürt. Mit dem Moment, als das Lokal seine Türen geöffnet hat, war es rappelvoll gewesen, bis in die frühen Morgenstunden.

Seit ein paar Tagen lassen sie mich in der Taverne weniger Gemüse putzen und mehr kochen. Ich vermute, das liegt daran, dass sie mit Apoll in Kontakt stehen und der ein gutes Wort für mich eingelegt hat. Bereits am frühen Nachmittag hatte ich mit den Vorbereitungen für das Moussaka begonnen. Gut Ding will Weile haben - und ein perfektes Moussaka sollte man nicht überstürzen. Allein die aufwendige Vorbereitung der Auberginen dauert ihre Zeit.

Als der Auflauf im Ofen seiner Vollendung entgegen brutzelte, sah ich mich von der Küchentür aus im vollen Gastraum um. Inzwischen hatten drei Musiker ihre Instrumente ausgepackt, sie spielten den schönsten und schwülstigsten Rembetiko, den ich jemals gehört hatte. Einer der bekanntesten Sänger des griechischen Blues' soll in dieser Taverne einst seine Lieder geschrieben haben. Eines heißt übersetzt „Es regnet Feuer auf meinem Weg". In diesem Moment fühlte ich die düsteren Worte, als wären sie über mein Leben geschrieben worden. Ich ging zurück in die Küche und an meine Arbeit. Doch das Unbehagen blieb.

MOUSSAKA

Zutaten für ca. 6 Portionen

4 Auberginen | Salz | Olivenöl
4 große Kartoffeln

Hackmasse

4 Schalotten | 4 Knoblauchzehen
2 getrocknete Chili | 6 Tomaten | Olivenöl
600 g Hack (Rind oder Lamm) | 2 EL Tomatenmark
100 ml trockener Rotwein | 2 TL getr. Rosmarin
2 TL frischer Thymian | 2 TL frischer Oregano
2 TL Paprikapulver, rosenscharf
2 TL Kreuzkümmel | Salz | Pfeffer

Béchamel

4 EL Olivenöl | 4 EL Mehl | ca. 600 ml Milch
(Zimmertemperatur) | 2 Eier | Salz | Pfeffer
1 Pr. Muskatnuss | 1 EL getrockneter Oregano

250 g geriebener Käse

So geht's

Auberginen waschen, in Scheiben schneiden. Gründlich salzen, für 20 Min. auf Küchentuch ruhen lassen. Abspülen, trocken tupfen & Scheiben mit Öl besteichen. Nebeneinander auf ein Backblech legen, salzen, bei 180 Grad für 20 Min. im Ofen backen. Zweites Blech vorbereiten, restliche Scheiben backen. Kartoffeln ungeschält 15 Min. ankochen.

Für die Hackmasse: Schalotten, Knoblauch & Chili fein hacken. Tomaten entkernen, in Würfel schneiden. Schalotten, Knoblauch & Chili in Öl goldbraun dünsten. Hackfleisch dazu, anbraten. Tomatenmark in der Pfanne rösten, mit Rotwein ablöschen, einkochen lassen. Tomatenwürfel dazu. Würzen. 30 Min. stark einkochen lassen, bis alle Flüssigkeit verkocht ist.

Für die Béchamel: Öl in einen heißen Topf geben, Mehl dazu. Rühren, bis ein Klumpen entstanden ist. Dann nach und nach zimmerwarme Milch aufgießen, auf dem Herd rühren, bis eine zähe Masse entsteht, die nicht fließt. Leicht kochen, bis die Masse Blasen schlägt. Vom Herd nehmen, Eier unterrühren, würzen.

Auflaufform ölen. Je nach Tiefe eine oder zwei Schichten anrichten: in Scheiben geschnittene Kartoffeln, darauf Aubergine, Hack, Käse. Wiederholen. Mit den Auberginen enden. Mit Béchamel bestreichen. Anschließend mit Käse bestreuen. Ca. 45 Min. bei 200 Grad backen. Vorm Essen etwas auskühlen lassen, dann bleiben die Moussaka-Stücke besser in Form (Foto: Seite 179).

IV

Ich liebe Athen! Diese laute, an vielen Ecken abgewetzte Stadt, deren Geschichte so weit zurückreicht, dass man es sich selbst mit gesundem Menschenverstand nur schwer vorstellen kann. Athen mit seinen Menschen, die jeden Tag kämpfen, um ihren Lebensunterhalt, um den ihrer Familien - und dabei nie die Lust an guter Laune und am Feiern verlieren. Schlecht geht es uns sowieso, warum also auch noch ein Miesepeter sein? So oder so ähnlich höre ich es in diesen Tagen immer wieder. Die Touristen aus aller Welt lassen sich, genau wie ich, von dieser besonderen Stimmung einfangen. Sie trinken, essen und lauschen der Musik. Es gibt wenig Ärger oder Streit, auch wenn der vogelwilde Verkehr auf den Straßen der Hauptstadt etwas anderes vermuten lässt.

Ich mache mir um die hupenden Autos inzwischen keine Gedanken mehr. Die große Sonnenbrille, die ich mir im Laden um die Ecke gekauft habe, thront auf meiner Nase; meine Handtasche klemmt sicher unter meinem Arm - und dann laufe ich los. Ich laufe mit allen anderen über die roten Ampeln, über das Hupkonzert, das prompt folgt, lache ich. Wer stehen bleibt, hat schon verloren und kommt nie über die Straße oder outet sich direkt als Tourist. Und das bin ich nicht mehr. Ich gehöre dazu, ich lebe hier, ich arbeite in dieser wunderbaren Stadt. Auch wenn es nur an zwei bis drei Tagen in der Woche ist, es macht mir einen unglaublichen Spaß. Schnell haben sie in der Taverne gemerkt, dass mir das düstere Licht, die Gluthitze und die viele Arbeit nichts ausmachen.

Ich komme und schlüpfe in meine schwarze Schürze, die mich wie ein Schild beschützt. Hinter ihr bin ich unverwundbar, hinter ihr bin ich ganz in meinem Element. „Ja, Chef!", gib mir eine Aufgabe und ich erledige sie, natürlich sofort und ohne zu murren.

Wenn ich nicht in der Küche stehe, dann erkunde ich die verschiedenen Stadtviertel. Das ist wunderbar und lenkt mich ein wenig von den bittersüßen Erinnerungen an Ilias ab. Heute bin ich mit der Straßenbahn raus ans Meer gefahren, das ich neben „meiner Familie" wirklich besonders vermisse. Das Plätschern vor meinem Fenster, wenn das Wasser an die Boote klatscht, fehlt mir so sehr. Hier ist das Meer anders, offener, weiter. Es war gut, ein paar Schritte am sandigen Strand zu laufen. Doch es ist kein Vergleich zu meiner kleinen Insel. Schnell bin ich wieder in die Straßenbahn gesprungen und zurück in die tosende Metropole gefahren, wo es so viel Aufmunterung und ganz viel zu entdecken gibt.

Zum Glück ist es nicht mehr so heiß. Doch die Wolken, die stetig über den blauen Himmel ziehen, künden schon vom Regen, der im Winter schier unablässig fällt. Nass und grau ist dann alles, denke ich. Und gleichzeitig ist es anders als zu Hause, wo die Wintermonate auch nass und grau sind. Mein Herz schlägt wie wild gegen meine Brust, wenn ich daran denke, dass ich bald nach Deutschland fahren muss, dass das Jahr sich unaufhaltsam seinem Ende neigt. Doch noch ist es nicht so weit, beruhige ich mich selbst und kehre in eine Konditorei ein, die ich nicht zum ersten Mal besuche. Könnte ich nur immer hierbleiben. Die Kuchen strahlen mich aus der Vitrine heraus an, „iss mich", „nein, iss lieber mich", scheinen sie zu locken. Ich kann mich kaum entscheiden, nur den saftigen Schokoladenkuchen ignoriere ich bereits seit Tagen. Ich habe keine Ahnung, ob ich je wieder ein Stück davon essen kann, ohne dass mich tiefe Trauer überfällt.

Apoll

I

Wir sitzen mit der Familie zusammen, doch so ganz stimmt das nicht. Eine Person fehlt - sie fehlt uns allen. Wir packen die ganzen alten Geschichten aus, wie sie hier bei uns einst angekommen ist, wie sie am Anfang fast gar nichts verstanden, kaum ein Wort gesprochen hat. Wie sie sich erst an alles und an uns, ihre neue, laute Familie gewöhnen musste.

„Sie ist ja nicht aus der Welt", sage ich, auch wenn ich weiß, dass es sich für alle so anfühlt, mich eingeschlossen.

„Aber wir sehen sie nicht mehr jeden Tag, Apollonios."

„Ja, Mama, ich weiß."

„Und sie kocht jetzt für andere Leute." Papa ist sich nicht sicher, ob er in seinem Stolz gekränkt sein soll oder extra stolz auf sie, weil sie bei ihm und bei mir gelernt hat, was sie nun anderen zeigen kann. Denn natürlich bin ich in Kontakt mit meinen Freunden in Athen, und die sind mehr als zufrieden mit Sephi. Sie wünschten inzwischen sogar, sie könnten es sich leisten, sie für mehr als die paar Stunden anzustellen. Dass sie den Job dort perfekt erledigen würde, war mir von der ersten Sekunde an klar. Außerdem hoffe ich, dass sie über ihre Leidenschaft zum Kochen alles andere vergisst, ihren Schmerz und die tiefe, unbegründete Scham - und schnell zu uns auf die Insel zurückkehrt. Wenn ich mit ihr Nachrichten per Handy austausche, scheint diese Möglichkeit im Augenblick leider weit entfernt. Mir stinkt es ein bisschen, dass ihr die Stadt so gut gefällt...

Ilias

I

Ich weiß nichts mit mir anzufangen. Die letzten Arbeiten am Strand sind erledigt, wir haben die Möbel ins Winterquartier gebracht und die Hütte verrammelt. Die restlichen offenen Flaschen hat der Boss für ein kleines Fest unter den Kollegen herausgerückt. Doch es hat mir keinen Spaß gemacht, mit den anderen zusammen zu feiern. Still hatte ich einen Ouzo nach dem anderen in mich hineingeschüttet. Bald schon war alles vor meinen Augen verschwommen. Zu Hause angekommen war ich heilfroh, dass ich mit dem Roller nicht irgendwo im Straßengraben gelandet war.

Während ich nun im Café am Kanal sitze und versuche, die Kopfschmerzen zu übergehen, die mich plagen, bereitet Vanessa mir meinen Kaffee zu. Es gelingt ihr deutlich besser, mich dabei zu ignorieren, als ich meinen üblen Kater ignorieren kann. Ich habe keine Chance, durch sie etwas über Sephi herauszubekommen. Sie knallt die fertige Tasse Kaffee auf den Tresen, das ist mein Zeichen, dass ich ihn mir gefälligst selbst dort abholen kann. „Vanessa, bitte…" Sie dreht sich von mir weg und putzt die Kaffeemaschine, die so sehr glänzt, als sei sie heute neu aus der Fabrik angeliefert worden. Ihr Gesicht spiegelt sich darin und es zeigt keine freundliche Miene.

Heute Morgen hatte ich Vater mit dem Auto nach Athen zum Arzt gefahren, eine reine Routineuntersuchung, aber sie war sehr wichtig für ihn. Ich sitze lieber auf dem Roller, aber so kämen wir natürlich nie bis in die Hauptstadt. Im Auto fühle ich mich immer eingeengt und unsicher. Wir haben die kleine Autofähre aufs gegenüberliegende Festland fast verpasst. Sind in letzter Sekunde raufgerumpelt. Die Fahrt nach Athen dauert auf diese Weise über zwei Stunden, ist aber deutlich günstiger als die Passagierfähre, die die Touristen nehmen. Über Land geht meist alles gut, der Stadtverkehr hingegen scheint mir völlig außer Kontrolle geraten zu sein. Überall laufen Menschen, ohne zu schauen, über die Straßen. Taxis halten dort an, wo es ihnen gerade passt. Busse quetschen sich um enge Kurven. Und wenn jemand in der dritten Reihe parkt, um sich erst einmal einen Frappé zu gönnen, bleibt der Bus stecken und dahinter geht gar nichts mehr weiter. Alle hupen aufgeregt, es stinkt erbärmlich und die Sekunden ziehen sich wie Stunden.

II

Die Arztpraxis, in die wir fahren mussten, liegt mitten im Zentrum von Athen. Die uralte Markthalle, in der die ekligsten Fische zum Verkauf angeboten werden, die man sich nur vorstellen kann, befindet sich gleich um die Ecke. Dort einen freien Parkplatz zu finden, ist ein Ding der Unmöglichkeit! Also bin ich den ganzen Vormittag immer schön im Kreis gefahren, habe eine Runde nach der anderen gedreht, während mein Vater in der Praxis auf seinen Termin und seine Untersuchung gewartet hat. Was schier ewig dauerte. Nach etwa der zwölften Runde sah ich, wie ein Auto sich aus einer Parklücke herausquetschte - doch ein anderer Fahrer war schneller als ich. Und als wäre das nicht ärgerlich genug, zeigte mir der Stinker auch noch den Mittelfinger! Ich brauchte sieben weitere Runden, bis ich endlich Glück hatte. Eine Parklücke! Ich hatte den Wagen abgestellt und kam gerade mit meinem Kaffee zurück, da sah ich meinen Vater schon, der sich ganz aufgeregt in der Straße umschaute, ich beobachtete, wie er mich suchte. Sein Termin war zu Ende und wir fuhren auf der Stelle zurück auf die kleine Insel. Der Kaffee wurde währenddessen in der Mittelkonsole des Autos kalt, denn in dem Chaos fahren und dabei auch noch heißen Kaffee aus einem wabbeligen Becher trinken, das machen nur Verrückte oder Taxifahrer!

III

Ich ziehe meine verspannten Schultern nach oben, lasse sie wieder fallen. Ich versuche, mich von der Autofahrt zu erholen. Ein bisschen zu entspannen. Und ich möchte endlich einen heißen Kaffee trinken. Da stürmt Eva ins Café am Kanal. Sie schaut nicht nach links oder rechts, sieht mich nicht und geht direkt auf Vanessa zu: „Hast du das Selfie von Sephi mit den toten Hühnern in der Markthalle gesehen? Die ist völlig verrückt geworden, aber ich bin so froh, dass es ihr wieder besser geht!"

„Psst!", zischt Vanessa, legt den Zeigefinger an den Mund und deutet mit dem Kopf in meine Richtung.

„Was will der denn hier?"

„Ich kann ihn ja schlecht rauswerfen, immerhin bezahlt er für seine Getränke..."

Die beiden Frauen reden über mich, als wäre ich unsichtbar oder gar nicht anwesend. Aber das interessiert mich nicht länger. Was mich interessiert, ist das, was Eva gerade rausposaunt hat. Kann das sein? War Sephi etwa noch in Athen? Irgendwo in der Nähe der stinkenden Markthalle? Genau dort, wo ich heute Vormittag Runde um Runde gedreht habe? So nah und doch so fern. Ich schnappe mir meine Jacke, springe auf und verlasse fluchtartig das Café.

NOVEMBER

*„Die Seele, die nie Wahrheit erkannte,
kann nie Menschengestalt annehmen."*

Platon (428–348 v. Chr.)

Sephi

I

Ein riesiger grüner Geist mit einem rot angemalten Fingernagel; eine winzige Blondine auf einem übergroßen, pinken Bambi; zwei Hände, die sich aneinanderschmiegen und verliebt miteinander tanzen. Ich wandle durch die Gassen von Psiri und entdecke an jeder Häuserwand ein neues, aufregendes Graffiti. Athens Straßenzüge sind in vielen Stadtteilen über und über damit verziert. Manche der Bilder sind einfach nur schön anzuschauen, andere wollen ganz klar eine Botschaft vermitteln. Eine schöne Frau, die ihre Augen vor der grausamen Welt verschlossen hält; ein menschliches Herz, aus dessen Arterien Blumen sprießen; lachende Gesichter affenartiger Wesen. Ich kann mich nicht daran sattsehen. Die bunten Farben der meisten Graffiti tragen zudem dazu bei, dass mir der Novembertag unter dem grau verhangenen Himmel etwas weniger trist erscheint.

Der Regen ist am frühen Abend angekommen und hat Jung und Alt von den Straßen gespült. Sie sitzen jetzt in ihren Wohnungen, essen mit der Familie oder schauen die Nachrichten im TV, die kaum etwas Gutes zu berichten haben. Ich laufe lieber noch ein wenig, sauge die Regenluft tief in meine Lungen ein. Ich biege links ab, biege rechts ab und komme vor einem in kräftigem Weinrot gestrichenen Eingang zum Stehen. Es ist eine kleine Weinbar. Nur ein paar Stehtische im Freien, einige Plätze am Fenster, hinter dem sich die Bar ins

Innere erstreckt. Drinnen gibt es fast noch weniger Platz. Ein Heizpilz sorgt darum für angenehme Wärme an den Fensterplätzen, die zwar überdacht, aber doch im Freien liegen. Es sieht gemütlich aus, also bleibe ich. Ich setze mich auf den Barhocker und bin voller gespannter Erwartung. Ein junger Mann steht hinter der Bar, er schiebt mir die Karte herüber. Es gibt kleine Häppchen, Käse, Schinken, Oliven. Aber es wird vor allem Wein ausgeschenkt, griechischer Wein aus allen Regionen des Landes. Von kleinen und großen Winzern, preisgekrönt oder in Familienhand oder beides.

„Es gibt viel mehr gute griechische Weine, als die Menschen glauben", sagt der junge Mann versonnen und berät mich, bevor ich mich in der Auswahl verliere. Ich stecke meine Nase in das Glas und erschnuppere das Eichenfass, die roten Früchte… Ich koste und schließe genießerisch meine Augen, weil der Wein so samtig und rund schmeckt. Langsam fließt er in meinem Hals hinab, es wird ganz warm in meinem Bauch. Ich spreche noch ein wenig mit dem jungen Mann hinter der Bar, bestelle ein zweites Glas. Und dann mache ich mich auf den Weg zurück in mein Zimmer. Morgen wird ein anstrengender Tag. Ich will schon früh aufstehen, denn ich werde zum Orakel von Delphi fahren und mir das Heiligtum einmal genauer anschauen. Ein Bus wird mich bis vor die Tore der heiligen Stätte bringen. Und vielleicht passt die Entdeckung der Weinbar ganz wunderbar, denke ich. Immerhin soll Dionysos, der griechische Gott des Weines, in den Wintermonaten im dortigen Tempel gelebt haben, weil er diesen Ort so sehr geliebt hat. Meine Namensvetterin Persephone hatte da weniger Glück, sie verbrachte die Winterzeit in der düsteren Unterwelt, bei ihrem Ehemann Hades, der sie einst von der Erde geraubt hatte. Als ich mich auf den Weg nach Hause mache, ist die Stadt dunkel, kein Stern ist am bedeckten Himmel zu erkennen, alles ist verlassen, grau und ein bisschen unheimlich. Ich erschrecke mich, doch es ist nur eine schwarze Katze, die vor mir die Straße überquert. Einige Meter weiter komme ich an einem belebten Restaurant vorbei, dann eine weitere Bar voller junger Menschen. Ich muss über mich selbst lachen: „Ganz schön was los in der Unterwelt…"

II

Um mich herum plappern aufgeregte Stimmen, die Landschaft zieht am Busfenster vorbei, doch ich sehe sie kaum, denn ich bin in meinen Gedanken bereits voraus zum Heiligtum von Delphi geeilt. Im Sommer residierte dort Apollon, der unter anderem als Gott der Poesie und Musik verehrt wird. Ihm ist der wundervolle Tempel geweiht. Ich stelle mir den Apoll vor, den ich kenne, wie er in so einem Tempel sitzt, gehüllt in einen weißen, wallenden Umhang und statt der Kithara spielt er auf seiner E-Gitarre. Das Bild, das vor meinem inneren Auge entsteht, lässt mich schmunzeln. Wir sind in den letzten Tagen öfter in Kontakt gewesen, auch weil seine Mutter, Christos und Tante Maria oft nach mir fragen. Ich finde das schön und beschließe, mich bald bei ihnen zu melden. Auch Ilias versucht ständig, mit mir zu sprechen. Er ruft an, schreibt mir Nachrichten. Ich ignoriere ihn, so gut ich kann. Doch jedes Mal versetzt es mir einen tiefen Stich ins Herz, wenn sein Foto bei einer einkommenden Nachricht auf dem Bildschirm aufleuchtet. Dann schauen mich seine grünen Augen an, als wäre dieses Foto nur für mich gemacht worden, als würden sie nur mich sehen können. Ich wünschte, ich könnte ihm vergeben…

Nach gut drei Stunden erreicht der Bus Delphi am Fuße des mächtigen Parnass. Gipfel recken sich scheinbar bis in den Himmel, grüne Olivenhaine breiten sich an ihren steilen Hängen aus. Die Aussicht ist atemberaubend, auch wenn ich den Golf von Korinth am Horizont nicht erkennen kann. Irgendwo da hinten muss er liegen, versteckt sich im Dunst des nasskalten Tages vor uns. Düstere Wolken türmen sich empor, lösen sich wieder auf und erscheinen wie von Geisterhand neu, umschließen die Berggipfel und geben sie kurz darauf erneut frei. Es ist ein atemberaubendes, himmlisches Schauspiel. Die Energie dieses Ortes ist majestätisch, elektrisierend, magisch und auch ein wenig angsteinflößend. Ein kalter Schauer breitet sich über meinem ganzen Rücken aus. Ich laufe an den Ruinen von Häusern und Tempeln vorbei, Steine türmen sich auf, die hier vor Tausenden von Jahren hergebracht wurden. Und dann komme ich ehrfürchtig vor dem heiligen Orakel zum Stehen. Das Orakel ist keine Gestalt oder ein Wesen. Das Orakel ist der Ort. Priesterinnen haben hier einst die Fragen der Menschen entgegengenommen und sie dann, meist nicht ganz eindeutig, beantwortet. Ein Hauch aus der Unterwelt soll ihnen dabei geholfen haben, ein Nebel, der sie in Trance versetzt hat. Während ich darüber nachgrüble, senkt sich ein Schatten über mich, über meine Seele. Die Unterwelt erscheint mir merklich vertraut, nicht zum ersten Mal in meinem Leben fühle ich, dass ich ihr näher bin als dem hellen Licht des Tages. Darf ich dem Orakel eine Frage stellen? Wird es mir antworten? Ich weiß, dass seine Antworten oft missverständlich und auch düster sind. Vielleicht würde ich es falsch deuten? Großen Kummer macht mir das nicht, denn ich wäre beileibe nicht die Erste, der das passiert. Könige, Philosophen, Kriegsherren haben es versucht - und dabei nicht selten auf das falsche Pferd gesetzt.

III

Während der Rückfahrt von Delphi bleibt mir diese Kälte in den Knochen stecken. Eine anhaltende Gänsehaut überzieht meinen Rücken, die Arme. Eine schlimme Vorahnung macht sich in mir breit, ohne dass ich erkennen könnte, was genau meine innere Stimme mir sagen möchte. So wenig eindeutig war sie noch nie. Im Gegensatz zu dem Orakel ist sie zumeist sehr präzise in ihrer Wortwahl. Ist das vielleicht schon die Antwort des Orakels auf meine Frage? Werde ich je die eine Liebe finden? Ich habe sie bewusst so deutlich gestellt, denn einfachen Leuten wie mir antwortet das Orakel sowieso nur mit ja oder nein.

In dem Moment, in dem ich meine Frage ausgesprochen hatte, war für einen Augenblick die Sonne erschienen. Doch eine der schwarzen Wolken verschluckte sie direkt wieder, schlang sich um sie. War das die Antwort? Habe ich das Licht, das auf meine Zukunft fällt, richtig gedeutet? Oder den Zeitpunkt der Weissagung falsch interpretiert? Ich schüttle den Kopf, bis ich meinen Oberkörper in eine sanfte Schwingung versetzt habe. So ein Quatsch! Es gibt kein Orakel, es gibt keine Weissagungen, also habe ich nichts falsch verstanden!

Später am Nachmittag steige ich die Stufen hinab ins Dunkel der Kellertaverne. Noch ist der Gastraum verschlossen, alles sieht verlassen und auf seltsame Art traurig aus. Hinten in der Küche kann ich meine Kollegen bereits arbeiten hören, doch sie erscheinen mir so weit entfernt. Während ich den düsteren Raum durchquere, fühle ich erneut diese fremde Macht in mir. Hat sie mich aus Delphi bis hierher ins Koutoukia verfolgt? Da ist wieder diese dunkle Vorahnung, die ich nicht richtig zu deuten vermag. Mir läuft erneut ein kalter Schauer über den Rücken. Ich versuche, ihn abzuschütteln und ziehe meine schwarze Kochschürze an. Sie ist mein Schild! Ein riesiger Berg Zwiebeln wartet auf mich und wunderschöne, vom Fischhändler vorbereitete Tintenfische. Die Chefs lassen mich heute ein Gericht kochen, das ich selbst sehr gerne esse. Apoll hat es mir beigebracht, an einem meiner ersten Tage in seiner Küche auf der kleinen Insel. Es kommt mir so vor, als sei dies an einem Tag vor sehr, sehr langer Zeit gewesen.

OKTOPUS STIFADO

Zutaten für 4 kleine Portionen

1 kg Oktopus (vom Fischhändler geputzt)
750 g kleine Schalotten | Olivenöl | 2 EL Zucker
4 EL heller Balsamico | 1 Zimtstange | 4 Lorbeerblätter
2 getrocknete Chilis, gehackt | Salz | Pfeffer | 2 Tomaten
1 EL Tomatenmark | 1 Glas trockener Weißwein

So geht's

Oktopus in einen Topf legen, bei kleiner Hitze ca. 30 Min. zugedeckt kochen lassen. Dabei tritt das Wasser aus, das er noch in sich trägt und dient als Sud. Diesen aufheben. Die Zwiebeln putzen und im Ganzen in Olivenöl anbraten, bis sie etwas Farbe genommen haben. Dann den Zucker dazu, karamellisieren lassen. Mit dem Essig ablöschen, gut umrühren. Die Gewürze dazugeben. Tomaten entkernen, in Stücke schneiden. Zusammen mit dem Tomatenmark in den Topf geben. Weißwein und Kochflüssigkeit vom Oktopus dazu. Abgedeckt kochen lassen.

Nach 20 Min. den in Stücke geschnittenen Oktopus zu den Zwiebeln geben. Ohne Deckel für 45 Min. weiter garen, damit die Soße einkocht und schön sämig wird.

Mit Brot oder Reis servieren. *Alternativ* kann das Schmorgericht auch mit Rind- oder Lammfleisch zubereitet werden. (Foto: Seite 179).

Ilias

I

Ich lehne mit meiner Hand am Schlafzimmerfenster, alle fünf Finger werden dort einen prächtigen, fettigen Abdruck hinterlassen. Ich schaue hinaus, vor mir zeigt sich der gewohnte Anblick. Straße, Strand, Meer, Berg - und einmal mehr dunkle, sich auftürmende Wolken. Es nieselt schon den ganzen Morgen fein vor sich hin, kaum ein Mensch ist draußen unterwegs. Ein nasser Hund schleicht herum, sucht nach einem Ort, an dem er sich vor dem Regen verstecken kann. In meinen Gedanken baut sich ein Bild auf. Ich sehe mich, wie ich hier stehe. Es ist jetzt fast ein Jahr her. Damals galt meine einzige Sorge mir selbst und wie ich die Olivenernte überstehen würde. Damals galt meine Sorge nicht der jungen Frau, mit der ich zwei Nächte zuvor das Bett geteilt hatte. Die mir ganz egal war und die ich kurz darauf aus meinem Leben strich, wie ich seit Jahren noch jede Frau nach einem kurzen Abenteuer aus meinem Leben gestrichen hatte.

Im sauberen Fensterglas spiegeln sich mein Kopf, meine Schultern, mein Bauch, meine Beine. Meine Haare liegen wild durcheinander, der Bart ist mal wieder ziemlich lang und zottelig. Ich trage noch immer meine weite Schlafanzughose, obwohl es schon fast Mittag ist. Diesmal kann ich mein Spiegelbild selbst kaum ertragen: Das bin ich, doch will ich das weiterhin sein? Der verlotterte Typ, ohne festen, richtigen Job, ohne Sephi, ohne eine Zukunft? Zum ersten Mal seit über zehn Jahren gilt meine Sorge einer Frau, doch sie ist nicht mehr bei mir. Sie ist nicht einmal mehr in der Nähe. Sie wird vielleicht niemals wieder hier bei mir sein. Ein Teil von mir will sich zurück ins Bett verkriechen, will sich dort unter den Kissen vergraben, sich seinem elenden Schicksal ergeben. Doch ein anderer Teil von mir, der nach und nach stärker wird, möchte etwas anderes! Er boxt sich deutlicher in den Vordergrund und schreit mich förmlich an: „Hast du denn gar nichts gelernt?"

Wie jeden Tag versuche ich unermüdlich, Sephi am Telefon zu erreichen. Doch sie nimmt auch diesmal nicht ab. Das andauernde Rufen in der Leitung quält meine Ohren. Ich weiß, dass sie noch erreichbar für mich ist, ich weiß, dass sie in Athen ist. Wo genau konnte oder wollte Vanessa mir nicht sagen - ihren Augen habe ich angesehen, dass sie glaubte, schon viel zu viel verraten zu haben. Sephi war irgendwo, irgendwo im Viertel rund um die Markthalle. Da war ich mir sicher. Und ich werde sie dort finden!

II

Meine Entscheidung ist gefallen. Ich fahre nach Athen und werde Sephi suchen - und zwar bis ich sie gefunden habe. Ich hatte ein paar Klamotten in meine Tasche geworfen. Sie steht jetzt zu meinen Füßen, während ich auf der alten Bank am Hafen sitze und auf die Fähre warte. Ich bin noch nicht sehr oft mit dem Schiff nach Athen gefahren. Doch jetzt drängt die Zeit. In ein paar Minuten müsste die Fähre einlaufen. Ein alter Mann hat sich zu mir auf die Bank gesetzt, sein Bauch spannt unter dem Hemd und dem Pullover, den er darüber anhat. Er trägt eine Schiebermütze, die den Regen von seinem Kopf und den müden Augen fernhält, obwohl er sitzt, stützt er sich auf einen derben Holzstock. Er schaut mich lange an und deutet dann mit dem Finger auf meine Wange.

„Ja, ich weiß, ich habe mich geschnitten", sage ich zu ihm. Bevor ich die Wohnung verlassen habe, hatte ich nicht nur versucht, meine Frisur in Ordnung zu bringen, ich hatte mich auch rasiert. Zu eilig, viel zu schnell. Ein sehr langer Schnitt ziert jetzt meine Wange, etwas Blut läuft an ihr herunter. Doch das ist nichts, nichts, was nicht wieder vergehen würde.

„Warst du in Eile, mein Junge?" Während er mich so ausfragt, schleicht eine rotbraune Katze heran, sie hat nur ein Auge und kommt mir seltsam vertraut vor.

„Ja, ich wollte unbedingt diese Fähre nach Athen erreichen", antworte ich dem alten Mann.

„Na immerhin, das hat geklappt!" Er lächelt wissend. „Was aber hat in letzter Zeit nicht funktioniert, dass du es so eilig hattest?", fragt er, seine müden Augen mustern mich eindringlich.

„Ich habe nicht funktioniert..."

„Hast du deinem Mädchen wehgetan, mein Junge?"

Langsam wird mir der alte Mann unheimlich. Woher konnte er von meinen Sorgen wissen, woher von Sephi? Gar nichts weiß er, schalt ich mich selbst.

„Dein schlechtes Gewissen springt aus deinen Augen, mein Junge. Meinst du, du kannst es an deinem Mädchen wiedergutmachen?"

„Ich bin mir nicht sicher, vielleicht ist es dafür zu spät."

„Ja", seufzt der alte Mann, „manchmal ist es das, wenn man nicht bei Zeiten festhält, was für einen bestimmt ist. Mir ist es einmal genauso ergangen. Es ist schon eine sehr lange Zeit her. Es war an einem anderen, einem fremden Ort. Damals war ich noch Soldat. In den engen Gassen der fremden Stadt ist mir ein Mädchen begegnet. Heute würde ich fast sagen, sie ist mir erschienen. Sie verschwand immer wieder aus meinen Augen, bog einmal links ab, bog dann wieder rechts ab. Versteckte sich hinter einem Baum, dann in einem Hauseingang. Dort entdeckte ich sie, ich hielt sie fest, aber nicht zu sehr. Natürlich wollte ich ihr nicht wehtun. Doch ich konnte ihre Sprache nicht sprechen. Als ich versuchte, sie zu küssen, entwand sie sich mir. Und wieder bog sie links ab in eine kleine Gasse, bog rechts ab in eine andere. Lief und lief und lachte dabei. Also folgte ich ihr. Den ganzen Tag bin ich so durch die engen Gassen der fremden Stadt geirrt, bis ich nicht mehr wusste, wo ich hergekommen war. Fast wusste ich nicht einmal mehr, wer ich selbst war. Ich habe das Mädchen nie wiedergesehen. Nie wieder." Der alte Mann schüttelt seinen schweren Kopf, während er spricht. Er erscheint mir ganz versunken in seine eigene Geschichte.

„Ich hoffe, dass ich sie finden kann! Und dann hoffe ich, dass ich sie nicht festhalten muss, ich wünsche mir, dass sie freiwillig bei mir bleibt. Dass sie mir noch einmal verzeihen kann." Jetzt nickt der alte Mann wissend.

„Ich wünsche dir viel Glück, mein Junge!"

III

Die kurze Geschichte des alten Mannes hallt während der einstündigen Fährfahrt in meinem Kopf nach. Konnte das wirklich sein? War es zu spät? Hatte ich sie endgültig verloren? Was, wenn sie gar nicht mehr in Athen wohnte, wenn sie längst wieder in ihr altes Leben zurückgekehrt ist. Was, wenn sie mich weiterhin ignoriert? Was mache ich, wenn sie mir nicht verzeihen kann?

Die Fähre legt pünktlich am Hafen an, doch die Fahrt mit der Metro ab Piräus scheint eine Ewigkeit zu dauern, auch der restliche Fußweg will kein Ende nehmen. Als ich endlich die Markthalle erreiche, ist es bereits dunkel geworden. So werde ich sie niemals finden. Aber ich will nicht aufgeben. Und wenn ich die ganze Nacht suchen muss! Um diese Zeit ist niemand mehr hier in der Halle, ihre Tore sind fest verschlossen. Von den kleinen Läden drumherum haben einige noch auf, bieten ihre Waren an, einige sind längst zu. Ich weiß nicht, wo ich mit meiner Suche anfangen soll. Es regnet unaufhörlich, mir ist bitterkalt, die Straßen sind wie leer gefegt. Kaum ein Mensch will freiwillig hier draußen sein.

Ich umrunde das alte Gebäude, mehr als einmal, laufe kreuz und quer durch die düsteren Straßen. Als ich für heute Abend aufgeben will, vernehme ich die eindringlichen Polizeisirenen, die aus der Ferne laut heranrauschen. Sie kommen immer näher. Zwei, drei Einsatzwagen mit Blaulicht auf dem Dach erreichen eine Straße, die irgendwo hinter der nächsten Ecke liegen muss. Ein blinkender Krankenwagen folgt ihnen in halsbrecherischem Tempo. Mein Herz macht unvermittelt einen Satz. Ich gehe ein paar Schritte, werde dabei immer schneller. An der Häuserecke bleibe ich stehen, ich schaue nach, was dort los ist. Ich kann nicht viel erkennen, denn eine Traube von Menschen hat sich gebildet. Ich weiß nicht, woher die Leute auf einmal gekommen sind, doch sie stehen da und schauen auf etwas, das meinem Blick verborgen bleibt. Jemand rennt schnell an mir vorbei. Er ruft etwas: „Da vorne beim Koutoukia ist etwas passiert." Jetzt schlägt mein Herz auf einmal wie verrückt. Vor der Taverne kommen immer und immer mehr Menschen zusammen, laute Stimmen sind zu hören, klagende Frauen und schimpfende Männer. Und plötzlich weiß ich es ganz genau. Ich laufe. Ich renne auf die Menge zu. Ich quetsche mich durch sie hindurch. Ich stoße kleine Kinder zur Seite und alte Leute. Menschen beschimpfen mich, doch ich kann nicht anders. Ich weiß es. Ich fühle es. Ich habe Sephi für immer im Gewirr der Gassen der Stadt verloren!

Als ich mich an allen Menschen vorbei in die erste Reihe gedrängelt habe, sehe ich sie. Sie liegt auf der regennassen Straße. Der Notarzt beugt sich über sie, lauscht ihrem flachen Atem, betastet vorsichtig ihren Körper. Unter ihr breitet sich ein dunkler Fleck aus, wird immer größer und größer. Kartoffeln, Zwiebeln und Auberginen verteilen sich rund um sie, rollen quer über die Straße, rollen die steile Treppe hinunter zur Taverne. Auch dort haben sich Menschen versammelt, ihre Münder und Augen sind weit geöffnet, in ihnen steht der Schreck geschrieben.

Ich brülle ihren Namen laut heraus. Ich schreie und der Polizist, der gegenüber von mir steht, weicht erschrocken zurück. Das ist meine Chance. Ich lasse mich nicht mehr aufhalten, von niemandem. Ich laufe zu ihr, ich sinke neben ihr auf die Knie. Der Notarzt schaut mich mitfühlend an, schüttelt sachte seinen Kopf. Der Fleck unter Sephis Körper wird immer größer, es ist Blut, es ist ihr Blut, das die Straße tränkt.

Ich nehme ihr wundervolles Gesicht zwischen meine Hände, ich ziehe sie ganz fest an mich heran, bette ihren Kopf auf meinem Schoß. „Nicht Sephi, bitte nicht!", Tränen ersticken meine Stimme. „Ich liebe dich, geh nicht, bitte geh nicht weg von mir!", flehe ich sie an. Sie öffnet ihre großen Augen für einen kurzen Moment, sie lächelt mir zu. „Gib die Liebe nie wieder auf, Ilias, versprich es mir!" In diesem Augenblick wird sie schwer in meinen Armen, ich kann ihren Atem nicht mehr spüren, ihr Herz nicht mehr schlagen hören. „So tun Sie doch was!", schreie ich den Notarzt an. „Tun Sie bitte etwas…"

DEZEMBER

„Freundschaft, das ist
eine Seele in zwei Körpern."

Aristoteles (384 – 322 v. Chr.)

Ilias

I

„Es hat eine Schießerei gegeben, zum ersten Mal seit ewigen Jahren. Zwischen zwei Drogengangs. Sephis Chef hatte sie zuvor losgeschickt, um Gemüse zu kaufen, irgendwer hatte am Morgen viel zu wenig davon besorgt. Sie ist dazwischengeraten. Einfach so. Mitten hinein in die Schießerei, kannst du dir das vorstellen? Sie hatte keine Chance, konnte es nicht ahnen, konnte es nicht kommen sehen. Sie ist tot, Apoll, sie ist tot!", schon wieder ersticken Tränen meine Stimme. Zunächst auf der Straße, wo ich nicht wollte, dass sie mit dem Krankenwagen von mir weg ins Leichenschauhaus gefahren wird. Ich wollte nicht, dass sie sie mir wieder wegnehmen, ich hatte sie doch gerade erst wiedergefunden! Dann bei der Polizei, wo ich erklären musste, woher ich komme, wer ich bin und dass ich nichts mit den Gangs zu tun habe.

„Niemand von diesen Gang-Affen ist auch nur verletzt worden", ich kann es immer noch nicht glauben. Die Kugeln müssen wild durch die Straße geflogen seine. Eine ist an der Hauswand gegenüber der Taverne abgeprallt und in ihren Körper eingedrungen, in der Nähe ihres Herzens. „Sie hatte keine Chance, haben sie mir gesagt." Apoll sitzt mir gegenüber. So habe ich ihn noch niemals zuvor gesehen. Er ist völlig in sich zusammengesunken, über seinen Augen liegt ein düsterer Schleier.

„Es ist meine Schuld!", sage ich zu ihm. „Apoll, es ist alles meine Schuld!"

Apoll

I

Wir sitzen seit einer ganzen Weile schweigend zusammen am Tisch. Keine Worte können ausdrücken, was ich in diesem Augenblick fühle. Als ich ihn am Morgen hier entdeckt habe, war es einmal mehr die blanke Wut, die in mir hochkam. Er stand auf unserer Terrasse. Einfach so. Ich wollte hinlaufen, ihn mir schnappen, ihn am liebsten erneut verprügeln. Doch dann sah ich ihn mir genauer an. Neben ihm am Boden lag eine Tasche. Seine Kleidung war zerknittert, so als hätte er sie schon zwei oder drei Tage nicht gewechselt, auf seiner Hose war ein dunkler Fleck. Sein Gesicht war nass von Tränen. Er wirkte völlig verstört auf mich. „Sie ist tot. Sie ist tot", war zunächst alles, was ich aus ihm herausbekam. Er flüsterte, ich konnte ihn nur mit Mühe und Not verstehen. Meine Wut war, als ich endlich wusste, was er mir sagen wollte, wie weggeblasen. Tiefe Trauer hat seitdem ihren Platz eingenommen, sie füllt mich komplett aus. Ich verstand eine Weile nicht ganz genau, was in Athen geschehen war, aber auch ich spürte den Verlust überdeutlich.

„Es ist meine Schuld, ich habe sie dort hingeschickt. An diesen Ort. Weil ich nicht wollte, dass sie Griechenland und uns ganz verlässt, dass sie ganz zurück nach Deutschland geht. Weil ich so egoistisch war. Weil ich gehofft habe, sie zurückholen zu können."

„Sie wäre nie gegangen, wenn ich nicht…"

Unser Gespräch macht keinen Sinn, es dreht sich immer nur im Kreis. Gar nichts hat mehr einen Sinn. Ich muss es meinen Eltern erzählen, schießt es mir durch den Kopf. Wie kann ich Papa nur sagen, dass Sephi nicht mehr lebt? Es wird ihm das Herz brechen.

II

Wir tragen alle schwarze Kleidung, in unseren Gesichtern spiegelt sich tiefe Trauer. Ilias und ich sitzen einmal mehr zusammen an einem Tisch, die letzten Tage war das häufiger so. Wir reden wenig. Heute haben sich um uns herum viele Menschen versammelt. Papa, Mama, Ilias' Eltern sind gekommen, Eva und Vanessa mit ihrem Sohn, Tante Maria und ihre Freundinnen, sogar Alex ist da. Wir essen, reden, packen die alten Geschichten aus. Hin und wieder wird leise gelacht. Wir wissen, dass sie es so gewollt hätte. Aber es fällt uns schwer, diese kleine Trauerfeier abzuhalten. All ihre Lieblingsspeisen stehen auf dem Tisch. Der Wein ist auf die Gläser verteilt. Wir wollen das Leben feiern, die Freundschaft, die Liebe - und den Mut, den sie uns gelehrt hat, etwas Neues zu wagen, keine Angst vor der Fremde zu haben.

Eva hat ein paar Worte gesprochen, die uns alle berührt haben. Ich hätte nichts sagen können, meine Kehle ist den ganzen Tag wie zugeschnürt. Alex hebt sein Glas, dann setzt er es wieder ab: „Wollt ihr nicht etwas machen? Etwas, das von ihr bleibt?" Ich schaue ihn an und verstehe nicht, was er sagen will. Wie kann etwas von ihr bleiben? Sie ist weg, endgültig, für immer. „Vielleicht ein Kochbuch, hat sie nicht immer alles in dieses Büchlein gekritzelt?", Tante Maria schaut mich aufmunternd an. Ihre Freundin hat uns Sephis Sachen aus Athen geschickt, ihren großen Koffer. Ich habe ihn bis jetzt noch nicht geöffnet. Ich konnte es nicht. „Mit Insel- und Rezept-Fotos, die du fotografierst! Ilias, das ist eine tolle Idee!", ein zaghaftes Leuchten erscheint in Vanessas Augen. Ich schaue Ilias genauer an, er sieht dünn aus, er hat auch heute fast noch nichts gegessen. Er muss mehr auf sich aufpassen, denke ich, sie hätte nicht gewollt, dass er an seiner Trauer zugrunde geht.

Ilias

I

Wer hätte gedacht, dass ich wieder in dieser Küche stehen würde? Und auch noch darin arbeite? Doch diesmal spüle ich nicht das schmutzige Geschirr ab oder lasse mich von Christos anmotzen. Diesmal habe ich meine Kamera um den Hals gehängt, sortiere Teller, Besteck und allerlei Dinge zusammen, die unseren Rezeptfotos mehr Tiefe geben werden. Apoll steht am Herd. Wir hören schon den ganzen Morgen seine komische Musik – und es macht mir heute gar nichts aus. Der Song, der gerade läuft, klingt ein bisschen mehr nach

Reggae, das sorgt für gute Laune. Angeblich hat sogar Sephi dieses Lied richtig gern gemocht.

„Dein Fuß wippt im Takt mit", Apoll lacht mich aus. Und auch das ist okay für mich. Es ist nicht unser erstes Zusammentreffen seit der kleinen Trauerfeier für Sephi. Zunächst hielten wir es beide für eine bescheuerte Idee, etwas, das wir nie gemeinsam durchziehen konnten, ohne uns die Köpfe einzuschlagen. Doch Eva, Vanessa, Alex und nicht zuletzt Christos und Apolls Tante Maria haben uns davon überzeugt, es zu zumindest zu versuchen. Es für sie zu tun.

„Sei froh, dass ich keinen Joint zum Reggae mitgebracht habe, obwohl ich die Musik dann bestimmt besser ertragen könnte", antworte ich ihm.

„Hey, wir arbeiten hier. Party ist später!"

„Keine Joints mehr für mich, war nur Spaß…"

„Ich weiß es, Ilias. Alles ist gut!"

Apolls Mutter steckt ihren Kopf zur Küchentür herein: „Wie geht es euch, Jungs?" Sie ist die Einzige, die dem Frieden nicht vorbehaltlos zu trauen scheint. Sie ist öfter hier, als ich sie je zuvor in der Taverne gesehen habe. Sie schaut nach uns, sie probiert die Speisen, lässt sich von mir die Fotos zeigen. Manchmal bringt sie kleine Sträuße aus Kräutern vorbei, die wir für die Dekoration benutzen können. Sie hat ein präzises Auge und gibt den Tellern den letzten Schliff. Doch dabei vermittelt sie uns niemals das Gefühl, dass wir etwas falsch machen. Vielmehr lässt sie uns in dem Glauben, dass wir sie gar nicht bräuchten, sie nur neugierig auf unsere gemeinsame Arbeit ist. Ihre Unterstützung fühlt sich ungewohnt für mich an, aber auch richtig gut. Und so werkeln wir frühmorgens in der Küche, damit wir vor dem eigentlichen Betrieb fertig sind. Danach steige ich auf den Roller und fahre über die Insel, um ihre schönsten Ecken zu fotografieren. Wir haben beschlossen, all die Plätze im Kochbuch zu zeigen, die Sephi so gerne mochte. Heute scheint ausnahmsweise einmal die Sonne von einem klaren, blauen Himmel. Kein Wölkchen ist zu sehen. Niemand wird später auf den Fotos erkennen, dass es frostig kalt ist. Ich fahre und fahre, meine Hand greift automatisch nach hinten. In diesem Moment bemerke ich, dass dort niemand mehr sitzt, dass ich meine Hand nicht auf ihr Knie legen kann. Ich blinzle eine Träne weg.

Apoll

I

„Für Perséphone, all unsere Liebe ist für immer dein" – wir klappen den Laptop zu. Es ist tatsächlich vollbracht. Die letzten Worte sind getippt, sie sind unsere Widmung für Sephi. Wir haben sie uns für den allerletzten Moment der gemeinsamen Arbeit aufgehoben. Jedes Foto ist nun genau da platziert, wo wir es haben wollen, jedes Gericht ist mehrmals überprüft, nachgekocht und von Freunden und Familie für gut befunden worden. Eva hat alles gegeben, um meine ungelenken Worte in klangvolle Rezepte zu übersetzen und etwas über Sephi, unsere kleine Insel und die Menschen, die darauf leben, aufzuschreiben. Und sie hat noch sehr viel mehr getan. Eine ihrer Freundinnen, der ein kleiner Verlag in Athen gehört, kommt heute mit der Fähre zu uns nach Poros. Ilias holt sie gerade am Hafen ab. Ich koche für sie und uns alle Zitronen-Hühnchen mit grünen Bohnen, eines von Sephis Lieblingsessen. Und ich bin das erste Mal nervös, während ich das Geflügel in den Ofen schiebe.

Ilias, Eva, ich und all die anderen hoffen, dass es der Verlegerin bei uns schmeckt, und dass ihr das Kochbuch gefällt, an dem wir in den letzten Wochen ohne Unterlass und jede freie Minute gearbeitet haben. „Vielleicht macht sie euch beiden und der ganzen Insel ein Weihnachtsgeschenk!", sagt Eva, die genauso unruhig ist wie wir anderen. Ein Kochbuch für Sephi, das ist unser Traum. Ein Traum, der zum Greifen nah scheint.

ZITRONEN-HÜHNCHEN

Zutaten für 4 Portionen

1 Bio-Huhn (ca. 1,5 kg) | 1 Bio-Zitrone
3 EL getrockneter Oregano | 1 Knoblauchzehe
3 EL Olivenöl | Salz | Pfeffer | 25 g Butter

So geht's

Huhn gründlich trocken tupfen. Den Backofen auf 190 Grad vorheizen. Die Garzeit fürs Huhn beträgt ca. 90 Min. (je 20 Min. pro 450 g + 20 Min.). *Garprobe*: Wenn man in die Brust einsticht, muss ein klarer Saft austreten!

Zitrone waschen, Schale abreiben, halbieren. Eine halbe Zitrone ins ausgenommene Huhn drücken. Anschließend Oregano, angedrückten Knoblauch und Zitronenschale hinein.

Huhn mit Öl, Salz, Pfeffer und Saft der zweiten Zitronenhälfte gründlich einreiben. Anschließend die ausgedrückten Zitronenschalen ins Huhn geben. Butter in Flocken zupfen und auf dem Huhn verteilen. Für ca. 90 Min. in den Ofen. Immer wieder mit dem ausgetretenen Fett begießen. Wenn das Huhn gar ist, herausnehmen und für ca. 5 Min. ruhen lassen.

BOHNENGEMÜSE

Zutaten für 4 Portionen

500 g grüne Bohnen | 1 rote Zwiebel
1 kleine Knoblauchzehe | 4 Tomaten | Olivenöl
1 TL Bohnenkraut | 1 Glas Weißwein
1 EL Tomatenmark | 1 Gemüse-Brühwürfel
Salz | Pfeffer

So geht's

Bohnen waschen, Enden abschneiden und halbieren. Zwiebel & Knoblauch putzen und in feine Würfel schneiden. Tomaten einritzen, überbrühen, häuten und vom Kerngehäuse befreien. In schmale Streifen schneiden.

Öl im Topf erhitzen, Zwiebel & Knoblauch darin glasig anschwitzen, Bohnen & Bohnenkraut dazu. Mit Wein ablöschen und gut 25 Min. bei geschlossenem Deckel fast gar kochen. Jetzt Tomatenstreifen, Tomatenmark, Brühwürfel sowie Salz & Pfeffer dazugeben. Etwa 10 Min. fertig garen.

Mit dem Zitronen-Hühnchen, Brot oder Kartoffeln servieren (Foto: Seite 179).

Epilog

Der vergangene Winter hat der verwitterten Bank am Hafen nicht gutgetan. Der alte Mann lässt sich dennoch auf ihr nieder, denn sie ist noch da, so wie er noch da ist. Obwohl er sitzt, stützt er sich wieder auf seinen derben Holzstab. Die dicke, rotbraune Katze rekelt sich zu seinen Füßen auf dem warmen Boden und schließt genüsslich ihr einziges Auge. Er selbst blinzelt gegen die Sonne, die ihn umschwirrt. Das Wasser glitzert, sanfte Wellen treiben die Meerenge entlang. Sie künden von der Fähre, die nun anlegen wird. Menschen bringt und Menschen holt. Neben dem Taxistand, an dem die Fahrer auf Kundschaft warten, erkennt er ein Gesicht, das ihm bekannt vorkommt. Es ist schmaler geworden. Der Junge trägt einen imposanten Fotoapparat um seinen Hals. Zu seinen Füßen liegt eine Tasche. Was hat er vor? Die Sirene der Fähre ertönt und durchschneidet den Gedanken des alten Mannes. Die einen verlassen das Schiff, die anderen suchen sich ein Plätzchen. Während ein Kamerateam aus der Stadt sein Equipment vorsichtig an Land bringt, springt der junge Mann mit dem Fotoapparat und der Tasche ungeduldig von einem Fuß auf den anderen. Schließlich ist die Gruppe fertig. Er geht an Bord - schaut sich noch einmal um, blickt zurück auf die Insel. Er entdeckt den alten Mann. Sie schauen sich in die Augen. Der Alte nickt. Der Junge hebt die Hand zum Gruß und verschwindet im Bauch der Fähre. In der Zeitung stand etwas von einer Ausstellung in Berlin, heute wurde sogar im Radio darüber berichtet. Fotos von Poros in einer Berliner Galerie, ein Porträt von ihm ist auch dabei. Der alte Mann würde es gern mit eigenen Augen sehen, aber er fühlt sich zu schwach, um in ein fremdes Land zu reisen. Er lächelt milde. Vielleicht sollte er einmal im Museum vorbeigehen und sein eigenes Bild anschauen, das er einst gemalt hat. Oder hatte er gar keines gemalt und seine Erinnerung spielte ihm einen Streich? Vielleicht sollte er sich später vergewissern? Die Fernsehleute sorgen für Wirbel am Hafen. Kinder haben sich um sie versammelt, rufen sich etwas zu. Die rotbraune Katze schreckt auf, drückt sich fest an die Beine des alten Mannes und versteckt sich unter der Bank. Drei Männer, schwer bepackt, und zwei Frauen mit großen, unförmigen Scheinwerfern, laufen an ihm vorbei. „Sie sind wieder da, sie sind wieder da", Rufe hallen durch die engen Gassen. Seit einiger Zeit geht das nun schon so. Einmal pro Woche tauchen sie auf, um in einer der Tavernen zu filmen. Und dann, ein paar Tage später, konnte man die Insel im Fernsehen sehen und den jungen Matrosen, dem er einst auf seiner Bank begegnet war. Natürlich war der kein Matrose, das wusste der alte Mann. Vielmehr tat er genau das, wofür er geboren war: Er kochte. Das ganze Land liebte ihn dafür und schaute ihm am Fernsehapparat bei der Arbeit zu. Das ganze Land kannte die traurige Geschichte von dem Mädchen, die den Koch auf immer mit dem Fotografen verband. Und der hatte die Insel heute wohl für eine sehr lange Zeit verlassen.

Glossar

Apollon...

... ist in der griechischen Mythologie der Gott des Lichts, der Heilung, des Frühlings, der sittlichen Reinheit sowie der schönen Künste. Er ist ein Sohn von Zeus und der Titanin Leto. Seine Zwillingsschwester ist Artemis, die Göttin der Jagd und des Waldes. Ihm ist das Heiligtum in Delphi geweiht. Er wird als schön, geheimnisvoll, aber auch streng und unbestechlich beschrieben. Sein Instrument ist die antike Khitara.

Ilias...

... ist eines der ältesten, schriftlich fixierten Werke Europas (etwa 8. oder 7. Jh. v. Chr.) und wird dem Dichter Homer zugeschrieben. In 24 Büchern beschreibt es eine Phase des Trojanischen Krieges und hat die Darstellung und Verehrung der Olympischen Götter nachhaltig geprägt. Ein zentrales Motiv der Ilias ist Zorn.

Persephone...

... ist in der griechischen Mythologie die Göttin der Toten und der Unterwelt sowie der Fruchtbarkeit. Sie ist eine Tochter von Zeus und dessen Schwester Demeter. Sie trägt den Beinamen Kore (griechisch „Kόρη“, was „Mädchen“ bzw. „Tochter“ bedeutet). Als Hades, Gott der Unterwelt und Bruder von Zeus, sich in sie verliebt, entführt er Persephone in sein Reich. Sie hat es ihrer Mutter Demeter zu verdanken, dass sie nur einen Teil des Jahres bei Hades verweilen muss. So kommt es, dass auf der Erde Winter ist, wenn sie in der Unterwelt herrscht, und Sommer, wenn sie bei ihrer Mutter lebt.

Poseidon...

... ist in der griechischen Mythologie der Gott des Meeres. Er steht in direkter Konkurrenz zu seinem Bruder Zeus, nach manchen Deutungen waren beide sogar einmal gleichrangig. Er kann ebenfalls Blitze und Erdbeben zu den Menschen schicken. Aus zahlreichen Liebschaften sind viele Kinder des Poseidon entstanden, darunter der Ringkämpfer Kerkyon, das geflügelte Pferd Pegasus und der Riese Polyphem, der ein einäugiger Zyklop ist.

Das Orakel von Delphi...

... ist eine bedeutende Weissagungsstätte des antiken Griechenlands, die Apollon geweiht ist. Es galt als Mittelpunkt der Erde. Die Weissagungen, die durch eine Priesterin ausgesprochen wurden, waren nicht immer eindeutig, was auch zu Missinterpretationen führte. Seit 1987 gehört der Ort zum UNESCO-Weltkulturerbe.

Zeus...

... ist in der griechischen Mythologie der oberste Gott, er ist mächtiger als die anderen elf Götter. Er ist mit der Göttin Hera verheiratet, hat aber zahlreiche Liebschaften, aus denen viele Kinder hervorgegangen sind. Zu ihnen gehört u.a. seine Lieblingstochter Athene, die Göttin der Weisheit. Er kann verschiedene Gestalten annehmen, wenn er auf die Erde kommt.

Igor Strawinsky (1882 - 1971)...

... war ein russischer Komponist und Dirigent. Er gilt als einer der bedeutendsten Vertreter der Neuen Musik. Zu seinen Werken gehören u.a. das berühmte Ballett „Der Feuervogel" (1910) und das weniger bekannte Tanzmelodram „Perséphone" (1934).

Mein Dank geht an Alexandra, ohne
dich hätte ich meine kleine Geschichte niemals
aufgeschrieben! An Steffi für das tolle Cover-Bild.
An Jennifer, Daniela & Heike fürs erste Lesen
und die wertvollen Tipps. An Kai für seine
Ska-Punk-Expertise. An Griechenland –
meinen ewigen Sehnsuchtsort. Und an alle,
deren aufbauende Worte mich motiviert haben.